SCIENTIFIC GERMAN

SCIENTIFIC GERMAN

FOR

SCIENCE AND PREMEDICAL STUDENTS

Edited by

CURTIS C. D. VAIL
University of Washington

APPLETON-CENTURY-CROFTS, INC., NEW YORK

PREFACE

The materials used in this book have been chosen as the result of a survey undertaken by the editor, the findings of which were published in the *Monatshefte für deutschen Unterricht*, Vol. XXVIII, No. 6, October, 1936. Answers received from more than 150 of our colleges and universities showed clearly that the readings desired by both teachers and students of scientific German come from the fields of botany, zoology, chemistry, physics, and other subjects which would be of value to the premedical student. Each chapter of this book is intended to be fairly well rounded, so that the student will gain a certain perspective in each of the above fields. The final chapter deals with geology and may be used either for class preparation or for sight reading. With the inclusion of this last chapter, all the sciences commonly offered in arts colleges are represented, except mathematics, the vocabulary of which is in general too technical to be included in readings for the preprofessional student. The readings thus take on the aspect of a survey of general science. The final chapter is, furthermore, a fairly difficult one and may well give evidence as to the student's ability to cope with such technical works as he might normally use in his own particular field.

Four of the five chapters, including the illustrations, have been taken from the *Sammlung Göschen*.[1] The student is urged to secure one or more of these inexpensive yet excellent little books and to read, especially in his own specific field, far more than appears in the selections we have made. The chapter on physics, including the illustrations, is taken from the *Mentor Repetitorien*,[2] which are very popular as "cram books" and may render

[1] These are: E. Rebmann, *Der menschliche Körper*, sixth edition, 1926; Kurt Lampert, *Das Tierreich: Säugetiere*, 1917; W. Migula, *Pflanzenbiologie*, third edition, 1922; Wilhelm Klemm, *Anorganische Chemie*, 1935; Edgar Dacqué, *Geologie*, third edition, 1927.

[2] O. Dux, *Physik I*, fifth edition, Berlin-Schöneberg (no date), Vol. 33 of the *Mentor Repetitorien*.

the student good service in connection with his own courses. The main point here is that it is always most advisable to do a goodly amount of outside, or collateral, German reading in connection with the scientific German course, and experience has shown that excellent results can be obtained by reading at length in those books from which extracts have already been encountered.

It has been indicated previously that these readings are, to a certain extent, graded. In particular, the first chapter has more ample notes than the others, and its vocabulary correlates excellently with the following section on mammalian anatomy. From this point on the guiding principle has been largely the student's familiarity with the subject matter.

The survey mentioned above also shows that the great majority of our students in scientific German courses have already had one, one and a half, or two years of general college German or its equivalent. These readings are accordingly adapted to those levels: they may be begun after one year of college German, after the first semester of the second year, or in the third year. They may be used as a conclusion to more general material or as an introduction to more specific material. Before publication they have been used in both these ways, once at the beginning of the third semester and once at the beginning of the fourth.

The grammatical notes are given at the foot of the pages of text; all other references are to be found in the general vocabulary, which is complete as to vocabulary, abbreviations, and names. The student is especially urged to read the foreword to the vocabulary so that he may understand the method of its composition. None of these aids, however, can approach the value of the instructor's help in both the general and the specific problems that will necessarily arise, as, for example, the translation of the frequent participial constructions, such as **eine am Ende des Dünndarmes aus zwei quergelegten Wülsten gebildete Schleimhautfalte.**

Although all the books from which selections have been taken are of recent date, some older spellings persist in them, as **Silicium** for **Silizium.** Since the research worker is sure to meet such forms in the literature, they have not always been normalized. In the main, however, usage has been brought into line with Duden's *Rechtschreibung der deutschen Sprache*, eleventh edition, Leipzig, 1934.

Grateful acknowledgment is herewith made to Dr. Otto K. Liedke of Hamilton College, Mr. J. Alan Pfeffer of Columbia University, and Dr. Annemarie M. Sauerlander of the University of Buffalo for the time which they so freely gave to the reading of the proofs. The editor likewise desires to avail himself of this opportunity to attest his profound indebtedness to three of his colleagues who, through their sympathetic encouragement and interest, have helped bring this work to completion: Professor Edward F. Hauch of Hamilton College, his former teacher; Professor Theodore B. Hewitt, his departmental head at the University of Buffalo; and Professor Albert B. Faust of Cornell University, the general editor of this series.

Curtis C. D. Vail

CONTENTS

DER MENSCHLICHE KÖRPER

DER MENSCHLICHE KÖRPER

Das Nervensystem

Das ganze Nervensystem setzt sich aus zwei Grundgebilden zusammen, den Nervenzellen oder Ganglien und den Nervenfasern. Große Anhäufungen von beiden bilden Gehirn und Rückenmark, deren graue Masse aus Zellen, deren weiße Masse aus Fasern besteht. Außerdem finden sich Ganglien im Körper 5 weitverbreitet, jeweils an Knotenpunkten der Nerven. Nervenfasern, zu Nervensträngen (Nerven) vereinigt, durchziehen alle Organe des Körpers. Die Nervenzellen sind die Träger der Nerventätigkeit: sie nehmen Reize auf (sensitiv), sie erregen Bewegungen der Muskeln (motorisch), sie übertragen Reize auf 10 andre Zellen, schalten sie um.

Die graue Masse ist das Zentralorgan für die gesamte geistige und seelische Tätigkeit, der Sitz der Empfindungen, des Bewußtseins und aller bewußten, willkürlichen Bewegungen; es ist das Organ des Fühlens und Wollens, des Sicherinnerns und des 15 Denkens. Von den Nervenfasern leitet ein Teil die von den Sinnesorganen und anderen Stellen ausgehenden Erregungen [1] (Reize) in die Nervenzellen des Zentralorgans, das sind die Empfindungsnerven (sensitive N.[2]); andere leiten die vom Zentralorgan ausgehenden Erregungen (Reize) in die ausführenden Or- 20 gane und regen diese, z. B. die Muskeln, zu Bewegungen an. Diese heißen Bewegungsnerven (motorische N.). Alle diese Gruppen, also Hirn, Rückenmark, Empfindungs- und Bewegungsnerven, werden als animales Nervensystem zusammengefaßt, das Organ des Seelenlebens ist und alle bewußten Empfindungen und 25

[1] **die von den Sinnesorganen und anderen Stellen ausgehenden Erregungen** *the stimuli proceeding from the sense organs and other places.* Such participial constructions are very common in scientific German. The student should master the construction and list other examples as they occur.

[2] All abbreviations are listed in the general vocabulary.

Bewegungen besorgt, wobei [3] die willkürlichen Bewegungen ihre
Endorgane im Gehirn, die Reflexbewegungen im Rückenmark
und im verlängerten Mark haben.   Eine weitere Gruppe von
Nerven, die ihren Ursprung zum größten Teil im Rückenmark
5 und im verlängerten Mark haben, sorgen für die unwillkürlichen
Bewegungen des Herzens, der Adern, der Regenbogenhaut, für
die Absonderungen der Drüsen und wahrscheinlich auch für die
Vorgänge der Ernährung.   Sie werden zusammen als vegetatives
Nervensystem bezeichnet.

Das Gehirn

10   Das Gehirn mit seinen Hüllen und Blutgefäßen füllt die von
den Schädelknochen gebildete Höhle vollständig aus.   Die Festigkeit der Knochen und die Art ihrer Zusammenfügung gewähren
der weichen Gehirnmasse den nötigen Schutz.

Das Gehirn steckt in drei Bindegewebshäuten: der harten
15 Haut,[4] welche den Knochen der Schädelkapsel als Beinhaut dient,
ihnen fest anliegend die Schädelhöhle auskleidet; der weichen
Haut,[5] welche die äußere Fläche des Gehirns selbst überkleidet
und als Trägerin der Blutgefäße eine wichtige Rolle spielt, und
einer faserigen Bindegewebsschicht, die sich zwischen die beiden
20 ersten einlagert: der Spinnwebhaut.   Von der harten Hirnhaut
aus [6] senken sich zwei ausgebreitete Fortsätze in das Gehirn, ein
in der Symmetrieebene des Gehirns liegender,[7] der die beiden
Großhirnhälften voneinander trennt, und ein quer von hinten
nach vorn verlaufender,[7] der sich zwischen Groß- und Kleinhirn
25 einlagert.   Diese zusammen mit einem kunstvollen Gewebe von
Bindegewebsfasern geben der weichen Gehirnmasse die nötige
Stütze und halten alle Teile in ihrer Lage fest.

[3] **wobei** *in which case, in the case of which.*   In scientific German **bei** very
frequently means *in the case of.*
[4] **der harten Haut** *dura mater.*
[5] **der weichen Haut** *pia mater.*
[6] **Von der harten Hirnhaut aus** *From the dura mater.*   The aus is not translated, but is equivalent to the older English, as *from out of the west.*
[7] **liegender** and **verlaufender** agree with **ein** and refer to **Fortsatz.**

Das Gehirn (Fig. 1) sondert sich äußerlich in zwei scharf getrennte Teile, das Großhirn und das Kleinhirn. Dieses (etwa 1/8 des ganzen) füllt den unteren Teil des Hinterkopfes, jenes den ganzen übrigen Schädelraum aus.

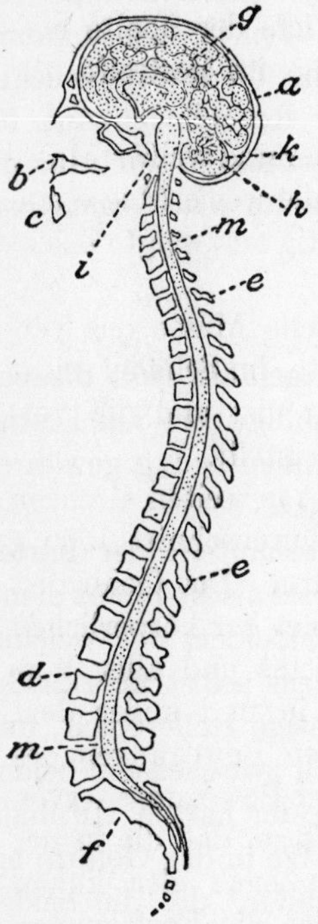

Als Mittelhirn bezeichnet man wohl auch noch die auf der Unterseite des Gehirns liegenden Teile, die die Hälften von Groß- und Kleinhirn untereinander und mit dem innerhalb der Schädelkapsel liegenden Teil des Rückenmarks, dem verlängerten Mark, verbinden.

Das Großhirn ist durch [8] eine von vorn, oben und hinten tief eindringende Längsfurche, in zwei symmetrische Hälften geteilt. Jede von ihnen zerfällt wieder durch eine von vorn und unten nach hinten und oben ziehende Spalte in zwei unter sich ungleiche Stücke, an denen durch weitere Spalten noch mehrere Stücke, Hirnlappen, abgegrenzt werden.

Ein Schnitt in die Masse des Gehirns zeigt, daß sie aus zwei verschiedenen Substanzen besteht. Eine äußere, rötlichgrau gefärbte Schicht umschließt als graue Masse die inneren, weiß gefärbten Teile, die weiße Masse. Zellen bilden die Hauptmasse der grauen, Fasern die Hauptmasse der weißen Substanz. Die Faserzüge sind so angeordnet, daß nicht bloß die Zellen jeder einzelnen Hirnhälfte untereinander in Verbindung stehen, sondern daß auch die Zellen und Zellengruppen der einen Hälfte durch Millionen von Fäden mit

Fig. 1. Längsschnitt durch Schädel und Wirbelsäule mit Gehirn und Rückenmark. *a* Schädelkapsel, *b* Oberkiefer, *c* Unterkiefer, *d* Wirbelkörper, *e* Dornfortsätze, *f* Kreuzbein, *g* Großhirn, *h* Kleinhirn, *i* das verlängerte Mark, *k* Lebensbaum.

[8] In scientific German **durch** is frequently best translated as *by means of*.

denen der anderen Hälfte zu gemeinsamer Tätigkeit verbunden
sind.

Das Kleinhirn ist wie das Großhirn durch eine mittlere Längsspalte in zwei Hälften geteilt, die in der Tiefe der Spalte mit-
5 einander verbunden sind. Seine Oberfläche ist gestreift, die
Streifen laufen waagerecht etwa parallel.

Im kleinen Hirn ist die Verteilung von grauer und weißer Masse
insofern anders, als die erstere viel tiefer in die weiße Masse ein-
dringt, so daß ein querer Schnitt eine baumartig verzweigte Zeich-
10 nung ergibt, den sog. Lebensbaum.

Dem Kleinhirn ist als wulstig aufgetriebene Masse das verlängerte Mark vorgelagert, das als das oberste, im Schädel selbst
liegende Stück des Rückenmarks anzusehen [9] ist und die Verbindung zwischen diesem und dem Gehirn herstellt.

15 Das Gewicht des gesunden Hirns schwankt in weiten Grenzen
zwischen 1000 g und 2000 g; es wiegt im Durchschnitt 1500 g
beim männlichen, 1300 g beim weiblichen Hirn. Das Gehirn ist
der Sitz des geistigen Lebens. Für das Gebiet der körperlichen
Erscheinungen ist es der Sitz des Bewußtseins und aller Vor-
20 stellungen von Zuständen und Vorgängen in und außer dem
Körper, ferner veranlaßt es alle willkürlichen Bewegungen des
Körpers und seiner Teile. Der größte Teil der Bewegungsnerven
und ähnlich der Empfindungsnerven verläuft so, daß die in der
rechten Hirnhälfte entspringenden Nerven nach der linken
25 Körperhälfte ziehen und umgekehrt, daß also die Bewegungen
und Empfindungen der rechten Korperhälfte in der Rinde des
linken Hirns ihren Anfang und ihr Ende nehmen: so wird eine
Bewegung des rechten Arms in der linken Hirnhälfte ausgelöst,
ein Schmerz in der linken Hand wird in der rechten Hirnhälfte
30 empfunden.

Die einzelnen Tätigkeiten des Gehirns werden nicht von der
gesamten Hirnmasse ausgeübt, sondern bestimmte Teile des
Hirns haben ihre besonderen Aufgaben. So besorgt ein gewisser
Teil das Sehen (Sehzentrum), wieder ein anderer das Hören

[9] anzusehen *to be regarded*.   Particularly after the verbs sein and sich lassen
the infinitive is to be rendered into English as in the passive voice.

(Gehörzentrum), wieder ein anderer das Sprechen (Sprachzentrum) usw. Erkrankungen oder Verletzungen dieser Teile erzeugen Störungen dieser besonderen Tätigkeiten oder lassen sie ganz aufhören (Lähmung). Noch nicht für alle Gebiete der Hirnrinde hat sich aber eine derartige Sondertätigkeit feststellen 5 lassen. Wesentliche Teile des Gehirns dienen der Vermittlung und Verknüpfung der einzelnen Tätigkeiten und dem ganzen Geflecht von Vorgängen, die man als geistige Tätigkeit bezeichnet. Zahllose Nervenbahnen verbinden die einzelnen Gehirnzentren miteinander und ermöglichen dadurch ihr Zusammenarbeiten. 10 So stellt sich das Gehirn dar als bestehend aus einer großen Zahl von Teilorganen, von welchen jedes seine besondere Teilfunktion hat; diese alle aber arbeiten nicht unabhängig, sondern miteinander verbunden und sind so zu einer Einheit zusammengeschlossen. 15

Die Grundlage der Seelentätigkeit sind die Empfindungen, die durch die Sinneswerkzeuge aus der Umwelt aufgenommen und durch die Nerven dem Gehirn übermittelt werden; die im Gehirn zum Bewußtsein gelangten Empfindungen heißen Vorstellungen. Einmal gewonnene Vorstellungen können vom Gehirn aufbewahrt 20 werden. Diese Fähigkeit des Gehirns heißt Gedächtnis. Werden [10] solche Vorstellungen wieder ins Bewußtsein zurückgerufen, so spricht man von Erinnerung. Die Kraft des Gedächtnisses und der Erinnerung wird aber auch den einzelnen Ganglien zugeschrieben, die im äußeren Körperbereich liegen. So ist zu 25 verstehen, daß Bewegungen von Muskeln und Muskelgruppen durch häufige Wiederholung endlich halbautomatisch ablaufen, wobei wohl noch das Rückenmark, aber nicht mehr das Gehirn mitwirkt. Bei der Aufnahme von Empfindungen findet die Nerventätigkeit in der Richtung nach dem Gehirn statt (zentri- 30 petal). Hat die Nerventätigkeit die entgegengesetzte Richtung

---

[10] When **wenn** is omitted, the finite verb occupies the position which **wenn** would normally have. Thus, if a German sentence which is neither a command nor a question begins with the verb, the translation will usually start with *if*.

(nach außen, d.h. nach einem Muskel hin), so [11] sprechen wir vom
Willen im weitesten Sinne des Wortes, einerlei, wodurch ein
solcher Willensakt hervorgerufen wird.   Ruft eine Empfindung
in der Art [12] Bewegung hervor, daß das Gehirn nicht in Tätigkeit
5 tritt, sondern nur das Rückenmark und das verlängerte Mark, so
heißt dies Reflex.

Der Sitz der Empfindungen ist das Gehirn; dorthin werden sie
von den Nerven übermittelt, dort kommen sie zu unserem
Bewußtsein, nicht an den Stellen, wo sie erregt werden. Die
10 Erfahrung aber lehrt uns, sie an jene Erregungsstellen zu übertragen. So vermeint z. B. nach der Amputation eines Körper-
teiles der Betreffende in dem entfernten Teil noch lebhafte
Schmerzen zu empfinden. Denn von den abgeschnittenen
Nerven sind im Gehirn die Endorgane noch vorhanden; ihre
15 Erregung wird als Schmerz empfunden und an die vermeintlich
noch vorhandenen äußeren Wirkungsbereiche der Nerven übertragen. Auf ähnliche Weise ist zu erklären, daß, wenn man sich
am Ellenbogen stößt und den Nerv quetscht, der die drei äußeren
Finger empfindlich macht, diese drei äußeren Finger schmerzen.
20 Umgekehrt führt Unterbrechung der Nervenbahnen zu Be-
wegungs- und Empfindungslosigkeit. Das Durchschneiden des
Sehnervs bewirkt Erblinden: das Gehirn erfährt nichts mehr von
den Bildern, die im Auge entstehen. Wird das Rückenmark
unterhalb der Brust durchgerissen, so werden die Beine gelähmt:
25 das Gehirn hat die Herrschaft über diese Teile verloren, da die
von ihm ausgehenden Erregungen nicht mehr [13] dorthin gelangen
können, und ohne diese von den Muskeln keinerlei Bewegungen
ausgeführt werden.

Jeder Nerv kann sich nur auf eine Art äußern: Reizungen des
30 Sehnervs werden als Lichteindrücke empfunden, Reizung eines
Muskelnervs erzeugt Muskelzuckungen, die des Nervs, der die
Speicheldrüsen versorgt, ruft Speichelabsonderung hervor. Die

---

[11] so *then*.   It is used merely to indicate that the following clause is the
conclusion of a condition and does not affect the word order.
[12] in der Art . . . daß *in such a way that*.
[13] nicht mehr *no longer*.

Schmerznerven als Hüter der Gesundheit melden sofort Störungen in ihrem Bereich.

Über die Vorgänge, welche sich im Gehirn während der verschiedenen Tätigkeiten desselben abspielen, ist nichts bekannt.

Ein unmittelbarer Zusammenhang zwischen der Größe und 5 der Tätigkeit des Gehirns ist bis jetzt noch nicht nachgewiesen worden. Weder mit Rasseangehörigkeit, noch mit Beschäftigung, noch mit geistigen Fähigkeiten scheint die Größe des Gehirns einen nachweisbaren Zusammenhang zu besitzen. Die Gehirne großer Gelehrter und anderer berühmter Männer, die man bis 10 jetzt untersucht hat, zeigen durchgängig Gewichte, die wenig unter oder über dem Durchschnitt liegen.

Die Ermüdung des Gehirns führt zum Schlaf, während dessen das Herz und die Atmung langsamer arbeiten, das Gehirn blutärmer, die verbrauchte Nervensubstanz wieder ersetzt und die 15 Ermüdungsstoffe ausgeschieden werden. Nur im tiefen, traumlosen Schlaf ruht das Gehirn völlig. Im wachen Zustand ist es stets mit der Aufnahme und Verarbeitung von Empfindungen und Vorstellungen beschäftigt, auch wenn [14] diese Tätigkeit nicht immer voll zu unserem Bewußtsein gelangt. Völlig ohne Mit- 20 wirkung des Bewußtseins und des Verstandes geht die Tätigkeit des Gehirns im Schlaf vor sich. Man bezeichnet sie als Träumen. Wahrscheinlich finden die Träume nur im Augenblick des Aufwachens oder zu Zeiten geminderter Schlaftiefe statt und dauern nur ganz kurze Zeit. In Übereinstimmung damit steht die Be- 25 obachtung, daß beim Träumen die gröbsten Täuschungen hinsichtlich der Zeitdauer vorkommen.

Das Rückenmark

Die Fortsetzung des verlängerten Marks nach unten ist das Rückenmark, das am Hinterhauptsloch den Schädel verläßt und in dem von den Dornfortsätzen der Wirbel gebildeten Rücken- 30 markskanal nach unten verlaufend frei hängt. Es ist ein weißgefärbter Strang aus weicher Nervenmasse, der am Hinterhauptsloch einen Breitendurchmesser von 11 mm hat und,

[14] **auch wenn** *even if.*

trotzdem er an jedem Wirbel ein Nervenpaar abgibt, an Dicke nicht verliert, bis er sich in der Lendengegend in ein Bündel von einzelnen Nerven auflöst. Der ganzen Länge nach ist das Rückenmark durch eine tiefere vordere und eine seichtere hintere
5 Furche in zwei seitliche symmetrische Hälften geteilt. Es besteht aus zwei Schichten, einer grauen inneren und einer weißen äußeren Masse; also ist die Anordnung umgekehrt wie beim Gehirn. Die weiße Masse besteht wie beim Hirn der Hauptsache nach [15] aus Nervenfasern, die graue aus Nervenzellen.
10 Als Fortsetzung des Gehirns steckt das Rückenmark in einem aus den Fortsetzungen der Gehirnhäute gebildeten Sack. Doch liegt derselbe dem Rückenmark nicht fest an; der Zwischenraum zwischen beiden wird von einer wässerigen Flüssigkeit ausgefüllt, die in der gleichen Weise wirkt wie die Gehirnflüssigkeit.
15 Bei jedem Wirbel entspringt aus dem Rückenmark ein Paar Nerven, jeder derselben an zwei Ursprungsstellen, einer vorderen und einer hinteren, die man Wurzeln nennt. Beide Wurzeln kommen aus der grauen Masse und durchbrechen die weiße, an die sie dabei einzelne Fasern abgeben. An der Vereinigungsstelle
20 beider Wurzeln ist ein Ganglienknoten. Die vorderen Wurzeln sind motorische, die hinteren sensitive Nerven.

Das Rückenmark ist die Verbindung zwischen dem Gehirn und den Nerven des Rumpfs und der Glieder, enthält also in erster Linie [16] die Leitungsbahnen für die Erregung aller dort statt-
25 findenden willkürlichen Bewegungen und für die Übertragung der Empfindungen. Die Leitung geschieht in der Art, daß jede vom Gehirn stammende Faser eines Bewegungsnervs im Rückenmark endet und ihre Endfäden mit einem Ganglion in Beziehung treten. Von diesem aus geht dann wieder eine Faser und läuft
30 ohne weitere Unterbrechung an den Ort ihrer Tätigkeit im Muskel. Im Rückenmark wird also die Hirnleitung in die Körperleitung umgeschaltet. Umgekehrt ist der Weg in den sensitiven Nerven. Selbständige Tätigkeit übt das Rückenmark bei der Auslösung von Reflexbewegungen und halbautomatischen

[15] der Hauptsache nach *in the main.*
[16] in erster Linie *primarily.*

Bewegungen. Dabei wird der von der Erregungsstelle ausgehende Reiz im Rückenmarksganglion nicht ins Gehirn, sondern sofort auf die ausführende motorische Faser umgeleitet.

Die Nerven

Die Nerven sind weiße Stränge von verschiedener Dicke, vom feinsten, kaum noch meßbaren Fäserchen bis zu stricknadeldicken Fäden, die in ihrem Verlauf die beiden Elemente enthalten, die Nervenzellen und die Nervenfasern. Die Nervenzellen (Ganglien) sind Gebilde von unregelmäßiger Form und sehr verschiedener Größe, aber im ganzen so klein, daß die größten eben noch als winzige Pünktchen mit bloßem Auge gesehen werden 10 können. Anhäufungen von Ganglien bezeichnet man als Ganglienknoten. Die einzelne Nervenfaser besteht aus zahlreichen, feinsten Fäserchen; diese sind die eigentlich leitenden Teile des Nervs. Jede Faser ist durch Hüllen so isoliert, daß der Reiz von ihr auf keine andere Faser überspringen kann. Die Fasern lösen 15 sich in ihren Endteilen meistens in zahllose, feinste Fäserchen auf, die alle Organe des Körpers durchdringen und umspinnen. Die Nervenfasern treten zu stärkeren Bündeln (Nerven) zusammen, die wieder in einer Haut, der Nervenscheide, stecken. Die Nerven geben häufig in ihrem Verlauf Fasern an andere Nerven 20 ab, oder ihre Äste treten mit solchen [17] anderer Nerven zu Nervengeflechten zusammen.

Die Geschwindigkeit, mit der ein Reiz im Nerv sich fortpflanzt, ist mit ungefähr 70 m in der Sekunde berechnet worden.

Der Ursprungsstelle nach unterscheidet man Hirnnerven und 25 Rückenmarksnerven. Hirnnerven zählt man zwölf Paare, die alle innerhalb des Schädels entspringen und mit Ausnahme von zwei Paaren auch am Kopf verlaufen. Sie besorgen sämtliche Bewegungen und Empfindungen am Kopf, insbesondere auch die Sinnesempfindungen und den Mechanismus der Sprache. Zwei 30 Paar Hirnnerven steigen in den Rumpf hinab (Vagus). Die Rückenmarksnerven, deren es 31 Paare gibt, versorgen den ganzen übrigen Körper.

[17] solchen *those*.

Die Sinneswerkzeuge

Die Verbindung des Gehirns mit der Außenwelt wird hergestellt durch die Sinneswerkzeuge. Diese werden durch Druck, Licht, Schall, Wärme, chemische Einwirkungen erregt, jedes in einer besonderen Weise; die Nerven, die aus ihnen ins Gehirn führen,
5 leiten diese Erregungen dorthin. Die Sinne melden so fortwährend ins Innere, was draußen geschieht; sie unterrichten uns aber auch über Vorgänge und Zustände (nicht alle) innerhalb unseres Körpers, über Druck und Schmerz, über Wärme und Kälte usw. So baut sich all unser Wissen von der Welt und von
10 unserem Körper auf der Tätigkeit der Sinne auf. Jedes einzelne Sinnesorgan leitet nur eine einzige Art von Reizen fort, so das Auge nur Lichtempfindungen, das Geschmacksorgan nur Geschmacksempfindungen. Jedes einzelne Sinnesorgan ist aber auch nur für eine einzige Reizart empfänglich, für alle anderen
15 unempfänglich. So machen Schallwellen auf das Auge, oder Lichtwellen auf das Geruchsorgan keinerlei Eindruck. Ein Sinnesorgan ist also ein Organ, das Empfindungen einer bestimmten Art erzeugt.

Als Sinne hat man früher bezeichnet Gesicht, Gehör, Ge-
20 schmack, Geruch und Gefühl. Dieser letztere Sinn aber ist nach heutiger Anschauung in eine Reihe einzelner Empfindungsgruppen aufzulösen: Temperatursinn, Druck- und Schmerzsinn, Lage- und Bewegungssinn.

Das Gehör

Das Gehörorgan besteht aus drei Teilen, dem äußeren, dem
25 mittleren und dem inneren Ohr. Zum ersten [18] rechnet man die Ohrmuschel und den Gehörgang, der durch das Trommelfell abgeschlossen wird; zum mittleren [18] zählen die Paukenhöhle mit den Gehörknöchelchen und der Ohrtrompete, zum inneren [18] die Abteilungen des Labyrinths: Vorhof, Bogengänge und Schnecke
30 mit dem Hörnerv.

Die Ohrmuschel ist ein dünner, unregelmäßig gebogener Knorpel, der mit Haut überzogen ist.

[18] Agrees with **Teil** (understood).

Der Gehörgang (Fig. 2) ist eine etwa 2,5 [19] cm lange, nach oben gebogene Röhre im Felsenbeinfortsatz des Schläfenbeins, deren Wand im Anfang noch von dem Knorpel der Ohrmuschel, später von Knochen gebildet wird. Innen mit Haut überzogen, hat er eine lichte Weite von 5–10 mm und ist mit feinen Härchen ausgekleidet.

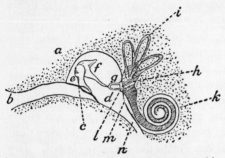

FIG. 2. Das Gehörorgan (halbschematisch). a Schläfenbein, b Gehörgang, c Trommelfell, d Paukenhöhle, e Hammer, f Amboß, g Steigbügel, h Vorhof, i Bogengänge, k Schnecke, l ovales Fenster, m rundes Fenster, n Ohrtrompete.

Das Trommelfell schließt als ziemlich straff gespannte, nahezu kreisförmige Haut von 8–9 mm Durchmesser und 0,1 mm Dicke den Gehörgang ab. Es ist ringsherum an der knöchernen Wand desselben fest angewachsen und steht nicht senkrecht auf der Achse des Gehörgangs, sondern ist schief nach unten und hinten geneigt. Die Paukenhöhle ist ein unregelmäßig gestalteter Raum im Felsenbein; ihre größte Ausdehnung beträgt etwa 1,3 cm. Sie ist mit Schleimhaut ausgekleidet und mit Luft gefüllt. Als ihre Fortsetzung ist die Ohrtrompete anzusehen, ein feiner Gang, der, etwa 2,5 cm lang, sich trichterförmig erweiternd von der Paukenhöhle nach vorn, innen und unten führt und im hinteren Gaumenraum mündet. Ihre Wand ist im Anfang knöchern, gegen das Ende hin wird sie knorpelig. Auf diesem Wege tritt die äußere Luft mit der Luft der Paukenhöhle in Verbindung und stellt in dieser den Gleichgewichtszustand her. In der Paukenhöhle liegen die drei Gehörknöchelchen: Hammer, Amboß, Steigbügel, die untereinander durch Gelenke, also beweglich verbunden sind. Der Hammer ist mit einem dünneren Teil, dem Handgriff, am

[19] 2,5 means two and five tenths. German uses the comma as a decimal point.

Trommelfell angewachsen, hängt außerdem noch in einer dünnen, doppelten Bandschleife. Das dickere Ende, der Kopf, trägt eine überknorpelte Gelenkfläche, an welche sich der Amboß mit einem ebenfalls dickeren Teil ansetzt. Sein Ende ist, wie beim Hammer, 5 ein dünner, nach innen gebogener Stiel. An diesem ist das letzte und kleinste der Knöchelchen, der Steigbügel, dem seine Form den Namen verschafft hat, ebenfalls wieder mit einem Gelenk befestigt. Seine untere Platte ruht auf einer das Labyrinth gegen das innere Ohr schließenden Haut.

10 Drei Gruppen von Gängen und Röhren, die in die feste Knochenmasse eingelassen sind, bilden das Labyrinth. In dasselbe führen aus der Paukenhöhle zwei kleine Öffnungen, das runde und das ovale Fensterchen, beide durch Haut verschlossen; auf der Haut des letzteren steht die Platte des Steigbügels auf. Der 15 vorderste Abschnitt des Labyrinths selbst ist der Vorhof, ein unregelmäßig geformter Raum von etwa 5 mm Durchmesser, von dem aus nach der Seite die drei Bogengänge, nach innen die Schnecke sich abzweigen. Die Bogengänge sind drei Röhren von etwa 1–1½ mm lichter Weite und etwa halbkreisförmiger Gestalt, 20 die in drei zueinander senkrecht stehenden Ebenen liegen, im Vorhof entspringen und endigen und nahe ihrem Anfang jeweils eine kleine, flaschenförmige Verdickung besitzen.

Weiter nach innen setzt sich der Raum des Vorhofs in die Schnecke fort, einen Gang, der erst 3 mm weit ist, sich aber 25 später mehr und mehr verjüngt und sich zweiundeinhalbmal schneckenförmig aufwindet. Eine in der ganzen Länge der Schnecke von deren innerer Wand vorspringende Knochenleiste, das Spiralblatt, teilt den ganzen Raum in zwei große Abteilungen. Von der oberen trennt eine schief nach oben gespannte, feine Haut 30 noch einen weiteren Raum ab. Eine feine Haut kleidet das ganze Labyrinth aus.

Eine wässerige Flüssigkeit, das Labyrinthwasser, füllt den Hohlraum des Labyrinths. Vom Gehirn her tritt der Hörnerv an das Felsenbein, durchbricht es und verbreitet sich in den 35 flaschenförmigen Verdickungen der Bogengänge und in der Schnecke; in der letzteren werden die quer durch den Schneckenraum gespannten Nervenfäden entsprechend der Größenabnahme der Schnecke ähnlich wie die Saiten eines Flügels nach und nach [20] kürzer und dünner; sie enden alle mit feinsten Borsten, die frei in der Flüssigkeit schweben, die das Labyrinth füllt.

Auch beim Ohr ist der Nerv der einzig empfindende Teil; alle [5] übrigen Organe, mit Ausnahme der festen Wände, sind sich berührende, schwingungsfähige Körper, die den Schall leiten und verstärken. Die durch die Luft an das Ohr gelangten Schallwellen werden von der Ohrmuschel aufgefangen. Im Gehörgang prallen sie an das elastische Trommelfell an und setzen es in [10] gleichartige Schwingungen. An ihm ist der Hammer angewachsen, der um seine Aufhängestelle am Querband mitschwingen muß und dadurch die ganze Reihe der Gehörknöchelchen in Bewegung setzt. Der schwingende Steigbügel stößt auf die gespannte Verschlußhaut des ovalen Fensterchens, auf der seine [15] Platte steht, und diese Haut teilt die empfangenen Bewegungen dem an sie anspülenden Labyrinthwasser mit. Diese mechanischen Erschütterungen des Labyrinthwassers empfindet der in ihm schwimmende Hörnerv als Schall; an dieser Stelle werden die Luftwellen in Nervenkraft umgewandelt, die auf der Nerven- [20] bahn des Hörnervs ins Gehirn geleitet wird.

Damit das Labyrinthwasser die Stöße des Steigbügels auch als solche fortpflanzen kann, gibt bei jedem derselben die Haut des runden Fensterchens nach und wölbt sich in die Paukenhöhle vor. Ohne diese Vorrichtung würde das kaum zusammendrückbare [25] Wasser die erhaltenen Stöße einfach zurückwerfen.

Auch die Knochen des Kopfes können den Schall leiten, ohne daß der Leitungsapparat des Ohres (Trommelfell und Gehörknöchelchen) in Anspruch genommen wird, z. B. wenn eine tönende Stimmgabel auf die Zähne oder auf den Kopf gestellt [30] wird.

Unter Klangfarbe versteht man den verschiedenen Eindruck, den Töne derselben Tonhöhe machen, wenn sie von verschiedenen Körpern hervorgebracht werden, also den Eindruck, vermittels dessen wir z. B. die Klänge einer Geige, einer Flöte, der mensch- [35]

[20] nach und nach *gradually.*

lichen Stimme voneinander unterscheiden. Auch für die Empfindung der Klangfarbe bedarf es der Übung. Unter gewöhnlichen Umständen ist das menschliche Ohr am schärfsten für die Klangfarbe der menschlichen Stimme eingeübt, so daß 5 man jede einzelne Stimme als solche zu erkennen vermag. Endlich gibt das Ohr noch eine Vorstellung von der Richtung, aus welcher der Schall kommt, doch ist dieselbe oft unsicher. Ebenso unsicher, weil auch von äußeren Einflüssen, vor allem von der Tonstärke abhängig, ist die Bestimmung der Entfernung, 10 aus welcher ein Schall kommt. Für beides ist das Hören mit beiden Ohren von Wichtigkeit, während für das Hören an sich [21] die Mitwirkung beider Ohren nicht erforderlich ist.

So wie der Sehnerv nur Lichtempfindungen, so kann der Hörnerv nur Tonempfindungen übermitteln. Und wie das Auge die 15 Bilder, so verlegt das Ohr die Tonempfindungen nach außen an die Stelle, wo die Töne erzeugt werden, aber nur, wenn der Schall durch das Trommelfell geleitet wird. Wird er durch die Kopfknochen geleitet, so glauben wir,[22] die Töne im Kopf selbst zu hören.

20 Eine andere Bedeutung haben die noch übrigen Teile des Gehörorgans, der Vorhof des Labyrinths und die halbkreisförmigen Bogengänge. Der Vorhof enthält außer den Nervenendigungen eine ihn füllende Flüssigkeit, in der gallertartige Klümpchen liegen, in denen in größerer Zahl feinste Kristalle 25 eingelagert sind. Die Bogengänge sind ebenfalls mit Flüssigkeit gefüllt; bei ihnen sind die empfindenden Nerven in der häutigen Wand eingebettet. Jede Änderung der Körperlage bringt aber eine Störung der augenblicklichen Gleichgewichtslage des Körpers mit sich. In den Bogengängen, die nach den drei 30 Richtungen des Raumes gelagert sind, entspricht einer Änderung des Gleichgewichts ein veränderter Druck auf die Nervenendigungen, der dann die Körperbewegungen auslöst, die die neue Gleichgewichtslage herstellen. Im gleichen Sinne wirken die Kriställchen des Vorhofs, die bei einer Verschiebung des Gleich-

---

[21] **an sich** *per se, by itself, as such.*
[22] **glauben wir . . . zu hören** *we think we hear.*

gewichts den Druck ihres Gewichts auf andere Elemente verlegen. Im ganzen arbeiten diese Sinnesorgane—man hat sie auch als statischen Sinn bezeichnet—so, daß sie uns über die Lage unseres Körpers unterrichten und das Körpergleichgewicht erhalten, sie sind also von höchster Bedeutung für die aufrechte 5 Haltung und den aufrechten Gang des Menschen.

Der Geruch

Das Geruchsorgan besteht aus der äußeren Nase, den Nasenhöhlen und der sie auskleidenden Nasenschleimhaut.

Das Gerüst der Nase wird an ihrer Wurzel von den zwei Nasenbeinen gebildet, die sich aber nicht ganz bis in die Mitte der 10 ganzen Nasenlänge erstrecken. Der Rest erhält die nötige Festigkeit, aber auch Elastizität durch mehrere Knorpelplatten, die als Fortsetzung der Nasenbeine die Nasenspitze bilden. Diese Umhüllung birgt in ihrem Inneren die Nasenhöhle, einen ansehnlichen Raum von unregelmäßiger Gestalt, an dessen 15 Begrenzung sämtliche Gesichtsknochen mit Ausnahme von Jochbein und Unterkiefer beteiligt sind. In diesem Nasenraum liegen jederseits die Muschelbeine. Die ganze Nasenhöhle wird durch die in der Mittelebene liegende Nasenscheidewand halbiert, die hinten vom Siebbein und Pflugscharbein und vorn von ihrer 20 Fortsetzung, einer Knorpelplatte, gebildet ist. Seitwärts von der Haupthöhle liegen, hauptsächlich vom Knochen des Oberkiefers gebildet, die beiden Nebenhöhlen.

Die gesamte innere Fläche der Nasenhöhle, der die vielen Faltungen und Windungen der Muschelbeine eine bedeutende 25 Ausdehnung erteilen, ist mit Schleimhaut ausgekleidet. In ihren oberen Teilen verbreitet sich der Riechnerv, der durch die vielen Löcher der Siebbeinplatte hindurch aus dem Gehirn in die Nasenhöhle eintritt. Er endigt in langen Riechzellen, die in die Schleimhaut eingebettet sind und mit feinen haarförmigen 30 Borsten über deren Fläche hervorragen. Nur dieser Teil der Schleimhaut empfindet Gerüche, die mit dem Strom der Atemluft hergetragen werden.

Riechen kann man nur gasförmige Körper; feste oder flüssige Körper, welche die Nasenhöhlen füllen, rufen keine Geruchsempfindungen hervor. Auch werden Gase nur gerochen, wenn sie die Nase durchströmen. Beim Atmen durch den Mund hört
5 die Geruchsempfindung sofort auf, auch wenn die ganze Nasenhöhle mit dem riechenden Gas gefüllt ist. Umgekehrt verstärkt rasch aufeinanderfolgendes Einatmen (Schnüffeln) die Empfindung. Selbstverständlich hört bei Verstopfung der Nasenluftwege (z. B. durch Schnupfen) die Geruchsempfindung auf.—Die
10 riechenden Stoffe wirken in außerordentlich starken Verdünnungen. So wird z. B. von Moschus ein halbes Milliontel eines Milligramms noch gerochen. So [23] fein also der Geruchssinn ist, so [24] unbestimmt sind.seine Empfindungen. So hat die Sprache (außer dem Wort "stinken") gar keine Bezeichnungen für Ge-
15 ruchsempfindungen; man hilft sich mit Vergleichungen mit bekannten Gerüchen. Scharf wirken Kontraste, dagegen stumpft längere Dauer die Empfindung rasch ab. In einem uns unverständlichen Maße ist der Geruchssinn bei manchen Tieren ausgebildet (Hund, Wolf, Reh, manche Schmetterlinge), die Gerüche
20 scharf empfinden, von deren Bestehen wir gar nichts wissen, so z. B. den Eigengeruch des einzelnen Menschen. Von welchen Eigenschaften der riechenden Stoffe die Geruchsempfindung abhängt, ebenso, welches die feineren Vorgänge beim Riechen sind, ist unbekannt.

25 Das Geruchsorgan gilt als Hüter und Wächter am Eingang in den Körper, erfüllt aber diesen Dienst den eintretenden Gasen gegenüber nur sehr mangelhaft. Viele giftige Gase (so z. B. Leuchtgas, welches durch den Erdboden hindurchgeströmt ist und dort seine riechenden Bestandteile zurückgelassen hat, oder
30 Kohlenoxyd) sind ganz geruchlos, andere stark riechende Gase sind dem Körper unschädlich. In der feuchten Nasenschleimhaut bleiben zahlreiche Staubkörperchen hängen, welche sonst mit der Atemluft in die Lunge gelangen würden.

---

[23] So fein . . . *Delicate as the sense of smell is.*
[24] so unbestimmt *equally indefinite.*

Der Geschmack

Das Organ der Geschmacksempfindung ist die Zunge, vielleicht auch ein Teil des Gaumens. Die Grundmasse der Zunge ist ein Muskel, dessen Faserzüge die Zunge in den verschiedensten Richtungen durchsetzen, so daß sie eine außerordentliche Beweglichkeit besitzt. Ihre Ursprünge haben die Muskelbündel teil- 5 weise an Zungenbein und Unterkiefer (durch diese Art der Befestigung wird die Zunge auch in ihrer Lage gehalten), teilweise in der Zunge selbst; ihre Ansatzstellen liegen in der Zungenhaut. Diese überzieht die ganze Zunge, ist auf der Unterseite glatt, dagegen auf der Oberseite von verschiedenartigen Erhabenheiten 10 rauh. In ihr liegen die Enden der Geschmacksnerven. Doch kann nicht die ganze Zungenoberfläche schmecken, sondern nur die Spitze, die Ränder und der Grund der Zunge; ihre Mitte und Unterseite schmecken nicht, dagegen noch der harte Gaumen.— Vom Boden der Mundhöhle erhebt sich das Zungenbändchen als 15 eine Falte der Mundschleimhaut und setzt sich in der Mittellinie der Zunge auf ihrer Unterseite an. Es verhindert, daß die Zunge zu weit nach hinten gezogen oder gar umgeschlagen werden kann.

Bedingung für das Schmecken ist, daß der zu schmeckende Körper flüssig ist oder sich in der Flüssigkeit des Mundes auflöst 20 und so mit der Zunge in Berührung kommt. Feste Körper, welche sich in der Mundflüssigkeit nicht auflösen, schmecken nicht, dagegen manche Gase.

Von dem Wert der Geschmacksempfindung für die Bestimmung der Schädlichkeit oder Unschädlichkeit der schmeckenden Körper 25 gilt dasselbe, wie von den Geruchsempfindungen.

Bemerkenswert ist, daß unsere Sprache für Geschmacksempfindungen nur drei Wörter besitzt: süß, sauer, bitter. Auch hier muß der Vergleich mit bekannten Geschmacksempfindungen aushelfen. 30

Geruchs- und Geschmacksempfindungen wirken vielfach zusammen, werden auch oft verwechselt. Auch spielen allerlei Berührungsempfindungen auf der Zunge noch eine Rolle. Jedenfalls ist der Geschmackssinn der ungenaueste und unzuverlässigste von allen unseren Sinnen, doch ist auch er durch vielfache 35

Übung einer gewissen Ausbildung fähig. Scharf wirkt auch hier
der Kontrast. Auf Kontrastwirkungen beruht auch das ge-
schickte Zusammenstellen der Speisen. Starke Geschmacksempfindungen wirken noch einige Zeit nach. Da die Ge-
5 schmacksnerven nicht auf der äußersten Fläche der Zunge liegen,
die schmeckenden Stoffe also durch die Oberhaut der Zunge durchdringen müssen, so verstreicht einige Zeit von der ersten Berührung bis zum Zustandekommen der Empfindung, zum mindesten
0,2 Sekunden.

Der Gefühlssinn

10   Gefühlssinn ist ein Sammelname für eine Reihe von Empfindungen, die durch Vorgänge und Zustände innerhalb und außerhalb unseres Körpers ausgelöst werden.
    Unbestimmte Empfindungen vom Zustand des Körpers, von
Wohlbehagen und Kraftgefühl bezeichnet man als Gemeingefühl.
15 Hierher zählen [25] auch Empfindungen vom Zustand des Magens
und Rachens, die sich als Hunger und Durst äußern. Störungen
dieses Gemeingefühls entstehen durch Erkrankung oder Verletzung einzelner Organe, ferner wenn gewisse Reize (Druck,
elektrische Ströme, Wärme, Kälte) eine bestimmte Reizstärke
20 überschreiten: in allen diesen Fällen tritt der Schmerzsinn in
Tätigkeit. Schmerzempfindlich sind alle erkrankten Organe,
dagegen sind manche innern Organe, wie Magen und Eingeweide,
so wenig empfindlich, daß sie bei Verletzungen nicht schmerzen.
Der Schmerz wird durch besondere Nerven, die Schmerznerven,
25 vermittelt, die der besonderen Endorgane entbehren. Der
Schmerzsinn ist ein wichtiger Schutz des Körpers; er zwingt dazu,
einen kranken oder verletzten Körperteil stillzulegen und zu
schonen. Gewisse chemische Substanzen (Morphium, Kokain)
heben das Schmerzgefühl auf.
30   Die sensitiven Teile der Muskelnerven sorgen für den Muskelsinn, d. h. einmal für die Empfindung von Ermüdung und Muskelschmerz, dann aber auch von der Kraftmenge, die der betr.
Muskel für eine bestimmte Arbeit aufzuwenden hat. Indem er

[25] **Hierher zählen** *Among these are numbered.*

darüber wacht, daß jede Bewegung, jede Arbeit mit dem geringst-
möglichen Aufwand von Kraft ausgeführt wird, verhindert er die
Verschwendung der Kräfte. Er äußert sich bei der Erhaltung
des Gleichgewichts des Körpers, beim Schätzen des Gewichts
eines gehobenen Gegenstandes, bei zusammengesetzten Bewe- 5
gungen jeder Art; bei allen "Handfertigkeiten" und körperlichen
Übungen ist seine Ausbildung von großer Wichtigkeit. Der Muskelsinn arbeitet überaus fein und genau, so bei den zusammengesetzten Bewegungen, beim Sprechen und Singen, Turnen,
Klavierspielen, beim Abschätzen von Entfernungen, beim Gehen 10
usw. Er ist eine reiche Quelle vielfacher Lustgefühle. Viele
Arten von starker Kraftentfaltung sind genußreich, so Turnen,
Tanzen, Schwimmen, Reiten, Radfahren, Rudern, Bergsteigen
und andere Sportarten.

Der Temperatursinn erstreckt sich bloß auf die äußeren Teile 15
der Haut. Ein heißer Bissen brennt nur auf der Zunge, in der
Speiseröhre und im Magen nicht mehr. Ebenso fehlt uns die
Vorstellung von der im Innern des Körpers herrschenden Temperatur. Wärme und Kälte werden von besondern Endorganen
der sensibelen Hautnerven empfunden, die sich an besonderen 20
Stellen der Haut befinden, Wärmepunkten und Kältepunkten.
Wärmepunkte befinden sich auf den qcm der Haut 1–3, auf der
ganzen Haut etwa 30 000, Kältepunkte auf den qcm 6–23, auf der
ganzen Haut etwa 250 000. Die verschiedenen Teile der äußeren
Haut sind für Wärme nicht gleich empfindlich; am empfindlichsten 25
ist die Haut des Gesichts und der Fingerspitzen. Diese können
Temperaturunterschiede bis zu 0,2° C herunter [26] empfinden.
Abgabe von Wärme empfindet die Haut als Kälte, Zuströmen
von Wärme als Wärme, so z. B. auch bei Füllung der Haut mit
Blut. Dabei, wie auch beim stärksten Hitzegefühl kann die 30
Bluttemperatur gänzlich unverändert sein, bei Fieberfrost ist sie
sogar erhöht. Ein Zusammenhang zwischen Wärmegefühl und
Bluttemperatur besteht nicht. Temperaturen über +47° C
rufen Schmerzen hervor; ebenso solche unter −10° C. Bei
längerer Einwirkung höherer Kältegrade entsteht Empfindungs- 35

---

[26] **bis zu 0,2° C herunter** *as low as two tenths of a degree C.*

losigkeit. Man kann Operationen schmerzlos machen, wenn man
die entsprechenden Teile des Körpers stark abkühlt.
Stark wirken die Kontraste. Bei 15° Kälte erscheint ein Raum
mit 0° warm. Wer aus einem heißen Bad kommt, empfindet die
5 Zimmertemperatur als Kälte. Die Wärmeregulierung der Haut
durch Verengung und Erweiterung der Blutgefäße durch die
Wärmenerven ist lebenswichtig. Ihre Unterbindung, etwa durch
ausgedehnte Verbrennung der Haut, ist tödlich.

Die durch Berührung oder Druck erzeugten Empfindungen,
10 einerlei ob sie Willensakte sind oder von außen an den Körper
treten, werden durch den Tastsinn besorgt. Dieser Sinn wirkt
durch mehrerlei Tastkörperchen, die in der Haut eingelagert sind,
in denen die Tastnerven endigen. Er berichtet zunächst über
einen Druck oder eine Berührung (Drucksinn), die die Haut
15 treffen, durch Endorgane, die an unbehaarten Stellen als Druck-
punkte (etwa 100 auf den qcm) in der Haut liegen. An den be-
haarten Stellen wirken die Haare als Außenorgane, deren Berührung die Druckempfindung auslöst. Der eigentliche Tastsinn ist
am schärfsten ausgebildet in der Zungenspitze, dann in den
20 Fingerspitzen, in den Lippen, am wenigsten auf der Haut des
Rückens. Zwei gleichzeitig auf die Haut gesetzte Zirkelspitzen
können noch als zwei gesonderte Eindrücke empfunden werden:
auf der Zungenspitze bei 1,1 mm Abstand, am Mittelfinger bei
2,2 mm, auf dem Rücken bei 40–60 mm Abstand. Bei engerer
25 Zirkelstellung empfindet die Haut die zwei Spitzen jeweils als
einen einzigen Eindruck.

Durch das eigentliche Tasten (Hingleiten der tastenden Organe
über den zu untersuchenden [27] Körper) überzeugen wir uns von
der Form eines Gegenstandes, der Beschaffenheit seiner Ober-
30 fläche, und im Zusammenwirken mit Muskel- und Wärmesinn von
dessen Größe und Temperatur. Auch der Tastsinn ist hoher
Ausbildung fähig. So können Blinde die Tastfähigkeit ihrer
Hände, oder Armlose die ihrer Füße und Zehen in überraschendem
Maße ausbilden.

[27] **zu untersuchenden** *to be investigated.*

Der statische Sinn überwacht die Gleichgewichtslage des Körpers.

Die Ernährungswerkzeuge

Der Körper verbraucht bei seinen Lebenstätigkeiten unaufhörlich geringe Mengen seiner Masse, muß also diese Verluste stets wieder ersetzen und muß seine Organe ernähren und ihnen 5 die Betriebskraft liefern. Der wachsende Körper hat außerdem stets noch neue Teile hinzuzufügen. Für alles das liefert die Ernährung die nötigen Stoffe, und zwar durch Aufnahme von festen und flüssigen Körpern und von Gasen. Jene werden von Magen und Darm, diese von der Lunge verarbeitet. Aber alle 10 gelangen ins Blut, werden dort zu Blut und sind erst in diesem Zustand fähig, vom Körper aufgenommen zu werden. Um aber feste und flüssige Körper zur Aufnahme ins Blut chemisch umzuwandeln, werden sie mit den Absonderungen mehrerer Drüsen vermischt, wie der Speicheldrüsen, Magen- und Darmdrüsen, 15 Leber u.a. Die unverdaulichen Teile der Nahrung, wie auch die Abfallstoffe, die sich bei den verschiedenen Tätigkeiten des Körpers bilden, werden teils durch den Darm, teils durch die Nieren aus dem Körper entfernt. Die von der Lunge als unbrauchbar zurückgewiesenen Gase, wie auch die aus dem Blute 20 ausgeschiedene Kohlensäure, verlassen durch die Luftwege den Körper.

Die Ernährung im engeren Sinne

Die festen und flüssigen Nahrungsmittel werden im Verdauungsorgan aufgenommen und verarbeitet, welches als Rohr von wechselnder Form und Weite Kopf, Hals und Rumpf durchzieht. 25 Seine Abschnitte heißen der Reihe nach [28] Mundhöhle, Speiseröhre, Magen und Darm. Die zur Auflösung der Speisen nötigen Flüssigkeiten werden von einer großen Zahl von Drüsen geliefert, die zum Teil außerhalb der Wand des Verdauungsorgans liegen (Speicheldrüsen, Leber, Bauchspeicheldrüse), teils in seiner Wand 30 eingebettet sind (Magen- und Darmdrüsen).

[28] **der Reihe nach** *in order, in sequence.*

Unsere Nahrungsmittel stammen alle entweder unmittelbar (Pflanzenkost) oder mittelbar (Fleischkost) aus dem Pflanzenreich. Abgesehen von dem Wasser und mannigfaltigen Salzen, die in ihnen enthalten sind, führen sie dem Körper drei Gruppen
5 von chemischen Körpern zu: Kohlehydrate (Stärke, Zucker, Zellstoff; alle diese Stoffe enthalten nur die drei Elemente Kohlenstoff, Wasserstoff, Sauerstoff), Fette und Eiweißkörper (diese letzteren enthalten außer den obengenannten drei Elementen als weiteres Stickstoff).

10   Die Mundhöhle (Fig. 3) ist der hohle Raum zwischen Gaumen und Unterkiefer und enthält die Zunge; ihre Wand ist mit Schleimhaut ausgekleidet. Die Schleimhaut beginnt am Lippenrand, überzieht dann die beiden freien Kieferränder und heißt
15 dort Zahnfleisch. An dieser Stelle ist sie besonders blutreich, aber weniger empfindlich. Weiterhin kleidet sie die Innenseite der Wangen
20 aus. In und unter dieser Schleimhaut finden sich mehrere Gruppen von Drüsen, deren wichtigste die Speicheldrüsen sind. Sie
25 liegen in drei großen Abteilungen an den Wangen unterhalb der Ohren, unter der Zunge und an der Innenwand des Unterkiefers.

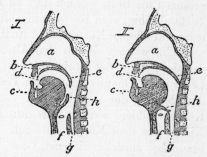

Fig. 3. Schnitt durch den Kopf zeigt die Stellung der Mundteile und des Kehldeckels, I beim Atmen, II beim Schlucken. a Nasenhöhle, b Oberkiefer, c Unterkiefer, d Zunge, e Gaumensegel, f Luftröhre, g Speiseröhre, h Kehldeckel.

Ihre Abscheidung ist der Speichel, der
30 aus verschiedenen feinen Röhren in die Mundhöhle fließt, aber nicht unausgesetzt in gleicher Menge; ein Reiz, wie ihn z. B. schmeckende Körper ausüben, verstärkt seine Absonderung.

Die Mundschleimhaut, welche den Gaumen überzieht, senkt sich hinten in der Mundhöhle nach unten und hängt als quer-
35 gestellte Falte frei in die Mundhöhle herein. Sie heißt hier Gaumensegel. Sein Mittelstück ist ein kegelförmig zugerundeter,

senkrecht herabhängender Hautlappen (Zäpfchen). Vom seit-
lichen Rand des Gaumensegels steigen [29] je zwei Hautfalten nach
unten, die beiden Paar Gaumenbögen. Zwischen beiden liegen
zwei haselnußgroße Drüsen, die Mandeln. Beim Atmen durch
die Nase legt sich das Gaumensegel an die hintere Wand der 5
Zunge und läßt so den Eingang aus der Nasenhöhle für die Luft
frei (Fig. 3 I). Beim Atmen durch den Mund und beim Schlucken
dagegen legt es sich mit seinem unteren Rand fest an die hintere
Wand der Rachenhöhle und verschließt dadurch den Eingang in
die Nasenhöhle. Gleichzeitig wird der Eingang in den Kehlkopf 10
durch den Kehldeckel geschlossen (Fig. 3 II).

Der Raum hinter dem Gaumensegel heißt Rachenhöhle. Sie
steht nach oben mit der Mundhöhle und der Nasenhöhle in
Verbindung, nach unten mit der Luftröhre und der Speiseröhre
und nach den beiden Seiten mit den Paukenhöhlen. An ihrem 15
unteren Ende liegt der obere Rand des Kehlkopfes. Etwas
unterhalb dieser Stelle verengt sie sich rasch und wird in der
Gegend des sechsten Halswirbels zur Speiseröhre, die als gerades,
dehnbares Rohr nicht ganz senkrecht, sondern etwas schief nach
links und unten zieht und in der Nähe der Wirbelsäule das 20
Zwerchfell durchbricht. Ihre Wände sind mit Schleimhaut ausgekleidet und liegen in der Ruhe zusammengefaltet aneinander.
Die Speiseröhre besitzt eine äußere Schicht von Längsmuskel-
fasern, sowie weiter innen gelegene Ringmuskeln. Gegen das
Ende wird sie weiter und tritt zuletzt in den Magen ein. An 25
dieser Stelle wird sie von Ringmuskeln während der Magenverdauung geschlossen.

Das ganze Baucheingeweide samt seinen Drüsen steckt in einer
zarten, aber festen Haut, dem Bauchfell, welches von außen die
Eingeweide überzieht, die ganze Bauch- und Beckenhöhle aus- 30
kleidet und sich in vielen einzelnen Falten zwischen die einzelnen
Teile hineinstülpt. Auf der Vorderseite hängt das Bauchfell wie
eine breite Schürze über die Darmschlingen herunter, es heißt
hier das große Netz.[30]

[29] steigen . . . nach unten *descend.*
[30] das große Netz *omentum.*

Der Verdauungskanal setzt sich aus drei Abschnitten zusammen: Magen, Dünndarm, Dickdarm.

Der Magen (Fig. 4, 5h) ist ein birnförmiger Sack von etwa 30 cm Länge, der unmittelbar unter dem Zwerchfell quer in der
5 linken Körperhälfte liegt, das dicke Ende links, das dünne, 1/5 des Magens, rechts noch etwas jenseits der Körpermitte nach oben gekrümmt. Sein Ausgang in den Darm heißt der Pförtner. An dieser Stelle bildet ein Vorsprung der Schleimhaut eine Falte, die sogenannte Pförtnerklappe. Der Magenraum schwankt inner-
10 halb großer Grenzen, zwischen 2,5 und 5,5 Litern.

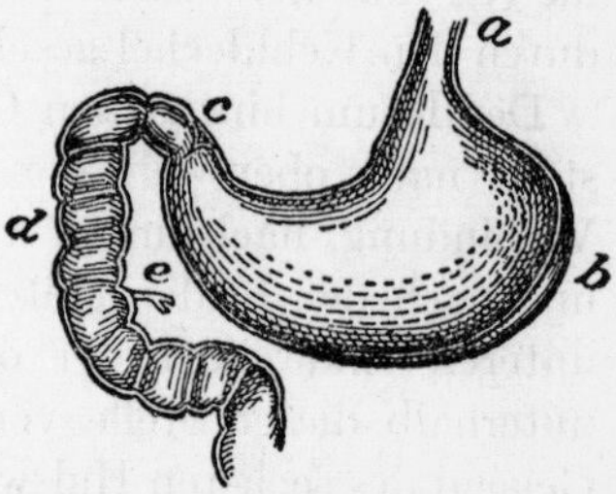

Die Wand des Magens besteht aus drei Schichten, dem Bauchfell, einer Muskelschicht und einer
15 Schleimhaut- und Drüsenschicht. Die Muskeln des Magens sind glatt, unwillkürlich und in drei Lagen geordnet: die innerste Lage besteht aus schräg angeordneten Muskel-
20 fasern; eine mittlere Schicht von ringförmigen Fasern, die den Magen quer umspannen, wird von einer dünnen Schicht von Fasern

FIG. 4. Längsschnitt durch Magen und Zwölffingerdarm. a Speiseröhre, b Magen, c Pförtner, d Zwölffingerdarm, e Gallengang.

bedeckt, welche im allgemeinen der Länge nach [31] über den
25 Magen laufen.

Die Schleimhaut des Magens ist in Falten gelegt und von überaus zahlreichen Blutgefäßen sowie von sehr vielen Drüsen durchsetzt, die zum Teil Schleim, zum Teil Magensaft absondern; dieser ist die eigentliche Verdauungsflüssigkeit.

30 An den Magen setzt sich der Darm an. In der Länge von im ganzen 10–12 m liegt er in vielen Windungen in der Bauchhöhle. An seine erste Abteilung, den Zwölffingerdarm (Fig. 4d), schließt sich der Dünndarm (Fig. 5n), ein fingerdickes Rohr von 4–5 m Länge, das teils unmittelbar teils durch das Gekröse, eine sehr
35 feste, zähe Falte des Bauchfells, an der Wirbelsäule aufgehängt ist.

[31] der Länge nach *lengthwise*.

Seine Wand ist die Fortsetzung der Magenwand und besteht, wie auch der Dickdarm, aus dem Bauchfellüberzug, zwei Muskelschichten (einer Schicht Längsfasern und einer Schicht Ringfasern) und einer Schleimhautschicht mit vielen dazwischen- und daruntergelagerten Drüsen. Die Auskleidung des Dünndarmes, die Schleimhaut, ist in quere Falten gelegt und bis gegen das Ende hin mit kurzen, dünnen, haarfeinen Gebilden, den Darmzotten, dicht besetzt.

Das Endstück des Darmes heißt Dickdarm und ist etwa 1,5 m lang, aber beträchtlich dicker als der Dünndarm, welcher rechtwinklig in ihn einmündet. Eine am Ende des Dünndarmes aus zwei quergelegten Wülsten gebildete Schleimhautfalte verhindert das Rückströmen der Speisemassen. Der Dünndarm setzt sich noch ein kleines Stück über die Einmündungsstelle in den Dickdarm hinaus fort und heißt hier Blinddarm. Aus ihm entspringt noch ein kurzes, viel dünneres Stück Darmrohr, der Wurmfortsatz. Der Dickdarm hängt vermittels der Falten des Gekröses an der Hinterwand der Bauchhöhle. Das

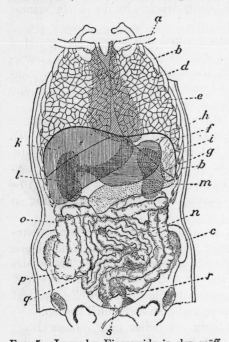

FIG. 5. Lage der Eingeweide in der geöffneten Leibeshöhle. *a* Schlüsselbein, *b* Rippen, *c* Becken, *d* Lunge, *e* Herz, *f* Lage des Zwerchfells bei tiefster Ausatmung, *g* bei tiefster Einatmung, *h* Magen, *i* Milz, *k* Leber, *l* Niere, *m* Bauchspeicheldrüse, *n* Dünndarm, *o* Dickdarm, *p* Blinddarm, *q* Wurmfortsatz, *r* Mastdarm, *s* Harnblase.

Endstück des Dickdarmes heißt Mastdarm. Sein Anfang liegt auf der rechten Seite in der Tiefe.[32] Von da steigt er in die Höhe, zieht unmittelbar unter dem Magen auf die linke Körperseite und wendet sich dann wieder in die Tiefe seinem 5 Ausgang zu.

Der Schleimhaut des Magens und des ganzen Darmes sind überaus zahlreiche Drüsen eingelagert, die im Magen den Magensaft (3–4 Liter im Tage), im Darm den Darmsaft ergießen. Außerdem liegen außerhalb des Darmes noch zwei große Drüsen, die 10 Bauchspeicheldrüse und die Leber.

Die Bauchspeicheldrüse ist ein flacher, langgestreckter Lappen von 20–25 cm Länge, 4,5 cm Höhe und geringer Dicke, der sich zum Teil dem Dünndarm fest anlegt, zum Teil unterhalb des Magens quer in der Bauchhöhle liegt. Seine Abscheidung, täg- 15 lich etwa 1/2 Liter, heißt Bauchspeichel und fließt in einem Ausführungsgang in den Gallengang nahe seiner Einmündung in den Darm.

Die Leber ist eine braun gefärbte, massige Drüse von ansehnlicher Größe und etwa 1½ kg Gewicht, die rechts vom Magen 20 unmittelbar unter dem Zwerchfell liegt. Mehrere Falten des Bauchfells und besondere Bänder halten sie in ihrer Lage fest. Ihre nach außen und oben gewandte Fläche ist gewölbt und legt sich der Wand der Bauchhöhle und dem Zwerchfell fest an.

Die Leber erhält gleichzeitig arterielles und venöses Blut: 25 arterielles Blut, aus dem sie ernährt wird, und venöses Blut, das ihr aus der Pfortader zuströmt, aus dem sie die Galle bereitet. Diese ist eine mäßig dickflüssige, goldrote, scharf bitter schmek-kende [33] Flüssigkeit. Sie wird ununterbrochen ausgeschieden und sammelt sich aus vielen, sehr feinen Röhrchen, den Gallengängen, 30 in mehrere größere Röhren, die sich zuletzt im Hauptgallengang vereinigen. Dieser mündet bald unterhalb des Magens in den Darm. Dorthin fließt auch während der Verdauung die Galle.

[32] in der Tiefe *in the lower region.*
[33] Note the division of **schmeckend.** In German syllabication **ck** is always divided into its components, **k-k.**

Zu andern Zeiten strömt sie durch einen besonderen Gang zurück in einen Nebenbehälter, die Gallenblase. Diese ist eine der Unterfläche der Leber anliegende birnförmige häutige Blase von 8–10 cm Länge. Die Menge der von der Leber abgeschiedenen Galle ist sehr wechselnd; sie kann bis zu 2400 g in 24 Stunden steigen, beträgt aber durchschnittlich 500–600 g.

Der zur Aufnahme ins Blut fertige Speisesaft heißt Chylus und ist eine milchweiß gefärbte Flüssigkeit. Sie enthält eine Mischung von Kristalloiden (lösliche feste Körper: Zucker, Salze) in gelöster Form, Emulsionen (feinste Verteilung einer unlöslichen Flüssigkeit in einer andern: Fett in Wasser) und Kolloiden (feinste Verteilung unlöslicher fester Stoffe: Leim in Wasser), unter diesen vor allem alle Eiweißarten. Der Chylus wird von den Darmzotten eingesaugt und in feine, in ihnen entspringende Röhrensysteme hineingepreßt, die Chylusgefäße, die sich zu immer stärker werdenden Stämmchen sammeln und genau so aussehen wie [34] die Lymphgefäße. Sie sind mit einer großen Zahl von Klappen ausgerüstet, welche das Rückströmen der Flüssigkeit in die Darmzotten verhindern.

Die Chylusgefäße sammeln sich zuletzt in einen Stamm, der in den Milchbrustgang der Lymphgefäße mündet, dort ihren Inhalt mit der Lymphe vereinigen und dem Blut zuführen. Der Chylus fließt wie die Lymphe langsam in seinen Gefäßen, natürlich nur zu den Zeiten, in denen ihn die Verdauung liefert (3–6 Stunden nach dem Essen). Chylus und Lymphe vermischen sich in den Halsvenen mit dem Blut und werden selbst zu Blut. Was sich nicht verdauen, d.h. nicht auflösen oder fein verteilen läßt, tritt nicht ins Blut, sondern bleibt im Darm und wird in diesem nach dem Mastdarm hin weitergeschoben.

Nunmehr ist das Blut imstande, seine Tätigkeit in vollem Umfange auszuüben; es kann jetzt den Muskeln den Zucker zuführen, der die Energie für deren Zuckungen liefert, es kann der Leber den Zucker liefern, den diese als Glykogen aufspeichert, ebenso aber auch die verbrauchten Blutkörperchen zur Herstellung der

[34] genau so aussehen wie *look exactly like*.

Galle; es kann an alle Organe, die es durchströmt, die Nährstoffe abgeben: Zucker, Eiweiß, Fett, Salze, Wasser; es kann sämtliche Drüsen des Körpers mit dem Arbeitsmaterial für ihre Absonderungen versehen.

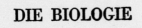

DIE BIOLOGIE

DAS TIERREICH: DIE SÄUGETIERE
Einleitung

Die Säugetiere sind die höchststehenden Wirbeltiere. Sehen wir [1] zunächst zu, welche Eigenschaften den Säugetieren als gemeinsame Merkmale mit allen Wirbeltieren zukommen.

Ihren Namen führen die Wirbeltiere von dem Besitz eines inneren Skelettes, welches wie eine Achse den Körper durchzieht 5 und entweder, und zwar meist, aus Knochensubstanz oder aus Knorpel besteht. Mit diesem Achsenskelett treten in Verbindung Stützapparate für die Gliedmaßen, die in einem oder zwei Paaren vorhanden sind, und am Vorderende bildet die Achse durch eine blasenförmige Auftreibung den Schädel. 10

Die einzelnen Organe sind im Vergleich zu diesem zentralen Skelett in der Weise [2] gelagert, daß das Nervensystem auf der Rückenseite, die übrigen Organe, Verdauungs- und Atmungsorgane, das Herz als Zentralorgan des Blutgefäßsystems, Harn- und Geschlechtsorgane, auf der Unterseite in einem großen Hohl- 15 raum, der Leibeshöhle, liegen. Weiterhin charakterisieren sich alle Wirbeltiere durch ihren Bau als bilateralsymmetrische Tiere, d. h. der Körper derselben kann durch eine senkrechte Ebene, die Medianebene, in eine rechte und eine linke Hälfte zerlegt werden, die spiegelbildlich sind. Diese bilaterale Symmetrie ist freilich 20 nicht streng durchgeführt, indem manche Organe nur in der Einzahl vorhanden sind und dann, wie z. B. Herz und Milz, in der einen Körperhälfte liegen.

Ein weiteres und wichtiges Merkmal aller Wirbeltiere ist das geschlossene Blutgefäßsystem. Das Blut der Wirbeltiere ist rot 25 gefärbt und die Farbe ist stets an Blutkörperchen gebunden.

[1] Sehen wir . . . zu *Let us observe.*
[2] in der Weise *in such a way.*

Besondere Merkmale

Für die Säugetiere gelten folgende besondere Merkmale:

Die Säugetiere sind Wirbeltiere mit Haarbekleidung. Die Haare sind hornige,[3] eine Marksubstanz einschließende Gebilde, welche in Papillen sitzen; diese Papillen sind in die Lederhaut einge-
5 senkt. Das Haar selbst bildet an seinem unteren Ende eine zwiebelartige Anschwellung, die Haarzwiebel, den untersten Teil der Haarwurzel. Die verschiedene Weichheit und Biegsamkeit des Haares läßt verschiedene Sorten desselben unterscheiden, und wir haben alle Übergänge von weichsten Wollhaaren bis zu
10 dicken unbiegsamen Stacheln. Die Hauptsorten sind: W o l l - h a a r e ,[4] die weich, fein sind und meist sehr dicht stehen, wie sie sich vielfach bei Raubtieren finden und im Pelz die sog. Unterwolle bilden; G r a n n e n h a a r e , die länger, dicker und auch steifer sind und mit ihren Spitzen oft weit über die
15 Wollhaare hinausragen; B o r s t e n h a a r e , die sich durch noch größere Härte und Steifheit auszeichnen, finden sich meist an bestimmten Stellen und in bestimmter Anordnung, z. B. an den Lippen, und verraten sich durch den großen Nervenreichtum des die Haarwurzel umgebenden Haarbalges als Apparate für
20 Vermittelung der Tastempfindung und werden deshalb auch als Tasthaare bezeichnet. Noch stärker und völlig unbiegsam sind die S t a c h e l n , wie sie einzelnen Säugetieren zukommen. Die meisten Tiere besitzen mehrerlei Haarsorten und viele haben die Fähigkeit, die Haare aufzurichten, zu sträuben. Die Dichte
25 des Haarkleides ist sehr verschieden. Bei einzelnen, wie bei den Walen, ist das Haarkleid beinahe völlig verschwunden, bei anderen wiederum sehr dicht, doch bleiben auch dann einzelne Körperstellen, z. B. die Schwielen der Sohlen, häufig ganz frei.

In einzelnen Ausnahmen kommt es [5] bei den Säugetieren auch
30 zur Bildung von S c h u p p e n und P l a t t e n , welche durch

---

[3] **hornige** and **einschließende** are both attributive adjectives limiting **Gebilde**.

[4] Instead of using italics for purposes of emphasis, the German usually prints the passage **gesperrt**, i.e., *spaced out, letterspaced*.

[5] **kommt es . . . zur** *it results in.*

Verhornung entstehen, so z. B. bei den Schuppentieren und
Gürteltieren. Hornbildung findet sich ferner meistens auf den
letzten Gliedern der Extremitäten in Form von H u f e n oder
N ä g e l n . Der Huf umgibt die Zehenspitze vollständig wie
ein Schuh, der Nagel dagegen nur von oben; er ist ein Plattnagel, 5
wenn er flach und breit der Oberseite der Zehen aufliegt, heißt
Kralle, wenn er seitlich zusammengedrückt, gewölbt und zugespitzt ist.

Wie die Haarbekleidung ein ganz spezifisches Merkmal der
Säugetiere ist, so auch der Drüsenreichtum der Haut, wobei wir 10
S c h w e i ß d r ü s e n und T a l g d r ü s e n unterscheiden.
Außer diesen finden sich nicht selten hauptsächlich in der Umgebung des Afters bei Säugetieren große Drüsenkomplexe, die ein
für die einzelnen Gattungen charakteristisches Sekret absondern.
Stets aber kommen den Säugetieren als besonders charakteri- 15
stische Drüsen M i l c h d r ü s e n zu, welche meist paarig, aber
nicht in großer Zahl vorhanden sind. Die Anordnung der Milchdrüsen ist zweiseitig und äußerlich leicht erkennbar, indem die
Drüsen auf besonderen, warzenförmigen Erhebungen der Haut
liegen. Nur die niedrigsten Säugetiere, die Monotremen, machen 20
hierin, wie wir sehen werden, eine Ausnahme.

Über die physiologische Bedeutung der drei genannten Sorten
Drüsen ist folgendes zu bemerken: Die Schweißdrüsen regulieren
die Körperwärme, da die Säugetiere warmblütige Tiere sind. Sie
haben die Aufgabe, durch Wasserabsonderung bei hoher Außen- 25
temperatur eine Verdunstung herbeizuführen, die den Körper
abkühlt. Durch beigemengte flüchtige Fettsäuren erhält der
Schweiß einen häufig spezifischen Geruch.

Den Talgdrüsen liegt eine Einfettung der Haut ob, um zu
verhindern, daß dieselbe hornig und brüchig wird.   30

Der Besitz von Milchdrüsen, deren Sekret zur ersten Ernährung
der Jungen dient, hängt mit der Form der Fortpflanzung der
Säugetiere zusammen, die lebendig gebärend sind. Zwar werden
wir von den Monotremen hören, daß dieselben Eier legen, aber
auch hier wird das Junge gesäugt und auch die Monotremen 35
gehören daher zu den Säugetieren.

Ohne näher auf die anatomischen und entwicklungsgeschicht-
lichen Verhältnisse einzugehen, sei nur erwähnt, daß bei den
verschiedenen Säugetierordnungen, besonders in der Gestalt der
sog. P l a z e n t a , des Mutterkuchens, durch welche die
5 Ernährung des Embryo vermittelt wird, Unterschiede vorhanden
sind. Dieser fehlt bei den Ordnungen der Beuteltiere und
Kloakentiere völlig.

Von den anderen verschiedenen Organen der Säugetiere erwähnen wir zunächst

das Skelett,

10 an welchem wir die Wirbelsäule, den Brustkorb, den Schädel, den
Schulter- und Beckengürtel mit den entsprechenden Knochen der
vorderen und hinteren Extremität unterscheiden (Fig. 6).

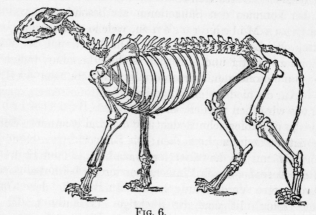

FIG. 6.

Die W i r b e l s ä u l e , die aus einer Anzahl einzelner Wirbel
besteht, wird in Abteilungen zerlegt, die sich sowohl durch die
15 Verbindung mit anderen Skeletteilen wie auch durch die Form
der Wirbel von selbst ergeben.[6] Wir unterscheiden demgemäß

---

[6] die sich . . . von selbst ergeben *which are self-evident.* Note also **Ske-**
letteilen; German does not allow the same letter to be written three times
in a row, but simplifies the group into a double consonant; thus the compound of **Skelett** and **Teil** is written as **Skeletteil.**

Halswirbelsäule, Brustwirbelsäule, Lendenwirbelsäule, Kreuzbein und Schwanzwirbelsäule. Mit ganz geringen Ausnahmen haben alle Säugetiere s i e b e n H a l s w i r b e l , so daß also die Länge des Halses, z. B. der Giraffe, nicht von der Zahl der Wirbel, sondern von deren Länge abhängt. Der erste Wirbel wird Atlas 5 genannt; er ist ringförmig, mit starken Querfortsätzen, und steht durch zwei Gelenkflächen mit den beiden Höckern des Hinterhauptes in Verbindung; der zweite Halswirbel, der "Dreher", besitzt einen zahnförmigen Fortsatz, um den sich der dem Atlas aufsitzende Kopf dreht. Die übrigen Wirbel gleichen einander 10 in der Gestalt mehr, als diese beiden abweichenden ersten Wirbel. Man unterscheidet an allen Wirbeln einen Wirbelkörper und spangenförmig [7] von diesem nach oben und unten abgehende Wirbelbögen. Die oberen Bögen umschließen den vom Zentralorgan des Nervensystems eingenommenen Raum und vereinigen 15 sich oben zu einem unpaaren Knochenstück, dem oberen Dornfortsatz. Bei den unteren Wirbelbögen findet sich ein unterer Dornfortsatz zwar häufig, aber nicht immer. Ein oberer Dornfortsatz kommt auch dem zweiten Halswirbel zu, während er dem Atlas fehlt. 20

Der zweite Teil der Wirbelsäule, die B r u s t w i r b e l - s ä u l e , ist ausgezeichnet durch die Anheftung der Rippen. Diese entsprechen in ihrer Zahl den Brustwirbeln, deren Zahl zwischen 11 und 24 schwankt, meist aber 12, 13 oder 14 beträgt. Die Rippen sind zum Teil knöchern, zum Teil knorpelig; meist 25 gilt das letztere von dem unteren Teil der Rippen. Eine Anzahl Rippen treten mit dem Brustbein in Verbindung, die sog. "echten Rippen", während die hinteren Rippen, die "falschen Rippen", frei endigen oder an die letzte echte Rippe sich anlegen. Das Brustbein stellt einen langgestreckten Knochen dar, der aus 30 einzelnen hintereinander gelegenen Stücken besteht. Gewöhnlich ist das Brustbein flach; bei einzelnen Säugetieren aber, welche, wie die Fledermäuse und die Maulwürfe, kräftig entwickelte Brustmuskulatur haben, ist auf dem Brustbein zu deren

---

[7] **spangenförmig** . . . **Wirbelbögen** *vertebral arches proceeding clasplike upward and downward from this* (i.e., from the vertebral body).

Anheftung eine senkrechte Leiste, Krista, entwickelt, eine Einrichtung, die für die Vögel typisch ist und hier denselben Zweck
hat. Die Brustwirbelsäule bildet mit den Rippen und dem
Brustbein den Brustkorb.

5 Die dritte Abteilung der Wirbelsäule, die L e n d e n -
w i r b e l s ä u l e , enthält stets bedeutend weniger Wirbel als
die Brustwirbelsäule; die Wirbel zeichnen sich aus durch ihre
großen Querfortsätze und niemals heften sich Rippen an dieselben
an. Der K r e u z b e i n a b s c h n i t t der Wirbelsäule ent-
10 hält die geringste Zahl von Wirbeln und dieselben sind mehr oder
weniger völlig miteinander verbunden. Der Kreuzbeinabschnitt
steht im engsten Zusammenhang mit dem später zu besprechenden
Becken; wo ein solches fehlt, ist daher auch kein besonderer
Kreuzbeinabschnitt der Wirbelsäule zu unterscheiden. Der
15 letzte Abschnitt der Wirbelsäule, die Schwanzwirbelsäule, zeigt
in der Zahl der Wirbel die größte Verschiedenheit; als Höchstzahl
kennen wir 46, während einige Affen und der Mensch nur vier
Schwanzwirbel besitzen und diese zu dem sog. Steißbein verschmolzen sind.

20 Zur Anheftung der Gliedmaßenpaare an die Zentralachse der
Wirbelsäule dient der Schulter- oder Brustgürtel für die vorderen
Gliedmaßen, das Becken für die hinteren Gliedmaßen.

Der B r u s t g ü r t e l der Wirbeltiere im allgemeinen besteht
aus Schulterblatt, Rabenschnabelbein und Schlüsselbein. Von
25 diesen Knochen ist bei den Säugetieren stets vorhanden
das Schulterblatt, ein platter, dreieckiger Knochen mit einer
Leiste in der Mitte. Das Rabenschnabelbein fehlt mit Ausnahme
der Kloakentiere stets als selbständiger Knochen und findet seine
Vertretung in dem Rabenschnabelfortsatz des Schulterblattes.
30 Auch das Schlüsselbein hat seine vollständige Ausbildung nur bei
einem Teil der Säugetiere und dient in diesem Fall zur Verbindung
des Schulterblattes mit dem Brustbein; bei mehreren Ordnungen
ist es rudimentär und fehlt den Raubtieren und den Zahnarmen
ganz.

35 Der B e c k e n g ü r t e l , kurz auch Becken genannt, welcher
zur Angliederung der hinteren Extremitäten bestimmt ist, besteht

jederseits ebenfalls aus drei Knochen, die aber unter sich völlig
verbunden sind, dem Darmbein oder Hüftbein, dem Schambein
und dem Sitzbein.   Mit der Wirbelsäule und zwar deren Kreuzbeinabschnitt ist es durch das Darmbein verbunden.   Durch
Verbindung der beiderseitigen Schambeine wird das Becken ge-   5
schlossen.   Bei den Waltieren ist mit der
Verkümmerung der hinteren Extremitäten
auch eine Verkümmerung des Beckens vor
sich gegangen.

Die Vordergliedmaßen schließen 10
sich an das Skelett durch Vermittelung
des Schultergürtels und zwar des Schulterblattes an; an ihnen werden die drei Teile
Oberarm, Unterarm und Hand unterschieden (s. Fig. 7).   Der Oberarm besteht 15
nur aus einem einzigen Knochen, dem
Oberarmknochen.   Er sitzt mit einem
Gelenkkopf dem Schulterblatt an und
ist an seinem unteren Ende durch eine
Querrolle mit dem Gelenk des Unter- oder 20
Vorderarmes verbunden, welch letzterer
aus der Speiche (Radius) und Elle
(Ulna) besteht.   Die Ulna ist bei einzelnen Ordnungen mehr oder weniger
verkümmert und dann auch fest mit 25
dem Radius verwachsen, bei der Mehrzahl der Säugetiere jedoch sind beide
Knochen getrennt und auch die Ulna
wohl ausgebildet.

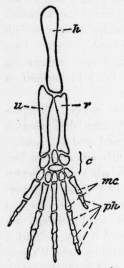

Fig. 7. Schematische
Darstellung des Ske-
lettes der Vordergplied-
maßen. *h* Humerus,
u Ulna, *r* Radius,
c Carpus, *mc* Metacar-
pus, *ph* Phalanges.

An der Hand unterscheiden wir drei Abschnitte: die Hand- 30
wurzel, die Mittelhand und die Finger.   Die Handwurzel besteht
aus zwei Querreihen kleiner Knochen, in der oberen Reihe drei,
in der unteren vier, indem die im Schema getrennt gezeichneten
Knochen des 4. und 5. Metakarpalknochens verschmolzen sind.
Bei den Affen und vielen Nagetieren schiebt sich im Zentrum 35
zwischen beiden Reihen noch ein achter Knochen ein.   Die

Mittelhand besteht normal aus fünf Knochen, welche auf der einen Seite mit der zweiten Reihe der Handwurzelknochen artikulieren, an der anderen die Finger tragen. Letztere sind aus einzelnen Gliedern, Phalangen, zusammengesetzt, wobei die der
5 Mittelhand zunächst sitzende Phalange als erste bezeichnet wird. Bei vielen Ordnungen tritt eine Reduktion der Finger sowohl wie der entsprechenden Mittelhandknochen ein, wobei die Verkümmerung von beiden Seiten her erfolgt, so daß im äußersten Fall nur noch der mittlere, dritte Finger übrig bleibt. Andere Um-
10 bildungen des Handskelettes werden bedingt durch eigenartigen Gebrauch der Vorderextremität, wie z. B. bei den Fledermäusen und bei den wasserbewohnenden Säugetieren.

Auch bei den Hintergliedmaßen werden, entsprechend den Verhältnissen bei den Vordergliedmaßen, drei gelenkig
15 verbundene Teile: Oberschenkel, Unterschenkel und Fuß unterschieden. Der Oberschenkel ist ebenfalls aus einem Knochen gebildet, der an seinem Oberende durch einen, wie beim Oberarm schief ansitzenden Gelenkkopf mit der Pfanne des Beckens verbunden ist und an seinem unteren Ende mit dem Unterschenkel
20 artikuliert. Die Gelenkstelle, das Kniegelenk, wird meistens von der Kniescheibe überdeckt. Am Unterschenkel unterscheiden wir ebenfalls wieder zwei Knochen, das Schienbein und Wadenbein. Die Fibula ist nicht selten reduziert und beide Knochen können, wenigstens teilweise, verwachsen sein. Die drei Ab-
25 schnitte des Fußes heißen entsprechend denen der Hand: Fußwurzel, Mittelfuß und die Zehen. Die Fußwurzel besteht aus zwei Reihen Knochen, zwei in der oberen, meist vier in der unteren und einem siebenten zentral zwischen beiden Reihen gelegenen Knochen. Die beiden Knochen der ersten Reihe sind das
30 Sprungbein, den Fuß mit dem Unterschenkel verbindend, und das Fersenbein, ein nach hinten gerichteter Fortsatz, die Ferse bildend. Mittelfuß und Zehen entsprechen völlig der Mittelhand und den Fingern, und auch an der hinteren Extremität können Reduktionen und Verschmelzungen vorkommen.
35 Es ist hier der Ort, hinzuweisen auf die übliche Bezeichnung Hand und Fuß. Wenn beim Fuß die erste Zehe, wie der erste

Finger der Hand den übrigen Fingern, den übrigen Zehen gegen-
übergestellt werden kann, so spricht man auch vom Fuß als Hand
und in diesem Sinn von den Affen als Vierhändern oder umgekehrt
von den übrigen Säugetieren als Vierfüßern. Diese Bezeichnung
bezieht sich jedoch nur auf die Funktion der Extremitäten, ana- 5
tomisch dagegen ist die vordere Extremität stets Hand, die
hintere stets Fuß. Der Unterschied liegt in dem Verhältnis der
Unterschenkel bzw. Unterarme. Der Fuß steht mit dem Unterschenkel ungefähr in dem rechten Winkel und an seinem Hinterende springt eine Ferse vor. Das Gelenk liegt auf der oberen 10
Fläche. Die Hand dagegen bildet die Fortsetzung des Unter-
armes und hat das Gelenk am Hinterende.

Der S c h ä d e l der Säugetiere erreicht im Zusammenhang mit
der bedeutenden Entwickelung des Gehirns eine stattliche Größe.
Charakteristisch ist, daß die ihn zusammensetzenden Knochen 15
nie vollständig verwachsen, sondern auch im Alter noch die sie
trennenden zackigen Nähte, Schädelnähte, erhalten bleiben. Der
Hirnteil und der Gesichtsteil des Schädels sind miteinander fest
verbunden und der Unterkiefer ist an dem Schädel ohne Dazwischenschiebung eines besonderen Knochens eingelenkt.   20

Ohne auf die einzelnen Knochen des Schädels näher einzugehen,
sei nur erwähnt, daß der Gehirnteil des Schädels, wenn wir hierbei
einen menschlichen Schädel als Beispiel zugrundelegen, aus acht
Knochen besteht, nämlich dem Stirnbein, den beiden Scheitel-
beinen, dem Hinterhauptsbein, dem Keilbein, den beiden Schläfen- 25
beinen und dem Siebbein. Der Gesichtsteil setzt sich zusammen
aus den beiden Oberkiefern, den beiden Jochbeinen, den Nasenbeinen, den Gaumenbeinen, den Tränenbeinen, den Muschel-
beinen, dem Pflugscharbein und dem Unterkiefer. Bei den einzelnen Ordnungen der Säugetiere können von diesem Plan, den 30
wir am menschlichen Schädel finden, mancherlei Abweichungen
auftreten; so finden sich vielfach Zwischenkieferbeine, die beim
Menschen und den Affen frühzeitig mit den Oberkiefern verwachsen, und die Jochbeine fehlen einigen Säugetieren; die beim
Menschen paarigen Nasenbeine verwachsen bei den schmal- 35
nasigen Affen und anderen, die Muschelbeine sind rudimentär bei

den Delphinen, die Tränenbeine fehlen den Delphinen und
Robben.   Die gelenkige Verbindung des Schädels mit dem Atlas
wird durch zwei Gelenkhöcker vermittelt.

   Im Anschluß an den Schädel ist noch zu erwähnen das Zungen-
5 bein, welches, wie z. B. bei den Brüllaffen, zu einer großen Blase
umgewandelt sein kann.

   Wir wenden uns zu der Besprechung des

Nervensystems.

Seinen Hauptteil bildet das Gehirn, welches völlig die Schädelhöhle ausfüllt; es zeichnet sich aus durch starke Entwickelung
10 des Großhirns mit seinen beiden Hemisphären, die das Kleinhirn
mehr oder weniger bedecken.   Vom Hirn geht als Hauptnervenstrang das Rückenmark aus, welches den Wirbelkanal der Wirbelsäule gewöhnlich bis zur Kreuzbeingegend erfüllt.

   Von den Sinnesorganen sind die S e h o r g a n e bei manchen
15 Säugetieren nur unvollkommen ausgebildet, aber doch stets vorhanden.   Die Augen stehen stets paarig an den Seiten des Kopfes
und haben eine kugelige Gestalt.   Sie liegen in den Augenhöhlen,
die sich meistens nach hinten in die Schläfengrube öffnen; eine
Ausnahme hiervon machen nur der Mensch und die Affen, deren
20 Augenhöhlen von der Schläfengrube durch eine knöcherne Wand
abgeschlossen sind.   Die Form der Linse des Auges ist verschieden, bei den Landtieren flacher als bei den Wassertieren.   Die
Pupille ist bald rund, bald senkrecht.   Außer einem oberen und
unteren Augenlid ist am inneren Augenwinkel die sog. Nickhaut
25 entwickelt, beim Menschen und Affen aber verkümmert, bei
einem Teil der Waltiere fehlend und bei anderen unbeweglich.
Mit den Augen stehen Drüsen verschiedener Art in Verbindung,
von welchen die Tränendrüse besonders zu erwähnen ist.

   An dem G e h ö r o r g a n unterscheiden wir ein äußeres Ohr,
30 einen äußeren Gehörgang und das innere Ohr.   Das äußere Ohr
oder die Ohrmuschel bietet durch die mannigfache Verschiedenheit der Form und Größe für die Systematik wichtige Anhalts-
punkte.   Es fehlt bei den wasserbewohnenden Säugetieren und

einigen unter der Erde lebenden [8] und kann bei anderen klappenförmig verschlossen werden.   Der äußere Gehörgang findet nach
innen seinen Abschluß am Trommelfell, an welches sich die meist
große Paukenhöhle anschließt; von dieser führt die eustachische
Röhre in die Rachenhöhle oder in die Nase.   Durch drei Gehör- 5
knöchelchen, Hammer, Amboß und Steigbügel, steht das Trommelfell mit dem eiförmigen Fenster des inneren Ohres in Verbindung und durch diese wird auf das eigentliche Gehörorgan der
Schall übertragen.   Das innere Ohr besteht aus der Schnecke,
deren Zahl von Windungen wechselt, und den halbkreisförmigen 10
Kanälen derselben.

Als Geruchsorgan funktioniert die Nase, die durch
eine Scheidewand in eine linke und rechte Nasenhöhle geteilt
wird.   Die innere Partie der Nase enthält die als Muscheln bezeichneten Knochen, die zur Stütze von Falten dienen.   Meist 15
stehen die Nasenhöhlen mit den Stirnhöhlen in Verbindung.   Bei
den fleischfressenden Walen öffnen sich die Nasenhöhlen, die hier
die Funktion des Geruchsorgans verloren haben, auf der Oberseite des Kopfes und werden Spritzlöcher genannt.   Die äußere
Nase weist in ihrer Form große Verschiedenheiten auf von der 20
einfachen, kurzen, langen oder platten Gestalt bis zu röhren-
förmiger oder gar rüsselförmiger Verlängerung, in welch letzterem
Fall die Nase zum Wühlen, wie bei den Schweinen, dient oder ein
Greiforgan geworden ist, wie beim Elefanten.

Die Geschmacksempfindung wird durch Papillen 25
von bestimmter Form und Anordnung vermittelt, die auf die
Zunge beschränkt sind und als Tastorgan dienen, sog.
Tastkörperchen, die beim Menschen und Affen sich besonders in
den Fingerspitzen finden.   Bei sehr vielen Säugetieren dienen zur
Vermittelung der Tastempfindung die an den Lippen in be- 30
stimmter Anordnung stehenden Spürhaare; auch die Lippe selbst,
wie die Zunge und die zum Rüssel umgebildete Nase können als
Tastwerkzeuge gebraucht werden, und bei den Fledermäusen gilt
dasselbe von der außerordentlich nervenreichen Flughaut.

[8] lebenden = lebenden Säugetieren.

Die Verdauungsorgane

Die Mundhöhle bildet den Eingang zu den Verdauungsorganen und hier finden sich auch die Zähne, die nur in wenigen Fällen völlig fehlen und in ihrem Vorkommen stets auf die Ränder der Kiefer beschränkt sind.   Die Gesamtheit der Zähne, das G e -
5 b i ß , ist besonders für die Systematik der Säugetiere von größter Wichtigkeit, denn die Zähne sind sowohl der Zahl nach bei den einzelnen Gattungen ganz konstant, wie auch die Form derselben bei den verschiedenen Abteilungen stets die gleiche ist, und zwischen den einzelnen Zahngruppen herrscht eine gesetz-
10 mäßige Verschiedenheit der Form.   Die Zähne sitzen stets in besonderen Gruben des Kiefers, den Zahngruben oder Alveolen. Der in der Grube steckende Teil des Zahnes heißt Zahnwurzel, der aus ihr hervorragende [9] Krone.   Manche Zähne haben ein un-begrenztes Wachstum, z. B. die Schneidezähne der Nager, der
15 Stoßzahn des Elefanten, und in diesem Fall sind Krone und Wurzel in ihrer Form nicht sehr verschieden; diese Zähne werden als wurzellos bezeichnet.   Meist aber ist das Wachstum begrenzt und der Zahn wird nach unten [10] zu einer oder auch mehreren Wurzeln verschmälert und ist dann im Wurzelteil von der Krone
20 in der Gestalt verschieden.   Mit dem beschränkten Wachstum der Zähne steht die für die Säugetiere charakteristische Erschei-nung des Zahnwechsels im Zusammenhang, der nicht, wie bei anderen Wirbeltieren, regellos stattfindet, sondern in ganz regel-mäßiger Art und Weise.   Es werden demnach unterschieden
25 Milchgebiß und Dauergebiß.   Das Milchgebiß, welches der ersten Jugend zukommt, wird beim heranwachsenden Tier durch das Dauergebiß ersetzt, zugleich aber werden beim Dauergebiß eine Anzahl im Milchgebiß nicht vorhanden gewesener Zähne hinzu-gefügt und zwar die hinteren Backenzähne.   Nur bei wenigen
30 Säugetieren, besonders den zahnarmen und den Zahnwalen, und noch in einzelnen Fällen findet kein Zahnwechsel statt.   Im Gebiß der Säugetiere lassen sich dreierlei Zahngruppen unter-

[9] **hervorragende** = hervorragende Teil.
[10] **nach unten** *toward the base.*

scheiden: Schneidezähne, Eckzähne und Backenzähne, die
wiederum getrennt werden können in die sog. Lückenzähne, die
schon im Milchgebiß vorhanden sind, und die echten Backenzähne, die erst mit dem Zahnwechsel auftreten. Diese drei verschiedenen Gruppen brauchen übrigens durchaus nicht alle in 5
jedem Gebiß vertreten zu sein. Die Schneidezähne sind im allgemeinen meißelförmig, die Eckzähne kegelförmig und die
Backenzähne höckerig. Nur bei Ordnungen mit rückgebildetem
Gebiß, als welche wir schon die Zahnwale und Zahnarmen kennengelernt haben, ist kein Unterschied oder nur ein geringer in der 10
Form der Zähne zu erkennen. Bei der großen systematischen
Wichtigkeit des Gebisses hat man zu einer kurzen Darstellung
desselben den Gebrauch von Zahnformeln eingeführt, wobei man
in der Form eines Bruches die Zahl der Zähne für je einen halben
Ober- und Unterkiefer angibt und zugleich den Charakter der 15
Zähne durch Beifügung verschiedener Buchstaben: i Schneidezähne, c Eckzähne, pm oder p falsche Backenzähne, m echte
Backenzähne. Es wird bei dieser Schreibweise bei den Schneide-
zähnen begonnen und der Zähler gibt die Zähne der Oberkieferhälfte, der Nenner die der Unterkieferhälfte an. Zur Ermittelung 20
der Gesamtzahl des Gebisses müssen natürlich Zähler und Nenner
mit zwei multipliziert werden. Es ist z. B. die Gebißformel des
Menschen:

$$i\frac{2}{2}\,c\,\frac{1}{1}\,p\,\frac{2}{2}\,m\,\frac{3}{3} = 32$$

Seine Entstehung verdankt der Zahn einer Papille der Cutis,
und am erwachsenen Zahn unterscheiden wir verschiedene Teile: 25
die Wurzel umschließt in einer Höhlung die erwähnte Papille als
sog. Pulpe; bei den Zähnen mit beschränktem Wachstum steht
sie nur noch durch einen dünnen Strang mit der Cutis in Verbindung. Am Zahn selbst unterscheidet man als Hauptsubstanz
das Dentin oder Zahnbein, eine knochenähnliche Substanz, 30
ferner das Zement, den Zahnkitt, ebenfalls knochenähnlich,
welches besonders die Wurzel des Zahnes überzieht, und den
Schmelz, welcher die Zahnkrone als eine sehr harte, glänzende

Masse bedeckt. Wird die Krone gleichmäßig von diesem Schmelz
überzogen, so ist der Zahn einfach; bildet der Zahnschmelz im
Dentin faltenförmige Einsenkungen, die von Zement ausgefüllt
sein können, so sind die Zähne schmelzfaltig, wie die Backen-
5 zähne der Wiederkäuer; sind die Zähne aus einzelnen schmelz-
überzogenen Platten zusammengesetzt, die durch Zement ver-
kittet sind, wie die Backenzähne des Elefanten, so heißen die
Zähne zusammengesetzt oder blätterig.

Die Zähne dienen nicht nur zum Ergreifen, sondern auch zum
10 Zerkleinern der Nahrung, ein Vorgang bei der Nahrungsaufnahme,
der sich allein bei den Säugetieren findet, und es werden daher an
ihre Leistungsfähigkeit große Anforderungen gestellt.

Die Mundhöhle besitzt ferner fast bei allen Säugetieren als
äußere Begrenzung Lippen und auf ihrem Boden stets eine Zunge,
15 welche wir schon als Trägerin der Geschmackspapillen kennengelernt haben. Bei vielen Säugetieren finden sich seitliche Aus-
buchtungen, sog. innere Backentaschen. In die Mundhöhle
münden Speicheldrüsen, ferner liegen hier weitere, als Mandeln
bezeichnete Drüsen. Von der Mundhöhle gelangt man in die
20 Schlundhöhle und von da kommt die Nahrung in die Speiseröhre,
an welche sich der Magen anschließt. Der Magen, in seiner einfachsten Form einer sackförmigen Ausbuchtung des Darmes
gleichend, kann einen verschiedenen Bau zeigen, welcher am
kompliziertesten bei den Wiederkäuern ist. An dem unteren
25 Ende des Magens findet sich der Pförtner, eine vorspringende
Falte, die den Eingang in den Darm verengt. Am Darm werden
zwei Abschnitte unterschieden: der Dünndarm und Dickdarm.
An der Verbindungsstelle beider entsteht, indem der Dünndarm
seitlich in den Dickdarm einmündet, ein blind geschlossener An-
30 hang, der Blinddarm; sein hinteres Ende kann verkümmern und
wird dann Wurmfortsatz genannt. Die Länge des Darmes und
der einzelnen Teile kann sehr verschieden sein. Am kürzesten
ist er bei den reinen Fleischfressern, den Raubtieren, am längsten
bei den Pflanzenfressern. Besonders gilt dies auch vom Blind-
35 darm, welcher bei Fleischfressern klein ist oder sogar fehlen kann,
bei Pflanzenfressern stets groß ist, ja selbst den ansehnlichsten

Darmabschnitt bilden kann. Von verschiedenen Drüsen, die in den Darm einmünden, sind vor allem zu nennen: die Leber und die Bauchspeicheldrüse.

Die Atmungsorgane

Für die Einrichtung der Atmung ist sehr wichtig die Trennung der Leibeshöhle in eine Brust- und Bauchhöhle durch das Zwerch- 5 fell. In der Brusthöhle liegen die Speiseröhre, das Herz, die Atemröhre, Bronchien und Lungen, in der Leibeshöhle die übrigen Organe. Durch Kontraktion des Zwerchfelles wird der Raum der Brusthöhle erweitert und es werden hierdurch die der Brustwand anschließenden Lungen ausgedehnt: Einatmung, 10 Inspiration. Bei Erschlaffung des Zwerchfelles ziehen sich die elastischen Lungen zusammen und geben einen Teil ihrer Luft ab: Ausatmung, Exspiration. Der Atemweg beginnt mit der Luftröhre, an deren oberem Ende der zur Stimmbildung dienende Kehlkopf steht. Die Luftröhre teilt sich in zwei Äste, die sich 15 immer feiner verzweigen: Bronchien; die feinsten Verzweigungen endigen mit bläschenartigen Anschwellungen: den Lungenbläschen. Die Lungen der Säugetiere sind ohne Ausnahme paarig vorhanden, doch ist in der Regel die rechte Lunge stärker entwickelt, als die linke, und auch die Zahl der Lappen, in welche 20 die Lungenflügel meist geteilt sind, ist auf den beiden Seiten verschieden.

Das Blutgefäßsystem

Wie die Lungen, so liegt auch das Herz in der Brusthöhle. Dasselbe besteht aus zwei getrennten Kammern und zwei getrennten Vorkammern. Aus der rechten Kammer läuft das 25 Blut in das Lungenarterie genannte Gefäß, um den sog. kleinen oder Lungenkreislauf anzutreten. Das von hier zurückkommende, durch Sauerstoffaufnahme in der Lunge arteriell gewordene Blut fließt durch die Lungenvenen in die linke Vorkammer und von hier aus in die linke Herzkammer. Aus der linken 30 Kammer tritt nun das Blut in die Aorta genannte Körperarterie ein, um den großen Kreislauf zu durchlaufen. Das von hier mittels zweier großer Venen zurückkommende Blut strömt in die rechte Vorkammer und von ihr in die rechte Kammer, womit der Kreislauf vollendet ist.

Die Körpertemperatur ist bei den Säugetieren die der "Warm-
5 blüter" und eine konstante und beträgt ca. 36–41° C. Einige Säugetiere verfallen in der kalten Jahreszeit in einen Winterschlaf, während dessen keine Nahrung aufgenommen wird und mit herabgesetztem Stoffwechsel auch eine Abnahme der Körpertemperatur eintritt.

Die Exkretionsorgane

10 Als solche finden sich bei den Säugetieren an der Hinterwand der Bauchhöhle, nach außen vom Bauchfell gelegen, die Nieren, welche stets von bohnenförmiger Gestalt sind.

Die Generationsorgane

Die männlichen und weiblichen Geschlechtsorgane sind bei allen Säugetieren auf verschiedene Individuen verteilt, die
15 Säugetiere also getrennt geschlechtlich. Mit Ausnahme der Kloakentiere ist der Eierstock doppelt und beide Teile gleichmäßig entwickelt. Die Eileiter beginnen frei in der Bauchhöhle und enden mit dem als Fruchthalter dienenden Uterus, welcher bei einzelnen Ordnungen verschieden gestaltet ist; nur bei den
20 Kloakentieren, Monotremen, mündet der Uterus, wie bei Vögeln, in den gleichen Raum wie der Darm, in die Kloake, während sonst stets ein trennender Damm vorhanden ist.

Nicht selten finden sich Unterschiede in der äußeren Erscheinung zwischen männlichen und weiblichen Tieren, indem erstere
25 sog. sekundäre Generationsmerkmale besitzen, die den Weibchen fehlen, z. B. Geweihe, stärkere Behaarung, lautere Stimme, größere Gestalt.

Die Lebensweise

Der Lebensweise nach sind die Säugetiere überwiegend als Landtiere zu bezeichnen, doch finden sich auch Anpassungen an das Wasserleben, wie an das Luftleben. Im übrigen ist in der Lebensweise der landbewohnenden Säugetiere ein bedeutender Unterschied. In der Mehrzahl sind sie als Lauftiere auf den Boden beschränkt, viele klettern vorzüglich und führen ein förmliches Baumleben, andere graben in der Erde.

Nach der Nahrung sind unter den Säugetieren Fleischfresser und Pflanzenfresser zu unterscheiden, doch fehlt es auch an Übergängen zwischen diesen beiden Gruppen durch die sog. Allesfresser oder Omnivoren nicht.

Für den Menschen zählen die Säugetiere zu den wichtigsten aller Wirbeltiere. Unter ihnen finden wir nicht nur die größte Zahl der Jagdtiere, deren Fleisch gegessen wird, der Pelztiere, deren Fell benutzt wird, sondern vor allen Dingen sind auch eine Anzahl derselben als Haustiere vom Menschen gezähmt und ihm unentbehrlich geworden.

DIE PFLANZENWELT

Einleitung

Die Pflanzenbiologie ist derjenige Teil der Botanik, welcher sich mit den äußeren Lebenserscheinungen der Pflanzen beschäftigt, mit den Beziehungen der Pflanzen zu der sie umgebenden Natur und mit den Einrichtungen, welche bei den Pflanzen infolge
5 dieser Beziehungen entstanden sind. Sie betrachtet die Pflanze deshalb nur als ein Glied der gesamten Natur und nur im Zusammenhange mit dieser, während umgekehrt die Physiologie die Pflanze aus diesem Zusammenhange herauslöst und die Kräfte untersucht, welche in der einzelnen Pflanze zur Wirkung kommen.
10 Eine scharfe Trennung zwischen beiden ist freilich nicht möglich, sie berühren sich in vielen Punkten. Aber während die Physiologie wesentlich mit chemischen und physikalischen Kräften zur Erklärung der Erscheinungen ausreicht, kommen bei der Biologie noch andere Faktoren zur Geltung, hier spielen insbesondere die
15 Fähigkeit zu variieren, sich an äußere Verhältnisse anzupassen und gewisse Eigenschaften zu vererben, die Hauptrolle.

Viele dieser Eigenschaften, welche die Pflanzen durch ihre Beziehungen zu der sie umgebenden Natur erworben haben, erscheinen auf den ersten Blick so überaus zweckmäßig, daß man
20 leicht auf den Gedanken kommen könnte, sie seien eben mit Rücksicht auf das zu erstrebende Ziel von den Pflanzen erlangt. Dies würde aber eine gewisse Absicht voraussetzen, die natürlich den Pflanzen nicht zugeschrieben werden kann. Wir müssen vielmehr annehmen, daß diese Einrichtungen sehr langsam
25 entstanden sind, daß nur das sich erhalten hat, was für die Pflanze von Vorteil war, während das Unzweckmäßige sich nicht erhalten konnte und bald wieder verschwand. Da die Pflanzenwelt der Gegenwart auf einer Entwickelungszeit von vielen Millionen von Jahren sich aufbaut, so ist es begreiflich, daß sich eine

solche Fülle von Formen entwickeln konnte, von denen jede einzige eine Anzahl zweckmäßiger Einrichtungen besitzt, die von
denen der nächst verwandten Arten oft völlig verschieden sein
können. Denn jede Art blickt eben auf einen langen Entwickelungsgang zurück, während dessen alles Unzweckmäßige, was sich 5
einstellte, wieder verschwand.

Wie sich die Bedingungen für das Pflanzenleben im Lauf der
Jahrtausende fortwährend geändert haben und noch ändern, so
haben sich auch die Pflanzen selbst geändert: noch jetzt sind sie
in fortwährender Umgestaltung begriffen, je nachdem es die 10
äußeren Verhältnisse nötig machen. Die Pflanze besitzt, indem
sie sich der Änderung der äußeren Lebensbedingungen entsprechend anpaßt, ein Reaktionsvermögen, welches nicht ausschließlich
auf Variieren und Vererben zurückgeführt werden kann: denn
auch ein und dasselbe Individuum kann diesen Veränderungen 15
bis zu einem gewissen Grade folgen. In diesem Reaktionsvermögen der Pflanze, in der Fähigkeit, äußeren Lebensbedingungen
gegenüber sich entsprechend anzupassen, haben wir vielleicht ein
sehr wesentliches Moment zu suchen, welches beim Variieren der
Pflanzen eine Rolle spielt. 20

Bei diesen Eigenschaften der Pflanzen, Reaktionsvermögen
gegenüber sich ändernden Lebensbedingungen,[1] Vermögen zu
variieren und erworbene Eigenschaften zu vererben, werden wir
begreifen, daß die Pflanzenwelt ihre Entwickelung in der Gegenwart nicht abgeschlossen hat, sondern daß sie sich, wie das einzelne 25
Individuum, weiter entwickelt, und daß diese Entwickelung und
Umgestaltung anhalten wird, solange sich die äußeren Lebensbedingungen ändern, also solange es überhaupt Pflanzen auf der
Erde geben wird.

Alle Änderungen nun, die sich im Lauf der Zeit bei Pflanzen ein- 30
stellen oder eingestellt haben und die zu einer Fortentwickelung
in irgend einer Richtung dienen, können wir als Gegenstand der
Biologie bezeichnen.

[1] Reaktionsvermögen gegenüber sich ändernden Lebensbedingungen
power of reaction in the face of changing conditions of life.

Die Verbreitungsmittel der Pflanzen

Nur ein kleiner Teil der Pflanzen besitzt das Vermögen der
freien Eigenbewegung und damit die Möglichkeit, sich, wenn auch
nur innerhalb bestimmter Grenzen, von einem Ort zum andern zu
begeben. Es sind dies hauptsächlich die Schwärmsporen einiger
5 Algen und Pilze, sowie die männlichen Geschlechtszellen, Spermatozoiden, der Moose und Farne, die also auch nur einen beweglichen Zustand sonst unbeweglicher Pflanzen darstellen und die
Beweglichkeit auch nur während eines kurzen Zeitraumes besitzen. Einigen wenigen, den niedersten Tieren (Flagellaten)
10 nahestehenden Algen, den Peridineen, Volvocaceen und Chlamydomonadaceen, ferner vielen Bakterien kommt [2] jedoch während
des ganzen Lebens Beweglichkeit zu; sie schwimmen frei durch das
Wasser, und wenn sie auch bei ihrer Kleinheit nicht imstande sind,
große Strecken zurückzulegen, so können sie doch innerhalb
15 längerer Zeit einen Teich oder einen Wassergraben an allen Stellen
besiedeln. In kriechender Weise vermögen sich auch die Kieselalgen oder Diatomeen, auch manche Desmidiaceen fortzube-
wegen und eine selbständige Ortsveränderung zu bewirken; auch
die Plasmodien der Myxomyceten kriechen auf ihrem Substrat
20 umher. Bei allen diesen Organismen kann aber nur eine Verbreitung in beschränktem Maße durch diese Eigenbewegung zustande kommen; handelt es sich jedoch um eine Verbreitung über
größere Strecken, so sind auch sie auf andere Kräfte angewiesen.

Die große Zahl derjenigen Pflanzen, die wir mit bloßem Auge
25 sehen und welche die grüne Decke unserer Erde zusammensetzen,
besitzt aber keine Eigenbewegung, und ihre Verbreitung ist durch
äußere Kräfte bedingt. Ferner sind die Pflanzen, wenigstens die
auf dem festen Lande wachsenden, durch die Ernährungsweise an
den Ort ihrer Entstehung und Entwickelung gebunden, sie haften
30 mit ihren Wurzeln im Erdreich, aus dem sie Wasser und Nährsalze
aufnehmen müssen. Würden sie durch eine fremde Kraft plötzlich aus dem Erdreich gerissen und an einen andern Ort versetzt,
so würden sie dem Vertrocknen anheimfallen, da ihre Wurzeln

---

[2] kommt . . . zu *is possessed by.*

nicht ohne weiteres wieder in den Erdboden dringen und der
Nahrungsaufnahme dienen könnten. Eine Verbreitung der vollkommen entwickelten Pflanzen ist
also, wenige, noch zu besprechende Ausnahmen abgerechnet,
nicht möglich, die Verbreitung muß in einem Zustande der Ruhe 5
erfolgen, in welchem die Pflanze von der Tätigkeit der Wurzeln
unabhängig ist und weder Nährsalze noch Wasser aufzunehmen
braucht, und diesen Zustand finden wir in vollkommenster Form
bei den Blütenpflanzen in Samen, bei den Kryptogamen in den
Sporen repräsentiert. 10

Sehen wir aber zunächst noch von Samen und Sporen ab, so
kann bei vielen Pflanzen auch noch auf mancherlei andere Weise
eine Verbreitung erfolgen. Schwimmende Wasserpflanzen, wie
beispielsweise unsere Wasserlinsen, werden durch die Wasser-
strömungen und durch den Wind auf der Wasseroberfläche nach 15
allen Richtungen getrieben und können selbst in großen Seen bald
alle Buchten besiedeln. In manchen Teichen Oberschlesiens
kommt ein zierlicher, schwimmender Wasserfarn, Salvinia natans,
vor, welcher entfernte Ähnlichkeit mit einem Akazienblatt besitzt und sich zunächst rein vegetativ dadurch [3] vermehrt, daß 20
einzelne Zweige abbrechen und zu neuen Pflanzen werden. Im
Spätsommer ist er dann oft in enormen Mengen vorhanden und
bedeckt je nach der herrschenden Windrichtung an diesem oder
jenem Ufer die Wasseroberfläche so vollständig, daß ein zusam-
menhängender grüner Teppich entsteht. Schlägt der Wind um, 25
so lichtet sich die geschlossene Decke, die Pflanzen treiben fort
und der blanke Wasserspiegel breitet sich nach wenigen Stunden
da aus, wo kurz vorher scheinbar eine Wiese gelegen hatte; kaum
daß [4] vereinzelte Pflänzchen zwischen Schilf und Binsen hängen
blieben. 30

Auch abgerissene oder abgebrochene vegetative Teile von
Wasserpflanzen können durch Strömungen oder Wind an andere
Stellen eines Gewässers getrieben werden und sich dort zu neuen
Kolonien entwickeln. Dabei sind freilich auch oft noch andere

[3] dadurch . . . daß *by means of the fact that.*
[4] kaum daß *only rarely.*

Kräfte in ähnlicher Weise beteiligt. Ein Beispiel dafür, wie sich
eine Blütenpflanze rein ungeschlechtlich vermehren und dabei in
außergewöhnlich rascher und intensiver Weise verbreiten kann,
bietet die Wasserpest, Elodea canadensis, eine aus Nordamerika
5 stammende Wasserpflanze, über die am Schluß dieses Kapitels
noch zu berichten sein wird.[5]

Gelegentlich können wohl auch einmal andere als Wasserpflanzen durch fließendes Wasser verbreitet werden, wenn beispielsweise hochgeschwollene Bäche oder Ströme über die Ufer
10 treten, das Land überschwemmen und hier oder da ganze Erd-
schollen mit den darauf wachsenden Pflanzen fortreißen, um[6]
sie irgendwo anders wieder abzusetzen. Dabei bleiben die mit-
gerissenen Pflanzen oft am Leben und werden so auch in vegetativem Zustande vom Wasser verpflanzt; aber das sind Zufällig-
15 keiten, die mit der normalen Verbreitung nichts zu tun haben.

Dagegen kommt eine Verbreitung von Pflanzen durch besondere, speziell diesem Zweck dienende Organe, durch Ausläufer
(Stolonen) und Brutknospen in vegetativem Zustande häufig vor.
Bekannt besonders sind die fälschlich als Ranken bezeichneten
20 Ausläufer der Erdbeere, ferner bei den kriechenden Fingerkraut-
arten, beim kriechenden Hahnenfuß, bei der Quecke und beim
Schilfrohr, dessen Ausläufer 10, 15 und mehr Meter lang werden.
Freilich wirken die Ausläufer nur für eine Verbreitung auf beschränktem Raum; eine Erdbeerpflanze, die sich an geeignetem
25 Platze angesiedelt hat, sorgt schon im gleichen Jahre dafür, daß in
der Nachbarschaft sich zahlreiche junge Pflänzchen an Ausläufern
entwickeln, und in wenigen Jahren ist bei gleichbleibenden günsti-
gen Verhältnissen eine ganze, viele Quadratmeter große Erdbeeransiedelung auf rein vegetativem Wege entstanden. Auch das an
30 stehenden und langsam fließenden Gewässern allgemein verbrei-
tete Schilfrohr (Phragmites communis) ist eine Pflanze, die sich
bei uns[7] so gut wie[8] ausschließlich durch Ausläufer verbreitet,

[5] zu berichten sein wird *a report* (or *mention*) *will be made.*

[6] um *only to.*

[7] bei uns *in our country.*

[8] so gut wie *practically.*

da sie stets von einem Pilz befallen ist, der die Ausbildung keim-
fähiger Samen verhindert. Deshalb siedelt es sich auch so
schwer [9] an neu angelegten Teichen oder sonstwie frisch entstehenden Gewässern an; es dauert zuweilen Jahrzehnte, bis ein
Schilfstengel sich an solchem Teiche zeigt, dann aber geht die 5
Weiterverbreitung rasch vonstatten, und in wenigen Jahren ist
alles geeignete Terrain vom Schilf erobert. Ebenso schwer, wie
es sich ansiedelt, ist es auch von dem einmal in Besitz genom-
menen Boden zu vertreiben; die tief in das Erdreich eindringenden
und sich weit verbreitenden Ausläufer senden immer wieder neue 10
Stengel nach oben, und selbst wenn der Boden trocken gelegt [10]
wird, die natürlichen Lebensbedingungen sich also ungünstig
verändern, kämpft es noch viele Jahre um seine Existenz;
zwischen Getreide und Kartoffelfurchen kommen seine freilich
verkürzten und verkümmerten Stengel immer wieder zum Vor- 15
schein.

Auch die Brutknospen dienen der Verbreitung auf beschränktem Raume. Bei uns gibt es nicht gerade zahlreiche Pflanzenarten, die Brutknospen ausbilden, am bekanntesten ist noch die
Feuerlilie, Lilium bulbiferum, die in der Achsel der Blätter am 20
Blütenschaft kleine schwarzgrün-purpurne, einem Samen ähnliche
Gebilde tragen, die sich später loslösen und zu Boden fallen, vielleicht auch noch ein Stück fortrollen oder vom Winde fortge-
trieben werden, ehe sie in einer Vertiefung des Bodens verschwinden und zu neuen Pflänzchen auskeimen. Auch durch 25
starke Regengüsse werden sie wohl zuweilen einmal ein Stück
fortgeschwemmt, aber im großen und ganzen werden sie doch
zumeist in der unmittelbaren Nähe der Mutterpflanze zur Entwickelung kommen. Brutknospen sind auch die sogenannten
Zähnchen des Knoblauchs, die an Stelle von Blüten in den 30
Köpfchen sich entwickeln; wir finden Brutknospen auch noch bei
einigen unserer wildwachsenden Pflanzen, z. B. einer Zahnwurzart, Dentaria bulbifera.

[9] **so schwer** *with so much difficulty.*
[10] **trocken gelegt** *laid bare.*

Eine ebenfalls auf beschränktem Raum sich entwickelnde Vermehrung und Verbreitung erfahren viele Pflanzen durch unterirdische Knollen oder Zwiebeln. Es entstehen dabei aus einem Stock im Lauf der Jahre nach und nach zahlreiche ausschließlich aus solchen Knollen oder Zwiebeln sich entwickelnde Pflanzen; die Mutterpflanzen sterben ab, nach und nach, wenn auch unmerklich, entfernen sich Enkel und Urenkel von einander, schließlich ist eine ganze Ansiedelung aus einer Mutterpflanze entstanden.

In seltenen Fällen werden Brutknospen auch durch Tiere verschleppt; sie haben dann, ähnlich wie manche Samen, Stacheln oder Widerhaken, mit denen sie sich in den Pelz der anstreifenden Tiere einhängen und auf diese Weise verschleppt werden. Das ist vielfach bei Kakteen der Fall, besonders bei Arten der Gattung Mamillaria.

Indessen spielen diese Verbreitungsarten doch nur eine geringe Rolle gegenüber der Verbreitung der Pflanzen durch Sporen und Samen; beide haben ja physiologisch den gleichen Zweck zu erfüllen, wenn sie auch entwickelungsgeschichtlich durchaus verschieden sind. Sporen und Samen sind nicht nur durch ihre verhältnismäßige Kleinheit viel leichter der Verbreitung durch fremde Kräfte zugänglich, als eine große Pflanze, sondern besitzen in der Regel auch noch besondere Einrichtungen, die den Transport erleichtern und für spezielle Fälle eingerichtet sind.

Die Kräfte, welche die Verbreitung des Samens übernehmen, liegen, wie schon erwähnt, meist außerhalb der Pflanze; es sind Wind, Wasser und Tiere, durch welche der Samen oft über weite Strecken fortgeführt wird. Daneben besitzen einige Pflanzen die Fähigkeit, ihre Samen bei der Reife auf eine kurze Strecke fortzuschleudern und so für ihre Verbreitung innerhalb eines beschränkten Umkreises zu sorgen. Für die Verbreitung auf weitere Strecken müssen dann ebenfalls andere Kräfte wirken.

Von diesen Pflanzen mit "Schleuderfrüchten" ist besonders die Spritzgurke, Ecballium elaterium (Fig. 8), ein sehr interessantes Beispiel; es ist eine zu den Kukurbitaceen gehörige Pflanze, deren etwa pflaumengroße, grüne, mit straffen kurzen Haaren

besetzte Früchte eine starke turgeszente Wandschicht besitzen;
diese übt einen kräftigen Druck auf die innere schleimige Masse,
in welcher die Samenkörner liegen. Solange die Frucht unreif
ist, ist aber die innere Masse ringsum von festem Gewebe um-
schlossen und kann dem Druck der Wandschicht nicht nachgeben; 5
mit dem Eintritt der Reife lockert sich jedoch das Gewebe an der
Stelle, wo der Stiel in die Frucht übergeht, der noch in die Frucht
hineinragende Zapfen des Stieles wird durch die innere Spannung
herausgedrückt, und während die Frucht vom Stiel abfällt, wird
durch die plötzliche Ausdehnung der Wandschicht der ganze 10
schleimig-flüssige Inhalt mit den Samenkörnern aus dem Stiel-

Fig. 8. Abfallende und Samen ausschleudernde Frucht
von Ecballium elaterium.

Fig. 9. Frucht von Gera-
nium palustre, *a* vor dem
Ausschleudern, *b* nach dem
Ausschleudern der Samen.

loche herausgespritzt. Den Anstoß zu diesem Abfallen der
Früchte und Ausspritzen der Samen gibt oft eine Berührung der
Pflanze durch Tiere, und nicht selten werden dabei die Tiere mit
den schleimigen Samen bespritzt, die dann hängen bleiben und 15
weiter verbreitet werden, als es bei dem einfachen Ausspritzen
der Samen in die Nachbarschaft der Pflanze möglich wäre. Denn
auch bei den kräftigsten Schleudervorrichtungen werden die
Samen doch immer nur auf wenige Meter verbreitet.

Die Schleudereinrichtungen sind übrigens sehr mannigfaltig. 20
Bei unserem Sauerklee (Oxalis acetosella) besitzt die Samen-
schale ein straff gespanntes Gewebe, welches bei zunehmender
Reife immer praller wird, schließlich an einer Seite aufplatzt und

sich mit einem plötzlichen Ruck rückwärts zusammenrollt; durch
diesen Ruck werden die Samen ausgeschleudert. Bei den
Storchschnabel- und Reiherschnabelgewächsen (Geranium [Fig.
9] und Erodium) ist eine andere Einrichtung zum Ausschleudern
5 der Samen ausgebildet. Bei dem allgemein verbreiteten Sumpfstorchschnabel, Geranium palustre, stehen die fünf Samen, von
je einem Fruchtblatt umhüllt, um ein Mittelsäulchen, mit dessen
Spitze die borstenartig verlängerten Fruchtblätter zusammen-
hängen. Bei der Reife trocknet die Oberseite der borstenartigen
10 Verlängerungen der Fruchtblätter rascher aus als die Innenseite,
zieht sich infolgedessen mehr zusammen und bewirkt eine Spannung, die sich zunächst deshalb nicht ausgleichen kann, weil die
Fruchtblätter an Basis und Spitze noch festgeheftet sind. Allmählich vertrocknet aber das Gewebe an der Basis der Frucht-
15 blätter, diese reißen hier ab und rollen sich nun plötzlich nach
außen ein, wobei durch die rasche Bewegung die Samen fortge-
schleudert werden.

Noch ein Beispiel von schleuderfrüchtigen Pflanzen mag hier erwähnt werden, welches auch wohl das bekannteste ist, die wilde
20 Balsamine, Rührmichnichtan, Impatiens nolitangere; in den
letzten Jahrzehnten ist die kleinblütige Impatiens parviflora aus
Sibirien bei uns verwildert und hat sich massenhaft als Unkraut in
Büschen, Wäldern und Parkanlagen angesiedelt. Sie zeigt die
gleichen Eigenschaften, wie unsere heimische Art, nur sind die
25 Früchte kleiner. Diese sind schotenförmig und bestehen aus
fünf Fruchtblättern, die in unreifem Zustande an ihren Rändern
fest verwachsen sind. Die äußerste, unter der Oberhaut liegende
Schicht der Fruchtblätter besteht aus sehr straff gefüllten, tur-
geszenten Zellen, die das Bestreben haben, sich stark auszudehnen,
30 hieran aber noch durch feste Verbindung der einzelnen Fruchtblätter miteinander gehindert werden. Sobald aber bei ein-
tretender Samenreife die Verwachsung der Fruchtblätter gelok-
kert wird, vermag die turgeszente Zellschicht den Widerstand zu
überwinden, und infolge ihrer Ausdehnung reißen die Frucht-
35 blätter auseinander und rollen sich plötzlich nach innen ein, die
Samen werden dabei ausgeschleudert. Auch hier, wie bei der

Spritzgurke, tritt der Vorgang besonders leicht ein, wenn durch
eine Berührung der Frucht der Anstoß zum Aufspringen gegeben
wird, und die Samenkörner können sich vermöge ihrer rauhen
Schale längere Zeit zwischen Haaren usw. halten, wodurch sie
auf größere Strecken verschleppt werden.　　　　　　　　　　5

Die meisten Samen sind für die Verbreitung durch den Wind
angepaßt, und die Einrichtungen hierzu sind so zahlreich und
mannigfaltig, daß nur einige davon hier besprochen werden
können.　Im einfachsten Falle wirkt der Wind dadurch, daß er die
zu Boden gefallenen Früchte fortrollt.　Früchte oder Samen, die 10
für diesen Transport angepaßt sind, müssen neben geringem Gewicht rundliche oder walzenförmige Gestalt haben, und diese
Einrichtung findet man namentlich reichlich entwickelt bei
Steppenpflanzen, die also in Gegenden leben, in denen nach der
Fruchtreife die ganze oberirdische Pflanzenwelt verschwindet, so 15
daß dem Umherrollen durch den Wind kein Widerstand entgegensteht.　Mitunter werden ganze fruchttragende Pflanzen nach dem
Absterben der Wurzeln vom Boden losgelöst und durch den
Wind in den öden, vegetationslos gewordenen Steppen umhergerollt, wie die merkwürdige Plantago cretica.　Es sind dies 20
einjährige Pflanzen mit zahlreichen kurzen Blütenstielen, die
sich zur Zeit der Fruchtreife nach außen umbiegen und so einen
steifen, rundlich-scheibenförmigen, sehr leichten Körper darstellen, der vom Wind leicht umhergerollt wird.　Namentlich in
asiatischen Steppen gibt es eine Menge ähnlicher Pflanzenarten, 25
die man als Steppenhexen oder Windhexen bezeichnet hat, und
die durch die eigentümliche gespensterartige Bewegung, in die
sie durch den Wind versetzt werden, seit langem bekannt sind.

Auch unter unseren Gräsern gibt es viele Arten, deren Verbreitung auf dem Rollen durch den Wind beruht.　Sehr oft wird 30
diese Verbreitung durch Grannen unterstützt, die sich beim
Rollen so stellen, daß eine Weiterbewegung meist nur nach einer
bestimmten Richtung möglich ist, während eine Rückwärtsbewegung durch die sich feststeckende Granne verhindert wird.
Oft haben die Grannen feine Widerhaken, wie bei unserer Gerste, 35
die dann eine Rückwärtsbewegung ebenfalls verhindern.　Die

Grannen, namentlich die mit Widerhaken versehenen, können aber
unter Umständen auch einen Transport durch Tiere, wenigstens
auf kurze Strecken, bewirken. Es gibt auch Grannen, die hygroskopisch sind und gleichzeitig durch ihre hygroskopischen Krüm-
5 mungen die Fortbewegung durch den Wind unterstützen (sogenannte kriechende Früchte, namentlich bei Gräsern, aber auch
bei Korbblütlern). Auch ganze Pflanzen werden durch hygroskopische Eigenschaften einzelner oder aller Organe bewegt, wobei
die Samen eine weitere Verbreitung finden, so die bekannte Rose
10 von Jericho (Anastatica hierochuntica), ein Kreuzblütler,
dessen Heimat namentlich Syrien und Arabien ist. Nach der
Samenreife zeigt sich die Pflanze bei trockenem Wetter in Form
eines geschlossenen, entfernt an eine Rose erinnernden Knäuels,
indem die Zweige einwärts gebogen, auch die Früchtchen ge-
15 schlossen sind. Bei Regen breiten sich die Zweige aus, die
Früchte öffnen sich, und der Samen wird mit dem Regen fort-
gewaschen. Besonders deutlich kann man bei den Sporen der
Schachtelhalme die Wirkung beobachten, welche hygroskopische
Eigenschaften hinsichtlich der Fortbewegung der Sporen äußern.
20 Die beiden außerordentlich hygroskopischen Bänder, die an der
Spore angeheftet sind, reagieren auf die minimalsten Schwankungen der Luftfeuchtigkeit durch Zusammenrollen und Aus-
breiten, wobei jedesmal eine kleine Ortsveränderung eintritt.
Sind solche Bewegungen auch an sich [11] gering, so können sie doch
25 im Lauf der Zeit nicht unbeträchtliche Strecken ausmachen. Im
allgemeinen wird aber bei den weitaus meisten Pflanzen, bei
denen hygroskopische Eigenschaften an der Verbreitung beteiligt
sind, doch der Wind die Hauptrolle spielen (Fig. 10).

Der Wind übernimmt auch die Verbreitung besonders leichter
30 und kleiner Samen, wie die der Orchideen, ohne daß bei ihnen
besondere Einrichtungen hierzu vorhanden wären. Die meisten
durch Wind verbreiteten Samen besitzen aber besondere Flugapparate von oft sehr auffallender Bildung. Ein allgemein be-
kanntes Beispiel eines solchen Flugapparates ist der Haarkranz
35 an den Samen des Löwenzahns, Taraxacum officinale, in ähnlicher

[11] **an sich** *per se, by themselves.*

Form übrigens sehr vielen Korbblütlern eigen. Beim Löwenzahn
bildet er ein aus feinen, aber steifen Haaren gebildetes Schirmchen,
welches wie ein Fallschirm wirkt und die Frucht selbst bei fast
ruhiger Luft lange Zeit schwebend erhält. Ähnliche Haarbil-
dungen, die bei äußerster Leichtigkeit doch dem Winde einen 5
großen Widerstand entgegensetzen und deshalb zum Transport
der Samen durch den Wind viel beitragen, finden wir bei den
Weiden und Pappeln. Auch die Baumwolle rührt von den
Haaren her, die als Flugapparate die Samen der Baumwollstaude
(Gosypium herbaceum) umgeben. 10

Eine andere Form der Flugapparate wird durch hautartige,
sehr dünne Anhängsel verschiedener Form dargestellt. Bei der
Ulme (Fig. 11) laufen diese Anhängsel um den ganzen Samen als

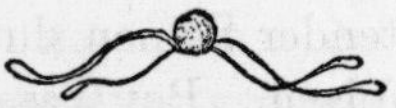

FIG. 10. Spore von
Equisetum mit aus-
gebreiteten Bän-
dern.

FIG. 11. Samen
von Ulmus evusa.

FIG. 11a. Samen
von Acer cam-
pestre.

zusammenhängende Haut; beim Ahorn stellen sie Flügel dar
(Fig. 11a), bei anderen Pflanzen wieder laufen sie als häutige 15
Lamellen am Samen herab (Laserpitium). Auch diese Form der
Flugapparate ist außerordentlich verbreitet.

Nicht minder eigenartige Ausbildungen haben gewisse Samen
und Früchte erlangt, welche auf die Verbreitung durch Tiere
angepaßt sind. Die Verbreitung durch Tiere kann im allge- 20
meinen auf zweierlei Weise erfolgen: indem Früchte von Tieren
verzehrt und die Samen unverdaut an anderen Orten wieder abgeschieden werden, und indem Samen oder Früchte an Tieren
hängen bleiben und so verschleppt werden.

Der erstere Fall wird besonders bei fleischigen Früchten, 25
namentlich Beeren eintreten. Duft, leuchtende Farbe locken die
Vögel, welche hauptsächlich bei der Verbreitung dieser Samen in

Betracht kommen, an, sie fressen die Beeren und geben nach einiger Zeit, oft weit von dem Ort der Nahrungsaufnahme entfernt, die unverdauten Samen der Beeren in den Exkrementen wieder von sich. In der Regel werden die Samen bei dem Verdauungsprozeß nicht beschädigt, wenigstens nicht bei den hauptsächlich an der Verbreitung der Beerensamen beteiligten Vögeln, den Drosseln und anderen beerenfressenden Singvögeln. Wohl aber ist dies der Fall, wenn die Beeren von Hühnern oder Enten gefressen werden, hier bleiben nur besonders widerstandsfähige Samen am Leben. Sehr viele unserer Waldsträucher tragen Beeren und sind auf die Verbreitung durch Vögel angewiesen, auch die schmarotzende Mistel, Viscum album, deren weiße Beeren zu einer Zeit reifen, wo uns Wintergäste aus dem hohen Norden besuchen und gern die Beeren annehmen. Besonders die Misteldrossel sorgt für die Verbreitung dieser zwar schädlichen, aber doch so interessanten Pflanze.

Der zweite Fall, das Verschleppen anhaftender Samen durch Tiere, kann wieder in verschiedener Weise erfolgen. Bei Wasserpflanzen, die meist schwimmende, leichte Samen besitzen, haften dieselben beim Auffliegen des Wassergeflügels leicht an dem Gefieder und werden dann beim Besuch anderer Gewässer verschleppt. Bei Landpflanzen besitzen die Samen resp. Früchte oft hakenförmig gekrümmte oder mit Widerhaken versehene Haare oder Borsten, die sich in das Fell eines Tieres einhaken und so verschleppt werden. Ein allbekanntes Beispiel ist die Klette (Lappa major und minor), deren ganze Fruchtköpfchen auf diese Art oft in sehr lästiger Weise an unseren Kleidern hängen bleiben. Ebenso lästig sind im Herbst die scharf zweizähnigen Früchte von Bidens, dem Zweizahn, welcher überall in Kartoffel- und Rübenfeldern, in lichten Wäldern usw. wächst und uns bei einem Spaziergange durch Wald und Feld fast überreich mit seinen schwer zu entfernenden Früchten beschenkt (Fig. 12).

FIG. 12. Samen von Bidens.

Zahlreich sind auch Früchte und Samen, die durch klebrige Stoffe an vorbeistreifenden Tieren hängen bleiben und so ver-

breitet werden. Bei den Samen der Mistel, deren Beeren nicht
von Drosseln verzehrt wurden, kommt es bei feuchter Witterung
zum Aufquellen des sie umgebenden, sehr zähen, klebrigen
Schleimes, die Beeren brechen auf und die Samen bleiben an
Vögeln, die mit der Mistel in Berührung kommen, hängen, bis sie   5
an irgend einem Ast wieder abgestreift werden. Auch die Zaunrübe, Bryonia, besitzt solche in klebrigen Schleim gehüllte Samen.
Bei einer Salbeiart, Salvia glutinosa, werden zur Zeit der Samenreife die ganzen Früchte mit dem Kelch von der Pflanze losgelöst,
indem die mit klebrigem Saft überzogenen Drüsenhaare des 10
Kelches sehr fest an vorüberstreifenden Tieren haften und von
der Pflanze abreißen.

Bei dieser in so verschiedenartiger Weise ausgebildeten Fähigkeit der Pflanzen, sich zu verbreiten und auszubreiten, ist es
begreiflich, daß die Pflanzendecke der Erde in ihrer Zusammen- 15
setzung an den einzelnen Punkten einer fortwährenden Veränderung unterworfen ist; wo heute ausgedehnte Wiesenflächen
mit ihrem frischen Grün das Auge erfreuen, befand sich vielleicht
hundert Jahre vorher ein unbetretbarer Sumpf, die rotblühende
Heide hat sich über untergegangenen Eichenwäldern angesiedelt, 20
und auch die wogenden Getreidefelder breiten sich auf ehemaligem
Waldboden aus. Den größten Anteil an diesen Veränderungen
hat der Mensch mit seinem immer wachsenden Bedarf an Land,
aber auch da, wo er sich nicht einmischt, wird die Flora im Lauf
meist längerer Zeit eine andere. Das ist nun wieder auf sehr 25
verschiedene Ursachen zurückzuführen, die oft nur lokaler Natur
sind, aber immer damit zusammenhängen, daß alle Pflanzen die
Fähigkeit besitzen, sich durch ihre Samen oder andere für diesen
Zweck besonders geeignete Organe weiter zu verbreiten.

Indessen erfolgt diese Weiterverbreitung zumeist ziemlich 30
langsam und unauffällig; unter gewöhnlichen Verhältnissen wird
das von einer Pflanzenart bewohnte Gebiet sich alljährlich nur
unwesentlich verändern; wohl mag sich nach der einen oder
anderen Richtung hin eine Neuansiedelung der Art einstellen,
aber dafür verschwindet sie an einer andern Stelle oder sie wird 35
auch dort in den nächsten Jahren wieder verdrängt. Nur ver-

einzelte Arten scheinen mitunter ein ganz plötzliches Expansionsvermögen zu erlangen, und auch dabei hilft der Mensch gewöhnlich sehr unfreiwilligerweise mit. Denn die Pflanzen, die zu
einer raschen und weiten Verbreitung befähigt sind, gehören
5 gewöhnlich auch gleichzeitig zu den Arten, deren Ansiedelung für
den Menschen in keiner Weise von Vorteil ist, im Gegenteil, oft
sind es besonders lästige und hartnäckige Unkräuter. Am
meisten gelingt es solchen Pflanzen, sich über ausgedehnte
Strecken rasch zu verbreiten, die durch den Menschen aus einem
10 andern Erdteil eingeschleppt wurden, und nun in dem neuen
Siedelungsgebiet womöglich noch günstigere Lebensbedingungen
finden, als in ihrer alten Heimat.

Bei diesen Wanderungen einzelner Pflanzenarten lassen sich oft
ganz interessante Erscheinungen wahrnehmen. Es zeigt sich
15 beispielsweise gar nicht selten, daß die einheimische Flora durch
die fremden Eindringlinge stellenweise sehr zurückgedrängt, ja
fast vernichtet wird, wie dies in manchen Gegenden Deutschlands
den Wasserpflanzen infolge der geradezu unheimlich raschen Verbreitung der eingeschleppten Wasserpest ergangen ist. Dieses
20 kleine, zierliche Pflänzchen mit dünnen, langgestreckten, faden-
förmigen Stengeln und zu drei oder vier im Quirl stehenden,
kleinen Blättern [12] ist zuerst in einem Bassin eines botanischen
Gartens in Irland gezogen worden und erregte schon damals, in
den dreißiger Jahren [13] des vorigen Jahrhunderts, Aufsehen
25 durch seine enorm rasche Ausbreitung, nachdem es erst einmal
der Gefangenschaft entflohen war. Das Interesse, das man infolge dieser Eigenschaften an der Pflanze nahm, bewirkte, daß sie
auch bald in andern botanischen Gärten gezogen wurde, und
auch hier entschlüpfte sie bald den Fesseln der Kultur, um sich
30 im Fluge die Gewässer zu erobern. Und wie eroberte sie sich
dieselben! Vom Grunde der Bäche, Kanäle oder Teiche stiegen
ihre dicht gedrängten Stengel wie ein undurchdringlicher Wald
empor, so daß die Schiffahrt stellenweise eingestellt werden
mußte und selbst die Fische durch dieses unglaublich verworrene

[12] zu drei . . . Blättern, *small leaves arranged in a whorl of threes or fours.*
[13] in den dreißiger Jahren *in the thirties.*

Dickicht nicht mehr hindurch konnten. Keine Reinigung half,
im nächsten Jahre war der Kanal oder der Fischteich wieder in
der gleichen Weise verwachsen, und schließlich lebte in diesen
verseuchten Gewässern von Pflanzen nur noch die Wasserpest,
alle Vertreter der heimischen Flora waren durch den unheim- 5
lichen Fremdling unterdrückt worden.

Nach und nach verschwand allerdings diese ungewöhnliche
Wachstumsenergie der Wasserpest, ja sie räumte hier und da
sogar wieder den einheimischen Arten das Feld, aber viele von
diesen letzteren kamen nicht mehr wieder, sie waren durch die 10
Wasserpest dauernd in der Gegend ausgerottet worden. Jetzt ist
die Wasserpest nur noch an einzelnen Stellen ein lästiges Wasserunkraut und verhält sich im allgemeinen kaum anders, als einige
unserer einheimischen Wasserpflanzen. Worauf aber diese zuerst
so enorm gesteigerte Wachstumsenergie und später das allmäh- 15
liche Nachlassen derselben zurückzuführen sein mag, ist noch sehr
wenig stichhaltig erklärt. Die rasche Ausbreitung und die Ver-
drängung der einheimischen Pflanzenwelt ist freilich leichter zu
erklären. Jedes kleine Ästchen oder abgerissene Zweigstückchen
keimt zu einer neuen Pflanze aus; jeder Kahn aber, der durch ein 20
Dickicht der Wasserpest fährt, reißt eine Anzahl Zweige ab, die
teils an dem Nachen hängen bleiben und mit diesem weiter verschleppt werden, besonders stromaufwärts, teils aber vom Wasser
stromab getrieben werden, so daß zusammenhängende Wasser-
läufe sehr bald überall von der Wasserpest besiedelt sind, wenn 25
sie sich erst irgendwo in ihnen eingestellt hat. In abgeschlossene
Seen, Teiche oder kleinere Wasserlöcher gelangt sie hauptsächlich
durch Wasservögel, besonders Enten, denen beim Aufstehen oft
einmal kleine Zweigstückchen an den Rudern hängen bleiben, die
dann in einem andern Gewässer abgestreift werden und sich hier 30
weiter entwickeln.

So ist die rasche Wanderung der Wasserpest hinreichend
erklärt, und daß sie die einheimische Flora verdrängte, ist ebenfalls nichts Absonderliches; sehen wir doch an unsern Kultur-
pflanzen, daß viele von ihnen durch andere Pflanzen, die wir dann 35
als Unkräuter bezeichnen, unterdrückt werden würden, wenn

ihnen nicht der Mensch zu Hilfe kommen würde. Die Wasserpest war eben unter den gegebenen Verhältnissen die stärkere, der die andern weichen mußten.

Das Merkwürdige liegt aber darin, daß sie diese anfängliche Überlegenheit allmählich wieder einbüßte, daß nicht nur ihr Wanderungsvermögen, sondern auch ihre Wachstumsenergie so auffallend nachgelassen haben. Man nimmt gewöhnlich an, daß dies mit der Art ihrer Vermehrung in unserem Weltteil zusammenhängt. Bei uns ist nämlich nur die weibliche Pflanze verwildert, die männliche fehlt, und die Vermehrung kann deshalb nur auf rein vegetativem, ungeschlechtlichem Wege durch abgerissene Zweigenden, Knospen vor sich gehen, da Samen ja nicht gebildet werden können. Man hat aber schon bei mehreren Pflanzen die Wahrnehmung gemacht, daß eine fortgesetzte, ausschließlich vegetative Vermehrung zu einer allmählichen Degeneration und besonders zu einer Abnahme der Wachstumsenergie führt; vielleicht ist das auch bei der Wasserpest der Fall.

Nicht alle unter den fremden Einwanderern in unsere Flora fühlen sich [14] so wohl, daß sie dauernd heimisch werden; die meisten sind dem Kampf mit den alteingesessenen Arten, dem ungewohnten Klima oder dem ungeeigneten Boden nicht gewachsen und verschwinden nach kurzer Anwesenheit wieder vollständig. Solche vorübergehende Einwanderung kann man in großem Maßstabe da beobachten, wo überseeische Waren, besonders Getreide, Wolle, Baumwolle usw. einem Reinigungsprozeß unterworfen werden. Dabei werden eine Menge verschiedener Pflanzensamen entfernt und zum Teil auch in der Umgegend verstreut; manche finden einen geeigneten Platz zum Keimen und entwickeln sich, bringen [15] auch oft Samen und können sich mehrere Jahre hintereinander erhalten. Meist aber verschwinden sie bald wieder, und die Flora ist an solchen Plätzen einem steten Wechsel unterworfen. So zeigen sich in der Umgebung des Mannheimer Rheinhafens alljährlich eine große Anzahl fremder

---

[14] **fühlen sich** *adapt themselves, get along.*
[15] **bringen** *produce.*

Pflanzen, von denen im nächsten Jahr nur noch ein kleiner Teil wieder auftritt, während dafür andere, neue sich einfinden.

Unter den fremden Einwanderern, die bei uns dauernd heimisch geworden sind, gibt es auch einzelne, die jetzt zu den schönsten Zierden unserer Flora gehören und sich dabei durchaus nicht als lästige Unkräuter bemerkbar machen. Dazu ist vor allem die N a c h t k e r z e (Oenothera biennis) zu rechnen, eine stattliche Pflanze mit großen gelben Blüten und zartem Duft, aus Nordamerika stammend und bei uns schon fast dreihundert Jahre eingebürgert. Sie wächst am liebsten auf sandigem Boden, an frisch aufgeworfenen Dämmen, neu angelegten Straßen und Plätzen, auf alten Sandbänken und Anschwemmungen an Flußläufen. An Bach- und Flußläufen hat sich stellenweise auch eine andere zierliche Amerikanerin, die G a u k l e r b l u m e (Mimulus luteus) mit ihren großen, schönen, gelben Rachenblüten angesiedelt. In Parkanlagen und Laubgehölzen der Ebene und des Hügellandes ist jetzt die aus der Mongolei stammende kleinblütige B a l s a m i n e , eine Schwester unseres heimischen Rührmichnichtan, eine weitverbreitete Erscheinung, und auf den trockensten und ödesten Plätzen, mit Vorliebe zwischen den Eisenbahnschienen der Sekundärbahnen, hat das kanadische B e r u f s k r a u t (Erigeron canadense) aus Nordamerika eine Heimstätte gefunden.

Aber wir sind nicht etwa allein mit fremder Einwanderung beglückt worden, sondern haben auch reichlich ebensoviel, wenn nicht erheblich mehr, an andere überseeische Länder abgegeben. So wird angegeben, daß die Flora um Buenos Aires fast zu 2/3 aus eingewanderten Pflanzen besteht, von denen die meisten aus dem Mittelmeergebiet stammen. Der W e g e r i c h hat sich fast überall eingestellt, wo das Land durch Europäer in Kultur genommen wurde, und die B r e n n e s s e l schließlich, die jetzt in der ganzen Welt vorkommt, ist ebenfalls mit dem Menschen von Land zu Land, von Weltteil zu Weltteil gewandert.

DIE CHEMIE

DIE CHEMIE
Einleitung

Die chemische Wissenschaft beschäftigt sich mit dem s t o f f -
l i c h e n Aufbau der Umwelt. Es gilt,[1] die hier auftretende
Mannigfaltigkeit zu ordnen, die Vielheit der Erscheinungen auf
einfache Begriffe zurückzuführen und so dem Verständnis näher
zu bringen. Ferner gestattet die Beherrschung der hier geltenden 5
Naturgesetze, Stoffe, die für den Menschen nützlich sind, aus
anderen herzustellen. Zur Lösung der Aufgaben der Chemie
müssen vielfach auch physikalische Methoden herangezogen
werden; die gegenseitige Durchdringung von Chemie und Physik
ist im Laufe der Zeit eine so innige geworden, daß sich eine 10
scharfe Abgrenzung zwischen beiden kaum noch geben läßt.

Zur Lösung ihrer Aufgaben besitzt die Chemie zwei Haupt-
Untersuchungsmethoden: Einmal die Zerlegung der oft sehr
komplizierten Stoffe in einfachere, die A n a l y s e ; zum anderen den Wiederaufbau komplizierterer Stoffe aus derartigen 15
einfacheren Bruchstücken, die S y n t h e s e . Es ist keineswegs
gesagt, daß man bei solchen Synthesen nur zu solchen Substanzen
kommen muß, die in der Natur bereits vorhanden sind; es lassen
sich vielmehr auch außerordentlich viele neue Stoffe herstellen,
die in der Natur noch nicht aufgefunden wurden und zum Teil 20
für den Menschen von größtem Nutzen sind (viele Legierungen,
Düngemittel, keramische Stoffe, Farbstoffe, Heilmittel). Die
"chemische Industrie" ist gerade in Deutschland, dank der
gründlichen wissenschaftlichen Ausbildung der deutschen Chemiker, hoch entwickelt. Chemische Produkte stehen wertmäßig 25
im deutschen Export z. Zt. bei weitem an erster Stelle.

Bei einer ganz oberflächlichen Sichtung der auf der Erde vorhandenen Stoffe lassen sich sofort zwei Gruppen unterscheiden:

[1] **Es gilt** *The object is.*

Bestandteile der belebten Natur (Tiere und Pflanzen) auf der einen, der unbelebten, des Mineralreiches, auf der anderen Seite. Dementsprechend teilt man ein in o r g a n i s c h e und an-o r g a n i s c h e Chemie. Diese zunächst nicht sehr tief be-
5 gründet erscheinende Einteilung hat sich durchaus bewährt.

Homogene und heterogene Systeme. Weiter fällt sofort auf, daß viele Stoffe durch ihre ganze Masse aus einheitlichem Material aufgebaut sind. Man kann bei ihnen weder mit dem Auge noch mit dem Mikroskop äußere Verschiedenheiten erkennen.
10 Solche Stoffe nennt man gleichteilig oder h o m o g e n. Beispiele hierfür sind Wasser, Glas, Messing usw. Im Gegensatz zu den homogenen Körpern stehen die i n h o m o g e n e n oder h e t e r o g e n e n, die ungleichmäßig aufgebaut sind und auf mechanischem Wege getrennt werden können. So ist mit Sand
15 versetztes Wasser ein heterogenes System; wir können hier die Bestandteile durch Abgießen der Flüssigkeit leicht trennen. Andere Beispiele für heterogene Stoffe sind Granit oder mit Eisstückchen versetztes Wasser. Das letzte Beispiel zeigt, daß der Begriff heterogen nicht notwendig besagt, daß stofflich Ver-
20 schiedenes vorliegen muß; denn die Bestandteile sind ja hier flüssiges und festes Wasser. Ebenso falsch wäre es aber auch, anzunehmen, daß ein homogener Körper stofflich immer nur aus einem Bestandteil bestände. Z. B. ist Zuckerwasser homogen, trotzdem es aus mehreren Stoffen (Zucker und Wasser) herge-
25 stellt ist.

Trennung von heterogenen Gemischen. Liegt ein heterogenes System vor, so ist ein erster Schritt zur Zerlegung meist leicht. So kann man Systeme aus einer Flüssigkeit und einem festen Stoff durch Abgießen (D e k a n t i e r e n) oder meist besser durch
30 Filtrieren trennen. Schwieriger ist die Trennung von Gemischen fester Stoffe, z. B. das "Aufbereiten" von Erzen.

Eine quantitative Trennung durch Auslesen ist meist praktisch nicht durchführbar; infolgedessen verwendet man meist andere Methoden. Z. B. kann man Unterschiede des spezifischen
35 Gewichtes ausnutzen (Schlämmen, Trennung von Spreu und Weizen durch den Wind, Zentrifugalkraft usw.). Ferner kann

man die verschiedene Benetzbarkeit heranziehen. Als ein technisch in der Neuzeit wichtig gewordenes Verfahren sei hier das Schaumschwimm-Verfahren genannt, bei dem sich einzelne Bestandteile eines zerkleinerten Erzgemisches im künstlich erzeugten Schaum ansammeln, während die anderen am Boden zurückbleiben. Besonders wichtig sind Unterschiede der Löslichkeit. Will man z. B. mit Gestein verunreinigtes Salz von diesem trennen, so kann man es mit Wasser herauslösen. Diese Methode wird in sehr großem Umfange angewendet.

Trennung homogener Gemische; der Begriff des reinen Stoffes. Mit solchen grob-mechanischen Trennungen ist meist noch nicht viel gewonnen. Der nächste Schritt ist der, zu einem "reinen Stoff" zu gelangen. Was man darunter versteht, sei am Beispiel des Wassers beschrieben. Daß dieses je nach seiner Herkunft verschieden ist, ist allgemein bekannt. So unterscheidet man ja Regen-, Leitungs-, Meerwasser, ferner hartes und weiches Wasser usw. Die Unterschiede sind darin begründet, daß die verschiedenen Wasserarten verschiedene Mengen und verschiedene Arten fremder Stoffe gelöst enthalten, also vom Standpunkte des Chemikers aus in verschiedener Weise verunreinigt sind. Man erkennt das Vorliegen eines chemisch unreinen Stoffes unter anderem beim Erstarren und Sieden. Bei einem reinen Stoff erfolgt das Erstarren der gesamten Flüssigkeit bei genau der gleichen Temperatur. Bei Leitungswasser ist dies jedoch nicht der Fall; messen wir mit einem genügend empfindlichen Thermometer unter Beachtung aller Vorsichtsmaßregeln, so stellen wir fest, daß das Erstarren etwas unter 0 Cels. beginnt und daß beim Fortschreiten des Festwerdens die Temperatur dauernd etwas absinkt. Ähnlich ist es beim Verdampfen; das Sieden beginnt bei 760 mm Quecksilberdruck ganz dicht über 100°, und die Siedetemperatur steigt während des Verdampfens dauernd etwas an.

Es ist beim Wasser relativ leicht, zu einem für die meisten Zwecke hinreichend reinen Präparat zu kommen; man braucht das Wasser nur zu destillieren, d. h. es zu verdampfen, und den Rückstand wieder zu verdichten (kondensieren); es bleiben dann die gelösten Fremdstoffe zurück, und man erhält im Kondensat ein praktisch reines "destilliertes" Wasser.

Das durch genügend vorsichtige Destillation erhaltene Wasser zeigt die Eigenschaften eines reinen Stoffes: der Erstarrungspunkt
5 ist konstant, d. h. unabhängig davon, wieviel bereits erstarrt ist; er beträgt genau 0,000° Cels. Auch die Siedetemperatur ist unabhängig von der verdampften Menge, sie beträgt bei 760 mm Quecksilberdruck genau 100,000° Cels. Daß wirklich reines Wasser vorliegt, zeigt sich unter anderem darin, daß beliebig oft
10 wiederholtes Destillieren immer wieder zu einem Kondensat mit völlig gleichen Eigenschaften führt, auch wenn man die empfindlichsten Untersuchungsmethoden anwendet. Dabei ist es gleichgültig, ob man von See-, Leitungs- oder Regenwasser ausgeht.

Das ist allerdings nur so lange richtig, als man nicht extreme
15 Ansprüche an die Reinheit stellt. Denn es ist außerordentlich schwer, ein Wasser herzustellen, das gar keine Gase gelöst enthält. Ferner ist es kaum möglich, ein Gefäßmaterial zu finden, das sich nicht wenigstens in minimalen Spuren in Wasser löst. Eine besondere Komplikation ist durch die kürzlich erfolgte Ent-
20 deckung des sogenannten "schweren Wassers" entstanden.

Reines Wasser kann man auch dadurch gewinnen, daß man gewöhnliches Leitungswasser teilweise erstarren (kristallisieren) läßt und dann Eis und nicht erstarrte Flüssigkeit trennt. Das durch Schmelzen dieses Eises hergestellte Wasser zeigt auch bei
25 empfindlichen Prüfungen keinen Unterschied gegenüber dem durch Destillation gereinigten. Zur Prüfung, ob wirklich ein reiner Stoff vorliegt, muß man in jedem einzelnen Falle verschiedene Reinigungsmethoden anwenden; erst wenn alle Methoden zu dem gleichen Endprodukt führen, kann man sicher sein,
30 daß ein reiner Stoff vorliegt.

Meist geht man bei der Kristallisation im Gegensatz zu dem oben genannten Beispiel so vor, daß man ein Lösungsmittel benutzt. So löst sich z. B. Kalisalpeter in heißem Wasser viel besser als in kaltem. Sättigt man also heißes Wasser mit Kali-
35 salpeter, so scheidet sich dieser zum größten Teile beim Abkühlen in fester Form wieder aus; nur wenig bleibt in der kalten Lösung,

der sogenannten "Mutterlauge". Der so umkristallisierte Stoff
enthält in der Regel weniger Verunreinigungen als vorher.

Qualitatives über die Zusammensetzung des Wassers

Zerlegung durch elektrische Energie (Elektrolyse). Wenn so
ein reiner Stoff, hier also reines Wasser, gewonnen ist, fragen wir,
ob er sich in stofflich einfachere Bestandteile zerlegen läßt. Es ist 5
ohne weiteres klar, daß eine solche Zerlegung in der Regel eine
Energie-Zufuhr erfordert; denn wären diese Bestandteile nicht
durch starke Kräfte verbunden, die erst überwunden werden
müssen, so würde ja von selbst Zerfall eintreten. In besonders
durchsichtiger Form kann diese Energiezufuhr auf 10
elektrischem Wege erfolgen. Legt man bei dem in
Figur 13 dargestellten Apparat bei A eine positive,
bei B eine negative Spannung an, so zersetzt sich
das Wasser und es bilden sich an den Elektroden
Gase, die sich bei C und D ansammeln; und zwar 15
bildet sich bei D doppelt soviel wie bei C. Es sind
also hier durch Zufuhr von Energie aus dem flüssigen Wasser zwei neue, gasförmige Bestandteile
entstanden, das Wasser ist zerlegt worden. Beide
Gase sind farblos, aber stofflich verschieden. Das 20
bei C aufgefangene bringt einen glühenden Span
zum Aufflammen, brennt aber selbst nicht; das andere Gas dagegen ist brennbar, unterhält aber die
Verbrennung nicht. Dieses zweite Gas nennt man, da es einen
Bestandteil des Wassers bildet, W a s s e r s t o f f, während 25
das erstere S a u e r s t o f f genannt wird. Der beschriebene
Versuch liefert uns also die Gleichung:

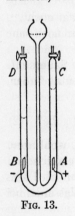

Fig. 13.

$$\text{Wasser} + \text{Energiezufuhr} = \text{Wasserstoff} + \text{Sauerstoff}. \quad (1)$$

Der Elementbegriff. Es entsteht die Frage, ob Wasserstoff
und Sauerstoff noch weiter zerlegbar sind. Alle Versuche hierzu 30
sind mißlungen, so daß man heute mit großer Sicherheit sagen
kann, daß diese Zerlegung nicht möglich ist. Derartige nicht

mehr zerlegbare Bestandteile der Materie, aus denen sich die
ungeheure Zahl aller anderen Stoffe aufbauen läßt, bezeichnet
man nach Robert Boyle als Elemente.

Nicht immer hat der Elementbegriff diese Bedeutung gehabt.
5 Die griechischen Philosophen verstanden vielmehr unter Elementen Erde, Wasser, Luft und Feuer, also im wesentlichen
unsere Aggregatzustände fest, flüssig, gasförmig. Es handelte
sich also mehr um einen Eigenschafts- als um einen Stoffbegriff.
Dementsprechend schrieb man den Gewichtsverhältnissen keine
10 wesentliche Bedeutung zu. Es hat einer Entwickelung von fast
zwei Jahrtausenden bedurft, ehe sich der alte Elementbegriff in
den heutigen gewandelt hat.

Die Zahl der Elemente, die man bisher kennt, beträgt etwa 90.
Man kann mit großer Sicherheit sagen, daß man nur noch sehr
15 wenige Elemente nicht aufgefunden hat.

Die Synthese von Wasser aus Wasserstoff und Sauerstoff.
Ist nun der durch Gleichung (1) dargestellte Vorgang umkehrbar,
d. h. gilt auch die Gleichung:

$$\text{Wasserstoff} + \text{Sauerstoff} = \text{Wasser} + \text{Energieabgabe?} \quad (2)$$

20 Beim Mischen der beiden Gase ereignet sich nichts, wohl aber,
wenn wir dieses Gemisch lokal erwärmen oder einen elektrischen
Funken durchschlagen lassen. Man beobachtet dann als Folge
der chemischen Vereinigung der beiden Gase zu Wasserdampf
eine Explosion mit äußerst scharfem Knall.

25 **Chemische Verbindung.** Wir können die bisherigen Ergeb-
nisse folgendermaßen zusammenfassen: Wasser kann durch
Energiezufuhr in Wasserstoff und Sauerstoff zerlegt werden und
entsteht andererseits durch die Vereinigung dieser beiden Gase
unter Energieabgabe. Es bedarf keines besonderen Hinweises,
30 daß es sich bei dieser Vereinigung nicht nur [2] um eine Mischung
der beiden Gase handelt; dieses Gemisch ist ja vom Wasser in
allen Eigenschaften verschieden. Bei der Vereinigung der
beiden Gase zum Wasser ist vielmehr etwas ganz Tiefgreifendes
erfolgt, es hat sich eine chemische Verbindung gebildet.

[2] **nicht nur** *not merely.*

Daß eine chemische Verbindung ganz andere Eigenschaften hat als die Ausgangsstoffe, aus denen sie entstanden ist, sei noch an einem anderen Beispiele gezeigt. Mischt man Schwefel und Eisen im pulverisierten Zustande, so erhält man ein gelbgraues Pulver, in dem man bei hinreichender Vergrößerung durch Lupe 5 oder Mikroskop noch deutlich die Bestandteile sehen kann. Auch sind die Eigenschaften unverändert geblieben; mit einem Magneten lassen sich die Eisenteilchen herausziehen, mit Schwefelkohlenstoff der Schwefel lösen. Erhitzt man nun dieses Gemisch, so tritt bald an einer Stelle Aufglühen ein, das sich von 10 selbst durch die ganze Masse fortsetzt. Nach dem Erkalten findet man eine schwarze Masse vor, das Schwefeleisen, das sich auch bei mikroskopischer Betrachtung als homogen erweist. Man kann jetzt mit Schwefelkohlenstoff den Schwefel nicht mehr herauslösen, auch erfolgt keine Anziehung durch den Magneten 15 mehr. Auch aus diesem Beispiel geht klar hervor, daß eine chemische Verbindung etwas ganz anderes ist als ein mechanisches Gemisch der Ausgangsstoffe.

Stabiles und instabiles System. Wir sahen, daß ein Gemisch von Wasserstoff und Sauerstoff sich, wenn die Reaktion erst ein- 20 mal eingeleitet ist, freiwillig in Wasser umwandelt, wobei Wärmeenergie abgegeben wird. Das gebildete Wasser ist also ärmer an (freier) Energie und stellt gegenüber dem ''insta- bilen'' Gemisch der Ausgangsstoffe das ''stabile'' System dar. Ebenso ist bei dem Beispiel Eisen-Schwefel das 25 gepulverte Gemenge das instabile, energiereichere System, das sich freiwillig in das stabile, energieärmere System, die chemische Verbindung Schwefeleisen, umwandelt.

Zersetzung des Wassers bei hohen Temperaturen. Es fragt sich nun, ob bei allen chemischen Reaktionen immer vollständige 30 Umsetzung erfolgt, oder ob es auch Fälle gibt, bei denen die Reaktion aufhört, nachdem ein gewisser Teil umgesetzt ist. Beim Wasser ist ja die Umsetzung, soweit wir erkennen können, hundertprozentig: denn wenn wir Wasserstoff und Sauerstoff in genau dem richtigen Verhältnis mischen, so ist nach der Reaktion 35 keines der beiden Gase mehr irgendwie nachzuweisen. Das gilt

aber nur für nicht allzu hohe Temperaturen; bei sehr hohen
Temperaturen ändert sich das Bild. Die Umsetzung ist dann
nicht mehr hundertprozentig; es bleibt ein—wenn auch kleiner—
Bruchteil Wasserstoff und Sauerstoff unverbunden. Umgekehrt
5 zerfällt (dissoziiert) Wasserdampf bei diesen Temperaturen teilweise in seine Bestandteile.

Das chemische Gleichgewicht. Das beim Wasser erhaltene
Ergebnis ist von ganz allgemeiner Bedeutung und gilt für alle
Reaktionen. Immer bildet sich ein bestimmtes Mengenverhält-
10 nis zwischen den Ausgangsstoffen und dem Reaktionsprodukt
aus. Man spricht davon, daß sich ein "chemisches Gleichgewicht" einstellt, und schreibt z. B. im vorliegenden Falle: Wasserstoff + Sauerstoff ⇌ Wasser. Das Zeichen besagt also, daß die
Reaktion nur soweit verläuft, bis sich das dem betreffenden
15 System unter den jeweiligen Versuchsbedingungen eigene
Mengenverhältnis zwischen Ausgangsstoffen und Reaktionsprodukt eingestellt hat. Es ist dabei gleichgültig, ob man von
Wasserstoff und Sauerstoff oder von Wasser ausgeht; in beiden
Fällen kommt man zu demselben Gleichgewicht.

20 **Die Reaktionsgeschwindigkeit und ihre Abhängigkeit von der
Temperatur.** Der Übergang des instabilen Gemisches Wasserstoff und Sauerstoff in Wasser erfolgt bei höheren Temperaturen
außerordentlich schnell. Bei Zimmertemperatur läßt er sich
jedoch nicht nachweisen; Knallgas ist praktisch unbegrenzt
25 haltbar. Trotzdem müssen wir annehmen, daß auch bei tiefen
Temperaturen ein Umsatz erfolgt, nur ist hier die Reaktionsgeschwindigkeit unmeßbar klein. Erhöhen wir die Temperatur,
so wird die Reaktionsgeschwindigkeit sehr schnell größer. Oft
bedingt eine Erhöhung der Temperatur um 10° etwa eine Ver-
30 doppelung der Reaktionsgeschwindigkeit. Das würde bedeuten,
daß sie bei 120° bereits etwa das tausendfache, bei 220° das mil-
lionenfache des Wertes von 20° beträgt.

Nun wird zwar beim Anzünden mit einem Streichholz oder beim
Durchschlagen eines Funkens nur eine kleine Stelle des Knall-
35 gasgemisches erhitzt; aber wenn so erst einmal die Reaktion lokal
eingeleitet ist, dann entwickelt sie selbst gemäß Gleichung (2)

Wärme, und zwar schneller, als diese durch Wärmeleitung aus dem System abgeführt werden kann. Dies bedingt das explosionsartige Übergreifen der einmal eingeleiteten Reaktion auf das ganze Gemisch.

Beschleunigung der Reaktionsgeschwindigkeit durch Katalysatoren. Es gibt aber noch einen anderen Weg, um die Reaktionsgeschwindigkeit zu vergrößern. Leitet man ein Knallgasgemisch auf Platin in sehr fein verteilter Form, so entzündet es sich. Das Platin hat also die Eigenschaft, die Geschwindigkeit der Reaktion stark zu vergrößern; es selbst bleibt dabei gänzlich unverändert. Derartige Stoffe bezeichnet man als K a t a - l y s a t o r e n. Die Lage eines Gleichgewichts kann durch einen Katalysator keinesfalls geändert werden, sondern nur die Geschwindigkeit, mit der es sich einstellt.

Platin wirkt nicht nur hier, sondern auch bei vielen anderen Reaktionen beschleunigend; es ist also ein ganz allgemeiner Katalysator. Es gibt aber auch Stoffe, die nur auf ganz bestimmte Reaktionen katalytisch wirken, andere dagegen unbeeinflußt lassen. Gerade die Entwicklung derartiger "spezifischer" Katalysatoren ist für die neuere chemische Technik von Bedeutung geworden. Neben "positiven" Katalysatoren, die die Reaktionsgeschwindigkeit vergrößern, gibt es auch "negative", die sie verkleinern.

Quantitatives über die Zusammensetzung des Wassers

Das Gesetz von der Erhaltung der Masse. Durch zahlreiche, z. T. mit außerordentlicher Präzision durchgeführte Untersuchungen hat sich gezeigt, daß sich bei chemischen Umsetzungen die Masse nicht ändert, d. h. daß das Gewicht der Reaktionsprodukte gleich dem der Ausgangsstoffe ist. Dieses Gesetz von der Erhaltung der Materie ist eines der wichtigsten Naturgesetze. Es ist ferner die Grundlage für alle Bemühungen, die Zusammensetzung irgendeines Stoffes nicht nur qualitativ, sondern auch quantitativ zu ermitteln. Es kommt dabei immer darauf hinaus,[3] einmal [4]

[3] **Es kommt dabei immer darauf hinaus** *It is pre-eminently a question of.*
[4] **einmal . . . zum anderen** *on the one hand . . . on the other.*

die Ausgangsstoffe, zum anderen die Reaktionsprodukte zu
wägen.

Die quantitative Zusammensetzung des Wassers. Nach
diesen allgemeinen Betrachtungen wollen wir uns nun wieder
5 unserer besonderen Frage, der Zusammensetzung des Wassers,
zuwenden. Nach dem Gesetz von der Erhaltung der Masse ist
das Gewicht der bei der Elektrolyse entstandenen Gase gleich
dem des zersetzten Wassers. 1 Liter Wasserstoff wiegt bei 0° und
760 mm 0,0899 g, 1 Liter Sauerstoff 1,429 g. Da nun bei der
10 Zersetzung von Wasser 2 Volumina Wasserstoff auf 1 Volumen
Sauerstoff entstehen, so verhält sich im Wasser der gewichts-
mäßige Anteil von Wasserstoff zu Sauerstoff wie 2·0,0899 zu
1,429, also wie 1 : 7,95. Wasser enthält demnach 11,2 Gewichts-
prozente Wasserstoff und 88,8% Sauerstoff.

15 **Das Gesetz der konstanten Proportionen.** Wenn wir Wasser
beliebiger Herstellung untersuchen, so finden wir immer den
gleichen Prozentgehalt an Wasserstoff und Sauerstoff; reines
Wasser hat also stets qualitativ und quantitativ die gleiche Zusammensetzung. Was hier für Wasser gezeigt ist, gilt für alle
20 chemischen Verbindungen, gleichgültig, ob es sich um feste,
flüssige oder gasförmige Stoffe handelt: der prozentische Anteil
an den einzelnen Bestandteilen ist unabhängig von der Herkunft
und der Herstellung. Dies ist das Gesetz der k o n s t a n t e n
P r o p o r t i o n e n.

25 **Das Gesetz der multiplen Proportionen.** Es ist aber auch
möglich, daß zwei Elemente mehrere Verbindungen miteinander
eingehen. So werden wir später eine zweite, ebenfalls aus
Wasserstoff und Sauerstoff zusammengesetzte Verbindung ken-
nenlernen, das Wasserstoffsuperoxyd. Untersuchen wir dessen
30 Zusammensetzung, so ergibt sich, daß in ihr mit 1 g Wasserstoff
15,9 g Sauerstoff verbunden sind, während das Verhältnis beim
Wasser 1 : 7,95 ist. 15,9 ist aber gerade 2 × 7,95. Wir erhalten
aus diesem und ähnlichen Beispielen das erstmalig 1804 von
Dalton ausgesprochene, endgültig von Berzelius bewiesene
35 Gesetz der m u l t i p l e n P r o p o r t i o n e n : Wenn zwei
Elemente mehrere Verbindungen miteinander eingehen, so

stehen die Mengen des einen Elementes, die sich mit einer bestimmten Gewichtsmenge des anderen verbinden, zueinander im
Verhältnis einfacher ganzer Zahlen.

Das Volumgesetz von Gay-Lussac und A. v. Humboldt. Ähnliche Beziehungen, wie sie allgemein für die Gewichtsverhältnisse 5
bestehen, gelten im Sonderfalle der Gasreaktionen auch für die
Volumina. Auch hier ist das Verhältnis zwischen den Räumen
zweier Gase, die bei einer bestimmten Reaktion entstehen—also
in unserem Beispiel von Wasserstoff und Sauerstoff—von Versuch zu Versuch das gleiche. Ja, die Dinge liegen hier sogar viel 10
einfacher als bei den Gewichtsmengen; denn das Verhältnis der
beiden Gasvolumina zueinander ist 2 : 1, also besonders einfach
und durch kleine ganze Zahlen ausdrückbar.

Es fragt sich, ob auch zwischen dem Volumen des gebildeten
Wassers und den Raummengen des zu seiner Herstellung be- 15
nutzten Wasserstoffs und Sauerstoffs einfache Volumbeziehungen
bestehen. Bei normalem Druck und Zimmertemperatur können
wir das nicht prüfen, da Wasser unter diesen Bedingungen flüssig
ist. Wenn wir aber eine "Synthese" des Wassers aus seinen
Bestandteilen bei höheren Temperaturen und—wegen der 20
Heftigkeit der Explosion!—unter vermindertem Druck durch-
führen, so bleibt das Wasser gasförmig. Der Versuch zeigt dann,
daß 2 Volumina Wasserstoff und 1 Volumen Sauerstoff, also 3
Volumina Knallgas, 2 Volumina Wasserdampf ergeben.

Es bestehen also bei dieser Gasreaktion tatsächlich einfache Be- 25
ziehungen zwischen den Räumen der Ausgangsstoffe und des
Endproduktes. Was hier gilt, trifft auch in anderen Fällen zu;
wir erhalten das Volumgesetz von Gay-Lussac und A. v. Humboldt, das aussagt: Reagieren zwei Gase miteinander, so stehen bei
gleichem Druck und gleicher Temperatur die Volumina der 30
reagierenden Gase sowohl zueinander als auch zu dem Volumen
des entstehenden Gases in einfachen Zahlenverhältnissen.

Atom- und Molekülbegriff. Diese einfachen Beziehungen—
nämlich das Gesetz der konstanten und multiplen Proportionen
wie das Volumgesetz—verlangen nach einer Deutung. Einen 35

ersten wichtigen Schritt hierzu verdankt man Dalton, der den
A t o m b e g r i f f schuf und folgende Leitsätze aufstellte:

1. Jedes Element besteht aus gleichartigen Atomen von un-
veränderlichem Gewicht.

5 2. Die chemischen Verbindungen bilden sich durch Vereinigung
der Atome verschiedener Elemente nach einfachsten Zahlenverhältnissen.

Diese beiden Sätze gelten bis heute unverändert. Der Atombegriff hat sich als eine der wichtigsten Grundlagen für das
10 Verständnis des Aufbaues der Materie erwiesen.

Zu einer restlosen Erklärung der genannten Regelmäßigkeiten
ist aber außerdem noch der von Avogadro geschaffene M o l e -
k ü l b e g r i f f notwendig. Unter Molekülen versteht man in
einem gasförmigen System die kleinsten Teilchen, die sich als
15 einheitliches Ganzes [5] im Raume fortschreitend bewegen.

Nach der kinetischen Gastheorie befinden sich nämlich die
kleinsten Teilchen eines Gases, die eben genannten Moleküle, in
einer dauernden Bewegung, die um so lebhafter ist, je höher die
Temperatur steigt. Infolge dieser Bewegung finden dauernd
20 Zusammenstöße zwischen den Teilchen statt. Durch den Anprall der Moleküle auf die Gefäßwand wird der Druck des Gases
hervorgerufen.

Da sich gleiche Volumina der verschiedenen Gase, bei gleichem
Druck und gleicher Temperatur gemessen, nach den Gasgesetzen
25 gegenüber Druck- und Temperaturänderungen ganz gleichartig
verhalten, ja sogar miteinander in dieser Beziehung vertauscht
werden können, so schloß Avogadro auf den gleichartigen Aufbau
solcher Volumteile. Er stellte 1811 die Hypothese auf, daß
g l e i c h e V o l u m t e i l e v o n G a s e n bei gleichem Druck
30 und gleicher Temperatur d i e g l e i c h e A n z a h l v o n
M o l e k ü l e n e n t h a l t e n . Diese Hypothese wurde zwar
zunächst wenig beachtet, hat sich aber später als eine der wichtigsten Grundlagen für die Erkenntnis der Zusammensetzung der
Moleküle erwiesen und ist heute als sichergestelltes Naturgesetz
35 anzusehen.

[5] **Ganzes** *entity.*

Wasserstoff und Sauerstoff

Wasserstoff. Die Darstellung des Wasserstoffs erfolgt in der Technik vielfach auf elektrolytischem Wege, ähnlich dem von uns beschriebenen. Im Laboratorium stellt man ihn meist durch Einwirkung von Metallen, wie z. B. Zink, auf Säuren her.

Auch aus Wasser kann man den Wasserstoff durch Metalle in Freiheit setzen. Bekanntlich unterscheidet man unedle und edle Metalle. Die letzteren sind dadurch ausgezeichnet, daß sie geringe Neigung haben, mit anderen Elementen Verbindungen einzugehen (Silber, Gold, Platin usw.). Die unedlen dagegen verbinden sich gern mit sehr vielen Elementen, besonders dem Sauerstoff. Sie sind daher in der Lage, dem Wasser den Sauerstoff zu entziehen und den Wasserstoff in Freiheit zu setzen. Als ein recht unedles Element sei das Magnesium genannt. Leitet man Wasserdampf bei höheren Temperaturen über Magnesiumpulver, so verbindet sich der Sauerstoff mit dem Metall und man erhält Wasserstoff.

Bei derartigen Einwirkungen von Metallen auf Wasserdampf müssen sich natürlich Verbindungen zwischen Metall und Sauerstoff bilden; solche Verbindungen bezeichnet man als O x y d e. Es gilt also die Gleichung: Unedles Metall + Wasser = Metalloxyd + Wasserstoff. Bei den edleren Metallen ist es gerade umgekehrt; hier kann man dem Oxyd durch Wasserstoff den Sauerstoff entziehen. Das kann man sehr schön beim Kupfer zeigen. Erhitzt man Kupfer auf höhere Temperaturen in der Luft, die ja Sauerstoff enthält, so wird es schwarz, weil sich Kupferoxyd bildet. Bringt man ein solches oxydiertes Stück Kupfer in heißem Zustande in eine Wasserstoffatmosphäre, so erscheint sogleich die hellrote Farbe des Kupfermetalles, weil sich folgende Reaktion abspielt: Kupferoxyd + Wasserstoff = Kupfer + Wasser.

Oxydation und Reduktion. Eine solche Loslösung von Sauerstoff aus einer Verbindung bezeichnet man als R e d u k t i o n , während der entgegengesetzte Vorgang, die chemische Bindung von Sauerstoff, O x y d a t i o n genannt wird. Beide Vorgänge

sind stets miteinander gekoppelt. So ist z. B. im vorliegenden
Falle das Kupferoxyd zu Kupfer reduziert, der Wasserstoff zu
Wasser oxydiert worden. Wasserstoff ist eines der wichtigsten
Reduktionsmittel.

5 Die physikalischen Eigenschaften des Wasserstoffs sind dadurch bestimmt, daß der Wasserstoff das leich-
teste aller Gase ist. Seine Dichte beträgt nur etwa 1/14 von der
der Luft. Es ist bekannt, daß man ihn daher zur Füllung von
Luftschiffen verwendet.

10 Nach dem Avogadro'schen Gesetz ist die geringe Gasdichte des
Wasserstoffs dadurch bedingt, daß die Wasserstoffmoleküle ein
besonders geringes Gewicht haben. Damit hängen einige Be-
sonderheiten des Wasserstoffs zusammen. So zeigt er ein besonders hohes Diffusionsvermögen und strömt besonders schnell
15 aus engen Öffnungen aus. Auch leitet er die Wärme besser als
irgendein anderes Gas.

Sauerstoff. Die wichtigste Quelle für den Sauerstoff ist die
Luft. Über ihren Gehalt an Sauerstoff unterrichten uns folgende
Versuche:

20 Entzündet man ein Stück weißen Phosphors in einer reinen
Sauerstoffatmosphäre, so tritt unter Bildung eines weißen
Nebels von festem Phosphoroxyd eine lebhafte Vereinigung des
Phosphors mit dem Sauerstoff ein, die erst dann aufhört, wenn der
Sauerstoff restlos verbraucht ist. Wenn man also eine nach unten
25 offene Glocke in Wasser stellt und den Phosphor in einem Schälchen
auf dem Wasser schwimmen läßt, so wird das Wasser hochsteigen
und schließlich die ganze Glocke erfüllen. Führt man den
gleichen Versuch mit Luft durch, so brennt der Phosphor beim
Berühren mit einem heißen Draht ebenfalls; es wird jedoch nicht
30 die gesamte Gasmenge verbraucht, sondern nur 1/5. Die Luft
besteht also zu rund 1/5 ihres Volumens aus Sauerstoff. Der
übrige Teil der Luft muß noch eins oder mehrere andere Gase
enthalten, die die Verbrennung von Phosphor und ähnlichen
Stoffen nicht unterhalten. Im wesentlichen handelt es sich um
35 das Element Stickstoff (Symbol N).

Die Darstellung des Sauerstoffs kann—außer durch die be-
sprochene Wasserelektrolyse—durch Erhitzen von Oxyden sehr
edler Metalle erfolgen; denn diese Oxyde sind, wie fast alle Verbindungen der Edelmetalle, nicht sehr beständig. So geht z. B.
das rote Q u e c k s i l b e r o x y d beim stärkeren Erhitzen in 5
Sauerstoff und metallisches Quecksilber über.   Ferner kann man
ihn durch Erhitzen einiger sauerstoffreicher Stoffe erhalten, wie
Braunstein, Kaliumchlorat, Bariumsuperoxyd.   Alle diese Methoden sind heute ohne praktische Bedeutung; denn die technische
Gewinnung des Sauerstoffs erfolgt nur noch durch Verflüssigung 10
der Luft und teilweises Wiederverdampfen ("fraktionierte
Destillation").   Sauerstoff siedet nämlich bei −183°, Stickstoff
bei −195°. Läßt man also flüssige Luft langsam verdampfen, so
siedet erst im wesentlichen Stickstoff weg, dann ein Gemisch der
beiden Gase und zuletzt nahezu reiner Sauerstoff.   15

Flüssige Luft, die schon längere Zeit gestanden hat, besteht also
praktisch nur aus Sauerstoff.   Man erkennt den angenäherten
Prozentgehalt der flüssigen Luft an Sauerstoff bei einiger Übung
schon [6] an der Farbe; denn flüssiger Sauerstoff ist im Gegensatz
zu dem farblosen flüssigen Stickstoff blau.   20

Sauerstoff kommt ebenso wie Wasserstoff und Stickstoff in
Stahlflaschen unter einem Druck von 150 Atmosphären in den
Handel ("verdichtete Gase"; verflüssigte Gase hingegen sind
z. B. Chlor und Kohlendioxyd).

Verbrennungserscheinungen.   Wie bereits erwähnt, ist Sauer- 25
stoff der Anteil der Luft, der die Verbrennungserscheinungen
bedingt.   Seit Lavoisier wissen wir, daß es sich bei einer Verbrennung um folgenden Vorgang handelt: Verbrennbarer Stoff
+ Sauerstoff = Verbrennungsprodukte.   Danach sind also die
Verbrennungsprodukte immer schwerer als der verbrannte Stoff. 30

Vor Lavoisier hatte man über die Verbrennung bzw. die
Oxydation von Metallen eine andere Vorstellung.   Man glaubte
nämlich, daß die Oxyde einfach zusammengesetzt wären und daß
sie unter Aufnahme eines Stoffes, den man P h l o g i s t o n
nannte, in Metall übergingen.   Umgekehrt nahm man an, daß 35

_____
[6] **schon** *merely.*

die Oxyde durch Abgabe von Phlogiston aus den Metallen ent-
ständen.

Die von dem Deutschen Stahl (1660–1734) aufgestellte Phlogistontheorie hat für die Entwicklung der Chemie eine sehr große
5 Bedeutung gehabt, da sie zum ersten Male Oxydations- und
Reduktionserscheinungen von einem einheitlichen Gesichtspunkte
aus erklärte. Sie versagte aber völlig zur Erklärung der tatsächlich auftretenden Gewichtsänderungen. Für ihren Sturz war
entscheidend die Entdeckung des Sauerstoffs durch den (in dem
10 damals schwedischen) Greifswald geborenen Karl Wilhelm
Scheele im Jahre 1772, eines Forschers, dem man trotz seines
kurzen Lebens—von 1742 bis 1786—eine große Zahl der bedeut-
samsten Entdeckungen verdankt. Unabhängig von Scheele hat
auch der Engländer Priestley (1733–1804) den Sauerstoff
15 entdeckt.

Verbrennungen sind also ebenso Oxydationen wie etwa das
Rosten des Eisens, d. h. der Übergang in Eisenoxyd. Einen Unterschied kann man höchstens darin sehen, daß das Oxydationsprodukt hier festes, bzw. bei lebhafter Verbrennung flüssiges
20 Oxyd ist, während bei den Verbrennungen im engeren Sinne
g a s f ö r m i g e Bestandteile entstehen. Die bei Kerzen, Kohle,
Leuchtgas usw. entstehenden Verbrennungsgase bestehen—
neben sehr viel Stickstoff aus der Luft!—im wesentlichen aus
Wasserdampf und einer Kohlenstoff-Sauerstoffverbindung, dem
25 Kohlendioxyd (CO_2); denn alle diese Brennstoffe enthalten
Wasserstoff und Kohlenstoff.

Verbrennungen gehen auch in unserem Körper vor sich, indem
die kohlenstoff- und wasserstoffhaltigen Nahrungsmittel im Blut
durch den eingeatmeten Sauerstoff der Luft verbrannt werden.
30 Auch hier bilden sich als Verbrennungsprodukte Wasser und
Kohlendioxyd; letzteres wird mit der ausgeatmeten Luft wieder
aus dem Körper entfernt. Diese Verbrennung der Nahrungsmittel hält die Körpertemperatur aufrecht; sie ist ferner die
Energiequelle für die mechanische Arbeit (Heben der Beine,
35 Arme usw.), die wir verrichten. Im Gegensatz zu den Flammen
erfolgt die Verbrennung im Körper bei niedriger Temperatur,

weil sie durch komplizierte organische Verbindungen ("Enzyme") katalysiert wird.

Die Zusammensetzung der Luft

Zusammensetzung der trockenen Luft. Die Verschiedenheit des Wassergehaltes der Atmosphäre würde die Beschreibung der Zusammensetzung der Luft sehr umständlich gestalten, wenn man die Angaben auf die wirklich vorhandene wasserhaltige Luft beziehen würde. Man pflegt daher alle Angaben über die quantitative Zusammensetzung der Atmosphäre auf die vom Wasserdampf befreite, also g e t r o c k n e t e Luft zu beziehen.

Zum Trocknen von Gasen benutzt man Stoffe, die sich begierig mit Wasser vereinigen. Dabei kann es sich um Flüssigkeiten (Schwefelsäure) oder auch um feste Stoffe (Kalziumchlorid, Phosphorpentoxyd) handeln.

Der Sauerstoffgehalt der Luft, bezogen auf das trockene Gas, beträgt 20,9%. Er schwankt nur innerhalb ganz geringer Grenzen (weniger als 0,1%). Außerdem enthält die Luft sehr geringe Mengen von Kohlendioxyd (etwa 0,03%), Schwefeldioxyd und andere, zahlenmäßig nicht in Betracht kommende Beimengungen. Den Rest, rund 79 Volumprozent, hielt [7] man sehr lange für ein Element, nämlich für reinen Stickstoff. Erst am Ende des 19. Jahrhunderts fand man, daß neben Stickstoff noch einige Bestandteile in ihm enthalten sind, nämlich die sogenannten Edelgase, die insgesamt etwa 1% ausmachen.

Edelgase. Oben nannten wir als einen rund 1 Volumprozent ausmachenden Bestandteil der Luft die Edelgase. Über die Entdeckung dieser Stoffklasse sei folgendes angeführt: 1892 prüfte Lord Rayleigh, ob die Dichte von Stickstoff, der aus Luft gewonnen war, die gleiche war wie die einer Probe, die er durch Zersetzung einer Stickstoffverbindung erhalten hatte. Das Ergebnis war in hohem Maße überraschend. Es ergaben sich nämlich Unterschiede in der Gasdichte; 1 Liter aus Stickstoffverbindungen gewonnener Stickstoff wog 1,2505 g, 1 Liter Stickstoff aus Luft

[7] hielt . . . für *considered.*

dagegen 1,2572 g. Das war nur so zu erklären, daß im zweiten Falle noch ein anderes Gas größerer Dichte beigemengt war.

Es gelang sowohl Lord Rayleigh selbst wie auch seinem Landsmann Ramsay, dieses Gas zu isolieren. Als sie nämlich den Stickstoff durch verschiedene chemische Reaktionen entfernten, blieb immer ein Gasrest, der auf keine Weise mit irgendeinem anderen Stoff in Reaktion zu bringen war. Es war dies offenbar der gesuchte, bisher unbekannte Bestandteil der Luft. Wegen seiner Reaktionsträgheit gaben ihm die beiden Forscher gemeinsam den Namen Argon, Symbol Ar (von argos = träge). Bald glückte es, weitere Gase mit ähnlichen Eigenschaften kennenzulernen. Aus radioaktiven Mineralien gewann man das Helium (He), durch sorgfältige fraktionierte Destillation des verflüssigten rohen Argons K r y p t o n (Kr), N e o n (Ne) und X e n o n (X). Mengenmäßig treten diese Gase allerdings neben dem Argon ganz zurück. Wegen ihrer Unfähigkeit, chemische Reaktionen einzugehen, bezeichnet man die ganze Klasse als E d e l g a s e.

Der edle Charakter dieser Gase geht so weit, daß sie sich nicht einmal [8] mit sich selbst verbinden. Ihre Moleküle bestehen im Gegensatz zu O_2, N_2, H_2 nur aus einem Atom.

Das kann man allerdings nur durch rein physikalische Methoden ermitteln, auf die wir hier nicht näher eingehen können. Das Avogadro'sche Gesetz hilft hier nicht weiter; denn man hat ja keine Reaktion mit anderen Gasen zur Verfügung, die aus den Volumverhältnissen einen Rückschluß auf die Molekulargröße gestatten würde.

Spektralanalyse. Für die Erkennung und die Reindarstellung der Edelgase war von besonderer Bedeutung, daß Gase leuchten, wenn sie unter niedrigem Druck von Elektrizität durchströmt werden. Diese Erscheinung ist von den Geißler'schen Röhren her allgemein bekannt. Bei den Edelgasen ist dieses Leuchten sogar besonders schön; man kennt es von den farbigen Leuchtröhren, die zu Reklamezwecken benutzt werden. Zerlegt man das in einer solchen Entladungs-Röhre erzeugte Licht mit einem

---

[8] **nicht einmal** *not even.*

Spektralapparat, so ergeben sich im allgemeinen scharfe Linien, die—und das ist das Bedeutsame—für jedes Element charakteristisch sind und seine Erkennung ermöglichen. Auf diese Weise kann man die Bestandteile eines Gasgemisches erkennen.

Diese S p e k t r a l a n a l y s e ist in gemeinsamer Arbeit 5 von dem deutschen Chemiker R. Bunsen und seinem Heidelberger Amtsgenossen, dem Physiker Kirchhoff, begründet worden. Man kann für die Spektralanalyse nicht nur das durch Gasentladung erzeugte Licht (Funkenspektrum) benutzen, sondern auch die Färbungen, die das Licht eines Gasbrenners durch manche 10 Substanzen erhält (Flammenspektrum). So färben z. B. alle Natriumverbindungen die Flamme gelb.

Spektraluntersuchungen sind—abgesehen von den Meteoritenfunden—der einzige Weg, um etwas über die stoffliche Zusammensetzung der anderen W e l t k ö r p e r zu erfahren. Man 15 hat festgestellt, daß alle Gestirne aus den gleichen Elementen aufgebaut sind wie die Erde.

Ferner sind die Spektren in ihrer verschiedenen Form (Funken-, Bogen-, Flammenspektren) neben den chemischen Erfahrungen die wichtigste experimentelle Grundlage für die Erforschung des 20 Aufbaues der A t o m e .

Aggregatzustände; die Verflüssigung von Gasen

Bekanntlich kennt man drei Aggregatzustände: Gase, die jeden vorgegebenen Raum ausfüllen, Flüssigkeiten, die sich ebenfalls der Form eines Gefäßes beliebig anpassen, aber ein bestimmtes Volumen haben, und feste Stoffe, die außerdem eine 25 feste äußere Gestalt besitzen.

Aggregatzustände und kinetische Theorie. Wie ist nun das Auftreten der verschiedenen Aggregatzustände im Sinne der kinetischen Theorie zu verstehen?

Die einzelnen Moleküle eines Stoffes üben aufeinander Anziehungskräfte aus. In Gasen bei höherer Temperatur kommen [9] 30 diese allerdings wegen der lebhaften Bewegung der Teilchen nicht

[9] **kommen . . . zur Geltung** *come into play.*

zur Geltung. Sinkt nun aber die Temperatur, so tritt die Molekülbewegung immer mehr zurück, und es wird schließlich eine
Temperatur erreicht, bei der die Anziehungskräfte zur Verflüssigung des Gases führen.

5 Auch in der Flüssigkeit bleibt [10] die Beweglichkeit der Teilchen
erhalten. Die Bewegung der Moleküle bewirkt, daß sie eine
gewisse Tendenz haben, aus der Flüssigkeit in den Gasraum
herauszutreten. Dies äußert sich darin, daß alle Flüssigkeiten
einen "Dampfdruck" besitzen. Da die Kohäsionskräfte sich
10 mit der Temperatur nicht sehr stark ändern, die Molekülbewegung dagegen mit fallender Temperatur geringer wird, so
nimmt dieser Dampfdruck mit fallender Temperatur ebenfalls ab.

In einer Flüssigkeit befinden sich die einzelnen Teilchen in
dauernder Bewegung und nur teilweise geordnet, weil ihre Be-
15 wegung es verhindert, daß sich ein vollständig geordneter Zustand
einstellt. Erst wenn die Temperatur noch stärker sinkt, hört die
freie Beweglichkeit der Einzelteilchen weitgehend auf, die
Flüssigkeit erstarrt zum festen Stoff, in dem die Einzelteilchen
nur noch um festliegende Ruhepunkte schwingen können. Da
20 aber doch eine gewisse Bewegung erhalten bleibt, so besitzen
auch feste Stoffe noch einen gewissen Dampfdruck.

Feinbau der Kristalle. Mit dem Aufhören der freien Beweglichkeit ist die Möglichkeit zur gesetzmäßigen Anordnung der
einzelnen Partikeln gegeben; es bilden sich Kristalle, die schon
25 äußerlich durch die Ausbildung einer bestimmten Gestalt ausgezeichnet sind. Über die Anordnung der Teilchen im Kristall
sind wir heute in vielen Fällen gut unterrichtet, weil—wie M. v.
Laue 1912 fand—die Kristalle mit Röntgenstrahlen bestimmte
Beugungserscheinungen ergeben, die die Ermittelung des
30 F e i n b a u e s d e r K r i s t a l l e gestatten.

Zustandsdiagramm. Trägt man die Dampfdrucke eines
Stoffes, etwa von Wasser, im festen und flüssigen Zustande in
Abhängigkeit von der Temperatur auf (vgl. Fig. 14), so erhält man
zwei Kurven (BA bzw. AC), die sich im Schmelzpunkte schneiden.
35 Unterhalb dieser beiden Kurven ist das Gebiet des gasförmigen

[10] bleibt . . . erhalten *is maintained.*

Zustandes. Oberhalb der Kurve BA befindet sich das Existenzgebiet von Eis, oberhalb von AC das von flüssigem Wasser. Um
diese Darstellung zu einem vollständigen Zustandsdiagramm zu
erweitern, müssen wir noch die Grenzkurve (AD) zwischen Eis
und flüssigem Wasser einzeichnen. Da der Schmelzpunkt nur 5
ganz wenig vom Druck abhängt, ist AD nahezu eine Parallele
zur Druckachse. Im Punkte A sind also drei "Phasen",
nämlich gasförmig, flüssig und fest,
miteinander im Gleichgewicht.

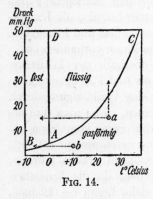

FIG. 14.

Aus diesem Diagramm kann man 10
ohne weiteres ersehen, wie man einen
Stoff aus einem Aggregatzustande in
den anderen überführen kann. Dabei
wollen wir uns auf den einfachsten
Fall beziehen, daß nur ein einziger 15
Stoff, etwa W a s s e r , vorhanden
ist und keine Beimengung, etwa
Luft. Gehören die Werte von Druck
und Temperatur einem Punkt unterhalb der Dampfdruckkurve an, 20
etwa a, so liegt das Wasser bei Einstellung des stabilen
Zustandes in Dampfform vor. Erhöhen wir nun bei kon-
stanter Temperatur den Druck, so überschreiten wir—wie es
gestrichelt eingezeichnet ist—die Dampfdruckkurve und kommen
in das Existenzgebiet der Flüssigkeit. Es tritt Verflüssigung ein, 25
sobald der äußere Druck eine Kleinigkeit größer als der Dampfdruck geworden ist. Gehen wir umgekehrt bei konstantem
Druck auf tiefere Temperaturen—punktierte Kurve—, so schneiden wir erst die Dampfdruckkurve AC, es tritt Verflüssigung ein,
und dann die Schmelzkurve AD, der Stoff erstarrt. Gehen wir 30
dagegen von b nach links, so kommen wir direkt von der gasförmigen zur festen Phase. Mit Hilfe eines solchen Zustands-
diagramms ist es also möglich, das Verhalten eines Stoffes bei
jedem beliebigen Wert von Druck und Temperatur anzugeben.

Kritische Temperatur. Die Kurve AC geht nun nicht bis zu 35
beliebig hohen Temperaturen. Je höher die Temperatur wird,

desto mehr steigt der Dampfdruck. Erhitzt man daher eine
Flüssigkeit in einem geschlossenen Gefäß, so wird die Dichte der
Gasphase immer größer; da umgekehrt die Dichte der Flüssigkeit
wegen der Wärmeausdehnung immer mehr abnimmt, so erreicht
5 man schließlich bei einer bestimmten Temperatur den Zustand,
daß die Dichten von Gas und Flüssigkeit gleich werden. Man
erkennt dies daran, daß die Flüssigkeitsoberfläche verschwindet
und der ganze Inhalt des Gefäßes eine einzige homogene Phase
wird. Bei dieser "kritischen" Temperatur hat also die Dampf-
10 druckkurve AC, die die Existenzgebiete von Gas und Flüssigkeit
trennt, ein Ende, da dann nur noch eine Phase vorhanden ist.

Verflüssigung von Gasen. Da es oberhalb der kritischen
Temperatur nicht mehr zwei Phasen (Gas und Flüssigkeit) gibt,
so ist auch oberhalb dieser Temperatur eine Verflüssigung durch
15 noch so großen [11] Druck nicht zu erreichen. Ehe man dies er-
kannt hatte, glaubte man, daß eine Verflüssigung von Gasen wie
Sauerstoff, Stickstoff usw. auch bei Zimmertemperatur möglich
sein müsse, wenn nur die Drucke genügend erhöht würden.
Diese Versuche mußten negativ verlaufen, da die kritischen
20 Temperaturen dieser beiden Gase viel tiefer liegen (−119 bzw.
−147°). Erst nachdem man unter diese Temperaturen abkühlte,
erwies sich eine Verflüssigung als durchführbar.

Die Erreichung derartiger tiefer Temperaturen ist auf Grund
einer zunächst sehr unscheinbaren Erscheinung, des sogenannten
25 Joule-Thomson-Effektes, möglich. Wie bereits erwähnt, treten
bei den Gasen Anziehungskräfte zwischen den Einzelmolekülen
auf. Wenn man daher ein komprimiertes Gas entspannt, so
daß es sich ausdehnt, so muß es gegen diese Anziehungskräfte
Arbeit leisten. Die dazu erforderliche Energie gewinnt es da-
30 durch, daß es die in ihm selbst vorhandene Wärmeenergie teilweise verbraucht, sich also abkühlt.

Die Verflüssigung der Luft gelang Linde auf folgendem Wege:
Stark komprimierte Luft wird entspannt. Das so erhaltene
kältere Gas wird benutzt, um einen neuen Anteil komprimierter
35 Luft vorzukühlen. Wenn dieser so schon vorgekühlte Anteil

[11] **noch so großen** *no matter how great.*

entspannt wird, so erhält man natürlich eine niedrigere Temperatur als das erstemal. Dieses Gas kühlt wieder neue komprimierte Luft, die wieder entspannt wird usw. Durch kontinuierliche Wiederholung sinkt die Temperatur schließlich so stark, daß sich die Luft verflüssigt. [5]

Säuren, Basen, Salze

Vorbemerkung: Zusammenstellung der Elementsymbole. In den folgenden Abschnitten werden wir auch auf einige Verbindungen von Elementen eingehen müssen, die wir noch nicht be-

Tabelle 1

Aluminium . . . . **Al**	Iridium . . . . Ir	Samarium . . . . Sm
Antimon . . . . Sb	Jod . . . . J	**Sauerstoff** . . . . **O**
Argon . . . . Ar	Kalium . . . . **K**	Scandium . . . . Sc
Arsen . . . . As	Kobalt . . . . Co	Schwefel . . . . **S**
Barium . . . . Ba	**Kohlenstoff** . . . . . . **C**	Selen . . . . Se
Beryllium . . . . Be	Krypton . . . . Kr	**Silber** . . . . **Ag**
Blei . . . . **Pb**	**Kupfer** . . . . **Cu**	Silicium . . . . Si
Bor . . . . B	Lanthan . . . . La	**Stickstoff** . . . . **N**
Brom . . . . Br	Lithium Li	Strontium . . . . Sr
Cadmium . . . . Cd	**Magnesium** . . . . . **Mg**	Tantal . . . . Ta
Caesium . . . . Cs	Mangan . . . . Mn	Tellur . . . . Te
Calcium . . . . **Ca**	Molybdän . . . . Mo	Terbium . . . . Tb
Cassiopeium . . . . . . Cp	**Natrium** . . . . **Na**	Thallium . . . . Tl
Cer . . . . Ce	Neodym . . . . Nd	Thorium . . . . Th
Chlor . . . . **Cl**	Neon . . . . Ne	Thulium . . . . Tm
Chrom . . . . Cr	Nickel . . . . Ni	Titan . . . . Ti
Dysprosium . . . . . . Dy	Niob . . . . Nb	Uran . . . . U
Eisen . . . . **Fe**	Osmium . . . . Os	Vanadin V
Erbium . . . . Er	Palladium . . . . Pd	**Wasserstoff** . . . . . . **H**
Europium . . . . Eu	**Phosphor** . . . . **P**	Wismut . . . . Bi
Fluor . . . . F	Platin . . . . Pt	Wolfram . . . . W
Gadolinium . . . . Gd	Praseodym . . . . . . Pr	Xenon X
Gallium . . . . Ga	**Quecksilber** . . . . . . **Hg**	Ytterbium . . . . Yb
Germanium . . . . Ge	Radium . . . . Ra	Yttrium . . . . Y
Gold . . . . **Au**	Radon . . . . Rn	**Zink** . . . . **Zn**
Hafnium . . . . Hf	Rhenium . . . . Re	**Zinn** . . . . Sn
Helium . . . . He	Rhodium . . . . Rh	Zirkonium . . . . Zr
Holmium . . . . Ho	Rubidium . . . . Rb	
Indium . . . . In	Ruthenium . . . . . . Ru	

sprochen haben. Es sei daher eine Zusammenstellung der Symbole aller Elemente vorausgeschickt, in der die wichtigsten fettgedruckt sind.

Säuren. Man erkennt das Vorliegen einer Säure an dem
5 sauren Geschmack der Lösung sowie an der Wirkung auf gewisse Pflanzenfarbstoffe, z. B. Lackmus. Säuren färben b l a u e
L a c k m u s l ö s u n g e n r o t.

Für die weitere Besprechung seien zunächst besonders wichtige Säuren und ihre Formeln angeführt:

10   Salzsäure   HCl   Phosphorsäure H_3PO_4
       Schwefelsäure H_2SO_4 Kohlensäure H_2CO_3
       Salpetersäure HNO_3 Blausäure   HCN

Man erkennt aus dieser Zusammenstellung, daß alle Säuren wasserstoffhaltig sind; eine Säure besteht also aus Wasserstoff
15 und einem Säurerest. Früher nahm man an, daß der in der Mehrzahl der Säuren vorhandene Sauerstoff den sauren Charakter bedinge; daher rührt [12] auch die Benennung des Sauerstoffs durch Lavoisier. Daß diese Annahme aber falsch ist, ergibt sich u. a. aus der Existenz der Salzsäure und anderer Säuren, die
20 keinen Sauerstoff enthalten.

Nun ist aber nicht jede wasserstoffhaltige Verbindung eine Säure, sondern nur diejenigen, deren W a s s e r s t o f f l e i c h t
d u r c h M e t a l l e r s e t z b a r i s t. Wir haben solche z. B. nach der Gleichung $2\,HCl + Zn = ZnCl_2 + H_2$ ver-
25 laufenden Reaktionen schon bei der Besprechung der Darstellungsmethoden des Wasserstoffs kennengelernt.

Basen. Den Gegensatz zu den Säuren bilden solche Stoffe, die rotes Lackmus blau färben. Man bezeichnet sie als B a s e n oder L a u g e n. Soweit sie löslich sind, rufen ihre Lösungen
30 auf der Haut das von der Seife her bekannte schlüpfrige Gefühl hervor. Wir nennen:

NaOH Natronlauge (Natriumhydroxyd)
KOH Kalilauge (Kaliumhydroxyd)
$Ca(OH)_2$ Kalziumhydroxyd $Al(OH)_3$ Aluminiumhydroxyd.

[12] **daher rührt** *from this comes.*

Aus der Zusammenstellung erkennt man, daß die Basen durch das Vorhandensein von OH-Gruppen (Hydroxylgruppen) gekennzeichnet sind.

Salze. Läßt man die Lösung einer Säure mit der einer Base reagieren, so bildet sich aus dem Hydroxyl der Base und dem Wasserstoff der Säure Wasser; man erhält also bei richtiger Dosierung der Mengen Lösungen, die weder sauer noch alkalisch reagieren. Solche Lösungen bezeichnet man als n e u t r a l. Dampft man sie ein, so erhält man Stoffe, die aus dem Metall der Base und dem Säurerest gebildet sind. Man bezeichnet sie als Salze. Die gegenseitige Neutralisation von Säuren und Basen sei durch folgende Gleichungen erläutert:

$$NaOH + HCl = H_2O + NaCl \text{ (Natriumchlorid = Kochsalz)}$$
$$3 KOH + H_3PO_4 = 3 H_2O + K_3PO_4 \text{ (Kaliumphosphat)}$$
$$Ca(OH)_2 + H_2SO_4 = 2 H_2O + CaSO_4 \text{ (Kalziumsulfat)}$$
$$La(OH)_3 + 3 HNO_3 = 3 H_2O + La(NO_3)_3 \text{ (Lanthannitrat)}.$$

Ganz allgemein gilt also die sehr wichtige Gleichung:

$$B a s e + S ä u r e = W a s s e r + S a l z.$$

Die eben genannten Gleichungen führen zu einer Klassifizierung von Säuren und Basen. Je nach der Zahl der durch Metall ersetzbaren Wasserstoffatome unterscheidet man e i n -, z w e i -, d r e i b a s i s c h e S ä u r e n (HCl, H_2SO_4, H_3PO_4) und entsprechend e i n -, z w e i - u n d d r e i s ä u r i g e B a s e n ($NaOH$, $Ca(OH)_2$, $La(OH)_3$).

Starke und schwache Säuren (Basen). Man weiß schon sehr lange, daß der Säurecharakter nicht bei allen Säuren in gleicher Weise ausgeprägt ist. So lösen sich Metalle wie Zink in Salzsäure sehr schnell, während mit Essigsäure kaum Reaktion eintritt. Durch diese und ähnliche Beobachtungen kam man dazu, die "starke" Salzsäure von der "schwachen" Essigsäure zu unterscheiden. Ferner erkannte man, daß oft starke Säuren schwache aus ihren Salzen vertreiben. So reagiert z. B. Natriumkarbonat —ein Salz der schwachen Kohlensäure—mit der starken Salzsäure nach folgender Gleichung: $Na_2CO_3 + 2 HCl = 2 NaCl + H_2CO_3$.

Es bildet sich also das Salz der starken Säure und die freie
schwache Säure. Man erkennt diese Umsetzung daran, daß die
freie Kohlensäure sofort in H_2O und CO_2 zerfällt und daß daher
Kohlendioxyd gasförmig entweicht. In ähnlicher Weise kann
5 man starke Basen (z. B. NaOH) und schwache $(Al(OH)_3)$
unterscheiden.

Saure Salze. Die Neutralisation braucht nicht immer vollständig zu sein; es können sich auch saure und basische Salze
bilden. Bei den ersteren ist ein Teil des Wasserstoffs nicht durch
10 Metall ersetzt, die letzteren enthalten noch Hydroxyl.

Mit den basischen Salzen brauchen wir uns nicht näher zu
befassen, da sie noch wenig erforscht sind; dagegen sei wenigstens
ein s a u r e s Salz angeführt. Läßt man die Einwirkung von
Schwefelsäure auf Kochsalz bei Zimmertemperatur vor sich
15 gehen, so erfolgt sie nach der Gleichung $NaCl + H_2SO_4$
$= NaHSO_4 + HCl$; es entsteht das saure Natriumsulfat
$NaHSO_4$, das auch als "Natriumhydrosulfat" oder "Natriumbisulfat" bezeichnet wird. Dieses saure Salz reagiert noch wie
eine Säure, denn es setzt sich bei höheren Temperaturen mit
20 Kochsalz weiter um zu neutralem Natriumsulfat nach der
Gleichung: $NaCl + NaHSO_4 = Na_2SO_4 + HCl$.

Brom, Jod und Fluor; Übersicht über die Halogene

Wir wollen jetzt drei Elemente besprechen, die in ihrem chemischen Verhalten eine sehr große Ähnlichkeit mit dem Chlor
besitzen.

25 **Brom.** Die Ähnlichkeit zwischen Chloriden und Bromiden ist
ganz besonders groß. Bromide finden sich daher oft als Begleiter
der Chloride. Aus ihnen kann man das Brom selbst leicht in
Freiheit setzen, indem man Chlorgas auf ihre wässerige Lösung
einwirken läßt. Elementares Brom ist im Gegensatz zu Chlor
30 bei Zimmertemperatur eine Flüssigkeit; es siedet bereits bei 59°
und besitzt daher bei gewöhnlicher Temperatur schon einen recht
großen Dampfdruck. Die Verbindungen des Broms sind denen
des Chlors sehr ähnlich. Man kennt auch hier den Bromwasser-

stoff und Salze einiger Sauerstoffsäuren, allerdings wesentlich weniger, nämlich von HBrO und $HBrO_3$. Bromide und auch einige organische Bromverbindungen—z. B. Adalin—werden als Schlafmittel benutzt.

Jod. Das Jod wird als Jodoform (HCJ_3) sowie als Jodtinktur, 5 d. h. eine Lösung von Jod in Alkohol, zur Wundpflege benutzt. Macht man über eine ausgiebig mit Jodtinktur behandelte Wunde einen Verband, so lernt man gleich eine wichtige Reaktion des Jods kennen: der Verband färbt sich blau. Das Verbandmaterial enthält nämlich meist etwas Stärke, die mit Jod eine intensiv 10 blaue Färbung gibt; diese Färbung ist in wässeriger Lösung selbst in größter Verdünnung noch erkennbar.

Das Jod selbst ist fest. Seinen Namen hat es von der Veilchen- farbe seines Dampfes. Auch die Lösungen sind vielfach violett gefärbt, z. B. die in Chloroform, Schwefelkohlenstoff und Tetra- 15 chlorkohlenstoff (CCl_4). Dagegen ist die Lösung in Alkohol, wie von der Jodtinktur her bekannt, braun. Merkwürdigerweise löst sich Jod, das in Wasser nur wenig löslich ist, reichlich in Kaliumjodidlösung.

Die J o d v e r b i n d u n g e n sind den Chlorverbindungen 20 ebenfalls ähnlich. So geben z. B. auch die Jodide mit Silber- nitrat einen Niederschlag, der noch schwerer löslich ist als AgBr und AgCl.

Chlorverbindungen sind überall in der Welt vorhanden, man denke nur an das Kochsalz des Meerwassers und die daraus 25 entstandenen Salzlager! Brom gewinnt man in den mittel- deutschen Salzlagerstätten, von wo ein großer Teil der Welt versorgt wird. Jod ist in Deutschland nicht in nennenswerter Menge vorhanden. Man gewann es früher aus Seetangen, heute kommt die Hauptmenge aus den Salpeterlagern Chiles, wo es als 30 Nebenprodukt gewonnen wird.

Fluor. Den Elementen Chlor, Brom und Jod ist noch das F l u o r verwandt. Wir nennen es absichtlich zuletzt, weil es in manchen Eigenschaften von den anderen merklich abweicht. So ist z. B. AgF im Gegensatz zu AgCl, AgBr und AgJ in Wasser 35 sehr leicht löslich. Umgekehrt ist es bei den Kalzium-Salzen:

$CaCl_2$, $CaBr_2$ und CaJ_2 sind in Wasser sehr leicht, CaF_2 ist dagegen sehr schwer löslich. CaF_2 findet sich in der Natur als Flußspat; es ist dies die wichtigste Quelle für Fluorverbindungen. Aus ihm gewinnt man den Fluorwasserstoff. Dieser ist u. a.
5 deshalb von Bedeutung, weil er Siliciumdioxyd (Kieselsäureanhydrid) löst, wobei sich gasförmiges Siliciumtetrafluorid bildet. Flußsäure benutzt man daher zum Ätzen von Glas, das ja Kieselsäure enthält, sowie zum Lösen von kieselsäurehaltigen Mineralien für die Analyse.

10   E l e m e n t a r e s   F l u o r ist verhältnismäßig schwierig zu erhalten und wurde erst am Ende des vorigen Jahrhunderts dargestellt. Aus wässerigen Lösungen kann man es nicht gewinnen, da es daraus unter Bildung von Flußsäure ozonhaltigen Sauerstoff frei macht: $F_2 + H_2O = 2\,HF + 1/2\,O_2$ bzw. $1/3\,O_3$. Moissan
15 erhielt es durch Elektrolyse von wasserfreier Flußsäure, die mit etwas KF versetzt war, damit sie den Strom leitet. Heute benutzt man zur Elektrolyse lieber die Schmelze des Doppelsalzes $KF \cdot HF$. Das elementare Fluor, ein fast farbloses Gas, ist, wie schon die Umsetzung mit Wasser zeigt, ein äußerst reaktions
20 fähiger Stoff.

Übersicht über die Halogene. Wie wir gesehen haben, sind die Elemente Fluor, Chlor, Brom und Jod einander in ihrem chemischen Verhalten sehr ähnlich. Man hat sie daher zu einer Gruppe zusammengefaßt und nennt sie H a l o g e n e , d. h.

Tabelle 2: Eigenschaften der Halogene

	Fluor	Chlor	Brom	Jod
Symbol.......................	F	Cl	Br	J
Atomgewicht....................	19,000	35,457	79,916	126,92
Farbe {im festen }Zustand	farblos	gelblich	dunkel-braun	fast schwarz
Farbe {im Gas- }	fast farblos	gelbgrün	rotbraun	violett
Schmelzpunkt (Celsius)............	$-223°$	$-100,5°$	$-7,3°$	$+113,5°$
Siedepunkt (Celsius)...............	$-187°$	$-34,0°$	$+58,8°$	$+184,5°$

Salzbildner. In Tabelle 2 wollen wir eine Übersicht über einige
Eigenschaften der Halogene geben. Die A n o r d n u n g erfolgte dabei nach steigendem Atomgewicht. Die Tabelle ergibt,
daß dies offenbar sinnvoll ist; denn die meisten Eigenschaften
zeigen dann einen sehr regelmäßigen Gang. So vertieft sich die 5
Farbe ganz gleichmäßig vom Fluor zum Jod; auch die Schmelz-
und Siedepunkte steigen ganz regelmäßig an. Alle Halogene
sind N i c h t m e t a l l e ; diese sind Nichtleiter der Elektrizität, leiten auch die Wärme schlecht und sind ferner durchsichtig.
Beim Jod zeigen sich allerdings schon schwache Anzeichen eines 10
metallischen Charakters, so z. B. in der dunklen Farbe und
geringen Durchsichtigkeit.

Das Periodische System der Elemente

Bei den Halogenen haben wir eine Gruppe von Elementen kennengelernt, die untereinander sehr ähnlich sind und die bei einer
Anordnung nach dem Atomgewicht einen gleichmäßigen Gang 15
verschiedener physikalischer und chemischer Eigenschaften
zeigten. Lassen sich vielleicht alle Elemente in ein aus solchen
Gruppen bestehendes System zusammenfassen? Das ist in der
Tat der Fall. Nahezu gleichzeitig haben der Deutsche Lothar
Meyer (1830–1895) und der Russe Mendelejeff (1834–1907) 20
1868 bzw. 1869 ein solches System gefunden. Sie ordneten dazu
die Elemente nach einer Eigenschaft, in der man zunächst eine
Bedeutung für eine solche Systematik gar nicht vermuten würde,
nämlich nach dem A t o m g e w i c h t . Man erhält dann für
die leichtesten Elemente eine Reihe, bei der die charakte- 25
ristischen Eigenschaften, z. B. die Wertigkeit, von Glied zu
Glied verschieden sind: H, He, Li, Be, B, C, N, O, F. Stellt
man nun aber die nächsten Elemente Ne, Na, Mg usw. so unter
diese erste Reihe, daß das Edelgas Ne unter das Edelgas He
kommt, so stehen überall Elemente untereinander, die einander 30
sehr ähnlich sind:

He	Li	Be	B	C	N	O	F
Ne	Na	Mg	Al	Si	P	S	Cl

Wir können das am besten in der letzten Vertikalreihe beurteilen, bei den uns schon näher bekannten Halogenen.

In ähnlicher Weise kann man auch bei den schwereren Elementen vorgehen, wo die Dinge allerdings etwas verwickelter
5 liegen. Man erhält dann die gesuchte Systematik aller Elemente, das Periodische System.

Die Bedeutung des Periodischen Systems kann gar nicht hoch
genug eingeschätzt werden. Es bietet eine solche Fülle von
Beziehungen zwischen den Elementen und ihren Verbindungen,
10 daß überhaupt erst auf seiner Grundlage ein tieferes Verständnis
der anorganischen Chemie möglich geworden ist.

Einige derartige allgemeine Regelmäßigkeiten, die sich auf die
Vertikalreihen beziehen, haben wir bereits bei der Besprechung
der Halogene kennengelernt. Dazu kommen nun noch Hori-
15 zontal- und Schrägbeziehungen. So finden sich z. B. in den
Horizontalreihen ganz regelmäßige Abstufungen in
den Wertigkeiten. Die Wertigkeit gegenüber Wasserstoff nimmt
in den höheren Gruppen von rechts nach links zu. Andererseits
nimmt die Höchstwertigkeit gegen Sauerstoff ab; die Maximal-
20 wertigkeit gegen Sauerstoff ist gleich der Gruppennummer.
Ferner können wir schon aus dem Verhalten der Halogene und
Chalkogene ableiten, daß der metallische Charakter nicht nur
von oben nach unten, sondern auch von rechts nach links zunimmt. Wir werden erwarten, daß sich in der 5. und 4. Gruppe
25 wesentlich mehr metallische Elemente finden werden als in der
6. und 7.

Diese letztgenannte Beziehung führt uns nun schon zu Schrägbeziehungen, daß nämlich bei vielen Elementen Ähnlichkeit mit
dem Element besteht, das in der nächst höheren Gruppe eine
30 Periode tiefer steht. Besonders ausgeprägt ist das in den ersten
Perioden. So verhalten sich z. B. Li und Mg sowie Be, Al und
Ti in ihren Verbindungen so ähnlich, daß ihre analytische Trennung Schwierigkeiten bereitet.

Der Aufbau der Atome; Bindungsarten

Die Regelmäßigkeiten des Periodischen Systems müssen irgendwie mit dem Aufbau der Atome zusammenhängen. Früher glaubte man, die Atome seien gleichmäßig mit Materie erfüllte, undurchdringliche Kugeln. Eine große Reihe physikalischer Erscheinungen, auf die wir im einzelnen nicht eingehen können, 5 zeigte aber, daß es nicht so ist. Nach der Rutherford-Bohr'schen Atomtheorie besteht vielmehr jedes Atom aus einem positiv geladenen Kern, um den herum sich—ähnlich wie in einem Planetensystem—unter sich gleichartige, negativ geladene Elektronen (Elektronenhülle) bewegen. Im Kern ist praktisch die 10 ganze Masse des Atoms vereinigt; das Gewicht der Elektronen ist demgegenüber zu vernachlässigen. Die Ladung des Kernes ist gleich der Nummer des betreffenden Elementes im Periodischen System, der "Ordnungszahl", wenn man als Einheit die Absolutgröße der Ladung des Elektrons wählt. Die Anzahl der Elek- 15 tronen ist daher im ungeladenen Atom gleich der so gemessenen Kernladung. In den positiven Ionen dagegen ist die Zahl der Elektronen kleiner, in den negativen größer als die Kernladung.

Aufbau der Kerne. Über den Aufbau der Atomkerne geben uns u. a. die r a d i o a k t i v e n Erscheinungen Hinweise. Der 20 französische Physiker Becquerel fand am Ende des vorigen Jahrhunderts, daß das Uran und einige andere Elemente mit sehr hoher Ordnungszahl Strahlen aussenden, die die photographische Platte schwärzen. Die nähere Untersuchung zeigte, daß es sich um drei verschiedene Strahlungsarten handelt, nämlich doppelt 25 positiv geladene Helium-Ionen (α-Strahlen), Elektronen (β-Strahlen) und eine den Röntgenstrahlen ähnliche elektromagnetische (γ-) Strahlung. Diese Strahlungen rühren von freiwillig verlaufenden Zerfallsprozessen dieser höheren Atomkerne her, wobei die zerfallenden Elemente in andere übergehen; z. B. bildet sich 30 aus einem Radium-Atom bei Ausstrahlung eines He^{2+}-Ions (α-Strahlung) ein Radon-Atom; aus einem Element der 2. Gruppe wird also ein Edelgas.

Die leichteren Atomkerne zerfallen nicht von selbst; man kann aber bei ihnen Kernumwandlungen erzwingen, sei es durch Beschießung mit α-Strahlen (Rutherford) oder mit sehr schnell bewegten Wasserstoffkernen ("Protonen").

5   Auf Grund der Erfahrungen bei den freiwilligen oder erzwungenen Kernumwandlungen glaubte man bis vor kurzem,[13] daß alle Atomkerne aus Protonen und Elektronen aufgebaut seien. Neuerdings hat man aber noch einen weiteren Kernbestandteil kennengelernt, das N e u t r o n, d. h. ein u n g e l a d e n e s
10 Teilchen von der Masse des Wasserstoffkerns.   Man nimmt heute an, daß alle Kerne aus Protonen und Neutronen aufgebaut sind.

Nach dieser Annahme sollten die Atomgewichte ganze Vielfache des Atomgewichts des Wasserstoffs sein.   Beständen die Kerne nur aus Protonen, so wäre das Atomgewicht gleich der
15 Kernladung bzw. der Ordnungszahl.   Da aber bei allen Elementen außer Wasserstoff das Atomgewicht immer größer ist als die Kernladung, so müssen daneben auch Neutronen vorhanden sein.   So besteht z. B. der Fluorkern aus 9 Protonen und 10 Neutronen; denn die Kernladung beträgt neun, das Atomgewicht
20 dagegen 19.

Die Anzahl von Neutronen, die mit einer bestimmten Anzahl von Protonen vereinigt sind, kann verschieden sein.   Man kommt so zu Kernen, die verschiedenes Gewicht, aber gleiche Kernladung (= Ordnungszahl) haben, also an die gleiche Stelle des Perio-
25 dischen Systems gehören; man bezeichnet sie als I s o t o p e, d. h. gleichstellige Elemente.   Die Isotopie erklärt es, daß viele Atomgewichte ein so weit von einer ganzen Zahl entferntes Atomgewicht haben; es liegen Gemische verschiedener Isotope vor.   So stellt z. B. Chlor mit dem Atomgewicht 35,457 ein
30 Gemisch von Isotopen mit den Atomgewichten 35, 37 und 39 vor.

Die Trennung von Isotopengemischen, wie sie mit Ausnahme der Anfangsglieder bei fast allen Elementen vorliegen, ist außerordentlich schwer und erst in neuester Zeit in wenigen Fällen gelungen.   Eine solche Trennung kann nur auf physikalischem
35 Wege erfolgen; denn chemisch unterscheiden sich Isotope nicht

[13] **vor kurzem** *recently.*

nennenswert voneinander, da ja die Kernladung und damit die
Zahl der Elektronen, die das chemische Verhalten bedingen, die
gleiche ist. Besonders wichtig ist es, daß neben gewöhnlichen
Wasserstoffatomen mit dem Atomgewicht 1 auch solche des
Atomgewichtes 2 vorkommen, wenn auch in sehr geringer Menge; 5
die Trennung der Isotopen gelingt hier verhältnismäßig leicht
("schwerer Wasserstoff" bzw. "schweres Wasser").

Aufbau der Elektronenhüllen. Wie schon erwähnt, ist die
Z a h l d e r E l e k t r o n e n eines neutralen Atoms gleich der
Kernladung, d. h. also gleich der Ordnungszahl. Wasserstoff 10
besitzt also 1 Elektron, Natrium 11, Uran 92 Elektronen. Die
optischen Erscheinungen (Spektren) sowie die chemischen Erfahrungen haben erkennen lassen, daß die Elektronen der
einzelnen Atome in verschiedenen Gruppen angeordnet sind.
Am festesten sind die Elektronen in der dem Kern am nächsten 15
liegenden K-Gruppe gebunden, weniger fest in den äußeren, den
L-, M-, N- usw. Gruppen. In jeder Gruppe können nur eine
bestimmte Anzahl von Elektronen vorkommen, und zwar 2 in
der K-Gruppe, 8 in der L-, 18 in der M-Gruppe usw. Damit
hängt die Länge der Perioden im Periodischen System zusammen. 20
Über die Verteilung der Elektronen auf die einzelnen Gruppen
möge die nachstehende Tabelle 3 einen Eindruck vermitteln, die
außer der Vorperiode die erste und zweite Periode umfaßt. Auf
eine Wiedergabe und Besprechung der höheren Perioden, in
denen die Verhältnisse komplizierter liegen, muß hier verzichtet 25
werden.

Bindungsarten im Einzelmolekül. Ionenbindung. Tabelle 3
zeigt, daß die neu hinzukommenden Elektronen innerhalb einer
Periode immer in derselben Gruppe angelagert werden, bis bei
den Edelgasen eine a b g e s c h l o s s e n e K o n f i g u r a - 30
t i o n der äußersten Elektronen erreicht ist, die beim He 2,
beim Ne und Ar 8 Elektronen umfaßt. Die Spektren ergeben,
daß die Arbeit, die notwendig ist, um ein Elektron aus dem
neutralen Atom abzuspalten, d. h. also ein positiv geladenes Ion
zu bilden, vom Li zum Ne—bzw. vom Na zum Ar usw.—ziemlich 35
regelmäßig ansteigt, beim Übergang vom Edelgas zum folgenden

Tabelle 3

Elektronen-Anordnung in den neutralen Atomen

	Element	Kernladung	Elektronengruppe		
			K	L	M
Vorperiode	H	1	1		
	He	2	2		
1. Periode	Li	3	2	1	
	Be	4	2	2	
	B	5	2	3	
	C	6	2	4	
	N	7	2	5	
	O	8	2	6	
	F	9	2	7	
	Ne	10	2	8	
2. Periode	Na	11	2	8	1
	Mg	12	2	8	2
	Al	13	2	8	3
	Si	14	2	8	4
	P	15	2	8	5
	S	16	2	8	6
	Cl	17	2	8	7
	Ar	18	2	8	8

Metall der 1. Gruppe, also z. B. von Ne zu Na, dagegen plötzlich abfällt, so daß bei den E d e l g a s e n die Bindung der Elektronen ganz besonders fest ist. Dies ist von größter Bedeutung für die Chemie. Die Nachbarelemente der Edelgase zeigen
5 nämlich das Bestreben, in Verbindungen ebenfalls die Elektronenkonfiguration der Edelgase zu erreichen. Ein Beispiel möge dies erläutern. Bei der Bildung von NaCl entreißt das Chlor-Atom dem Natrium-Atom ein Elektron und wird dadurch zum negativ geladenen Ion, während umgekehrt das Natrium als positiv
10 geladenes Ion zurückbleibt. Tabelle 3 zeigt uns, daß damit beide Ionen Edelgaskonfiguration besitzen. Das Na^+-Ion unterscheidet sich vom Neon-Atom nur dadurch, daß es nicht die

Kernladung 10 besitzt, sondern die Ladung 11 des Natrium-Kerns
unverändert beibehalten hat. Ebenso besitzt das Cl^--Ion die
Elektronenkonfiguration des Argon-Atomes, aber nur die Kernladung 17. Man versteht so, daß Wasserstoff, Lithium und
Natrium in Verbindungen einfach-, Beryllium und Magnesium 5
doppelt-, Bor und Aluminium dreifach-positiv geladene Ionen
bilden, während andererseits Fluor und Chlor in Verbindungen
als einfach-, Sauerstoff und Schwefel als doppelt-, Stickstoff und
Phosphor als dreifach-negativ geladene Ionen auftreten.

Nun kann bei den letztgenannten Elementen, z. B. bei Chlor, 10
Schwefel und Phosphor, die Edelgaskonfiguration auch dadurch
erreicht werden, daß—ebenso wie bei der Bildung des Na^+-Ions—
Elektronen abgegeben werden, daß also die Elektronenkonfigura-
tion des vorhergehenden Edelgases (hier Neon) gebildet wird.
Man erhält so Cl^{7+}, S^{6+}, P^{5+} usw. Man versteht so, daß die 15
Differenz zwischen der höchsten positiven und der höchsten
negativen Ladung bei diesen den Edelgasen vorhergehenden
Elementen immer 8 beträgt (vgl. $Cl^{7+} \rightarrow Cl^{1-}$ oder $S^{6+} \rightarrow S^{2-}$);
es liegt dies eben daran,[14] daß vom Neon bis zum Argon gerade 8
Elektronen angelagert werden. Man versteht ferner, warum die 20
m i t t l e r e n Wertigkeiten bei solchen Elementen (z. B. Cl^{1+},
Cl^{3+}, Cl^{5+} usw.) nur in u n b e s t ä n d i g e n Verbindungen
vorkommen, die leicht in Verbindungen mit den Grenzwertig-
keiten (Cl^{7+} bzw. Cl^{1-}) übergehen.

Ganz allgemein kann man also sagen, daß das chemische Ver- 25
halten, insbesondere die Wertigkeit, soweit aus Ionen aufgebaute
Verbindungen in Frage kommen, weitgehend durch das Bestreben
der Elemente bestimmt ist, die Edelgaskonfiguration zu erreichen.

Atombindung. Auf Grund des Atombaues lassen sich nun
auch die anderen Bindungsarten in ihren Grundlagen verständlich 30
machen. Eine A t o m b i n d u n g , wie sie etwa im Wasserstoffmolekül vorliegt, haben wir uns etwa so vorzustellen, daß
die beiden Elektronen der beiden H-Atome beide Kerne umkreisen. Derartige Bindungen finden wir immer dann, wenn
g l e i c h e Atome sich miteinander zu Molekülen verbinden 35

---

[14] **es liegt dies eben daran** *the reason for this is.*

(z. B. Cl_2, J_2, Na_2); sie kommen aber auch zwischen v e r - s c h i e d e n e n Atomen vor (vgl. unten).

Vorherrschend sind Atombindungen in der organischen Chemie, insbesondere bei den C—C-Bindungen. Jeder Binde-
5 strich, den wir in den Formeln z. B. von Methan, Äthan usw. einzeichnen, bedeutet ein beiden Atomen gemeinsames Elektronenpaar. Auch bei den Atombindungen hängt die Wertigkeit, d. h. die Zahl der Bindestriche, aufs engste mit der Zahl der Elektronen zusammen. So ist Kohlenstoff 4-wertig, weil er 4
10 Elektronen in der äußeren Gruppe besitzt.

Auch die C—H-, C—O-, C—N-, O—H-, N—H-Bindungen lassen sich im wesentlichen als Atombindungen deuten. Jedoch liegt bei solchen Bindungen aus v e r s c h i e d e n e n Atomen immer schon eine gewisse elektrische Unsymmetrie vor; die
15 beiden gemeinsamen Elektronen befinden sich im Zeitmittel etwas länger bei dem einen Atom als bei dem anderen, so daß schon ein gewisser Übergang zur Ionenbindung vorliegt. Überhaupt ist zu betonen, daß der Übergang zwischen den einzelnen Bindungsarten—z. B. Atom- und Ionen-Bindung—nicht sprunghaft,
20 sondern kontinuierlich ist. Man kann in den meisten Fällen nicht mit Bestimmtheit sagen, daß eine bestimmte Bindungsart v o r l i e g t, sondern nur, daß sie v o r h e r r s c h t.

Bindungsarten im Kristall. In den Kristallen bleiben in vielen Fällen die Einzelmoleküle erhalten ("Molekülgitter", z. B. H_2,
25 J_2, CCl_4). Da die Kräfte zwischen den Molekülen verhältnismäßig gering sind, handelt es sich meist um leicht flüchtige Stoffe. Da ferner keine freien Elektronen vorhanden sind, liegen N i c h t m e t a l l e vor, die den elektrischen Strom nicht leiten.

Zweitens können Kristallgitter aus Ionen aufgebaut werden,
30 und zwar so, daß Einzelmoleküle nicht erkennbar sind (Ionengitter).

Schließlich kann der Aufbau eines Kristalles auch so erfolgen, daß die äußersten Elektronen sich von den Atomen loslösen und im Gitter—gleichsam wie in einem Gase— frei beweglich werden,
35 während das eigentliche starre Gittergerüst von den zurückbleibenden positiv geladenen Atomresten (Ionen) aufgebaut wird.

Dies ist der Fall bei den Metallen. Die typisch metallischen Eigenschaften (Leitfähigkeit für Elektrizität und Wärme, Undurchsichtigkeit, leichte Verformbarkeit) hängen mit dem Auftreten dieses "Elektronengases" zusammen.

Wir hatten früher gesehen, daß die typisch nichtmetallischen 5 Elemente sich in den höheren Gruppen des Periodischen Systems —also dicht vor den Edelgasen—finden, während die Metalle vorzugsweise in den ersten Gruppen stehen. Man erkennt den Zusammenhang: Diejenigen Elemente, die leicht positive Ionen bilden, also die äußersten Elektronen nicht sehr fest halten, 10 bilden Metalle mit freien Elektronen, während diejenigen Elemente, die in Verbindungen oft negative Ionen bilden—also nicht nur die eigenen Elektronen sehr fest halten, sondern sogar noch fremde Elektronen aufnehmen —, auch im elementaren Zustande im Gitter keine Elektronen abgeben und daher Nicht- 15 metalle sind.

DIE PHYSIK

DIE MECHANIK

Die Mechanik fester Körper

Einleitung. Physik bedeutet ursprünglich "Naturlehre".
Doch müssen wir heute infolge der Einteilung der Lehre von der
Natur in viele Wissenschaften sagen:

Physik ist die Lehre von den Eigenschaften und nichtstofflichen Veränderungen 5
der nichtlebenden Körper.

Mechanik bedeutet ursprünglich Maschinenlehre, der heutigen allgemeineren Anwendung entsprechend die Lehre
vom Gleichgewicht und der Bewegung der
Körper. 10

Haupteigenschaften der Körper. Als Haupteigenschaften oder
wesentliche Eigenschaften der Körper bezeichnet man solche
Eigenschaften, die allen Körpern zukommen: Gegenständlichkeit
oder Undurchdringlichkeit, Raumerfüllung oder Ausdehnung,
Trägheit und Schwere. 15

Unter Undurchdringlichkeit oder Gegenständlichkeit versteht
man die Eigenschaft, daß nicht zwei Körper zu gleicher Zeit an
derselben Stelle des Raumes sein können, sondern daß jeder
irgendwo vorhandene dem Eindringen jedes anderen Körpers bloß
durch sein Vorhandensein entgegensteht. 20

Unter Raumerfüllung oder Ausdehnung versteht man die
Eigenschaft jedes Körpers, einen Teil des Raumes nach drei
Ausdehnungen hin zu erfüllen.

Messen und Raummaße. Das Messen ist eine der Hauptauf-
gaben der Physik. Dadurch kennzeichnet sie sich als exakte Wis- 25
senschaft. Die physikalische Beschreibung der Körper besteht
besonders in der Angabe der Messungsergebnisse, der Maßzahlen.

Jedes Messen ist ein Vergleichen einer Beschaffenheit eines
Körpers mit einem als Einheit angenommenen Maß. Alle Maße

sind willkürlich und tunlichst zweckmäßig angenommen. So
werden Längen mit einem Längenmaßstab verglichen, und das
Ergebnis wird dadurch ausgedrückt, daß angegeben wird, wie
oft der Maßstab oder ein Teil davon in der zu messenden Strecke
5 enthalten ist.

Da jedes Messen ein Vergleichen ist, so folgt mit Notwendigkeit: Jede Messung ist ungenau. Die bei dem Vergleichen des
zu Messenden mit dem Maße auftretenden Fehler nennt man
B e o b a c h t u n g s f e h l e r .

10 Das Grundmaß zur Messung der Ausdehnung ist das Meter.
Das Meter ist ursprünglich als der zehnmillionte Teil des nörd-
lichen Erdmeridianquadranten erklärt. Verfeinerte Messungen
der Erdausdehnung würden, wenn diese Erklärung beibehalten
würde, eine dauernde Änderung wenn auch nicht aller prak-
15 tischen, so doch aller wissenschaftlichen Ausdehnungsangaben
nötig machen. Man hat daher ein "Normalmeter" festgestellt
und bewahrt einen Maßstab aus Platin mit der Angabe dieses
Normalmeters im Pariser Archiv auf. Der Querschnitt dieses
Normalmaßstabes ist wegen der Kostbarkeit des Metalles Platin
20 zur Erzielung großer Biegungsfestigkeit und zum Schutz des
inneren als eigentliches Maß dienenden Teiles gegen Beschädi-
gungen H-förmig gestaltet. Man muß daher jetzt definieren:
Das Normalmeter ist der Abstand zweier Marken auf dem Platinmaßstab des Pariser Archivs. Mit diesem Normalmeter ge-
25 messen ist der nördliche Erdmeridianquadrant 10 000 856 m lang.
Das Normalmeter ist also kleiner als das der ursprünglichen
Erklärung.

Längenmaße sind dezimale Teile oder Vielfache des Meters.
Da Längenmaße nur e i n e Ausdehnung haben, so heißt die
30 Übergangszahl von einem größeren zum kleineren 10^1 oder ist
eine Potenz davon. 1 km = 1000 m, 1 m = 10 dm, 1 dm = 10
cm, 1 cm = 10 mm, 1 mm = $1000\mu^1$, $1\mu = 1000\mu\mu^1$.

μ ist der Anfangsbuchstabe des griechischen Wortes μικρόν, des
Neutrums von μικρός = klein. Ein $\mu\mu$ (gesprochen mü-mü) ist

---

[1] μ = **Mikron** *micron*; $\mu\mu$ or mμ = **Mikromikron** *micromicron*.

also der millionte Teil eines Millimeters. Bedeutung haben so
kleine Längen besonders für die Optik (Lichtwellenlängen).

Da Flächenmaße z w e i Ausdehnungen haben, so erfolgt eine
Unterteilung nach zwei Richtungen. Teilen wir z. B. ein Quadrat
durch Parallele zu einer Seite in 10 Streifen von gleicher Breite, 5
so kann jeder dieser Streifen durch Parallele zu einer der dazu
senkrechten Seiten in 10 inhaltsgleiche Quadrate geteilt werden.
Das ganze Quadrat zerfällt so in $10 \cdot 10 = 10^2 = 100$ Quadrate
von dem zehnten Teil der Seitenlänge des ursprünglichen
Quadrates (Fig. 15). Die Über- 10
gangszahlen von einem größeren
Flächenmaß zu einem kleineren
heißen daher allgemein 10^2 oder
sind Potenzen davon. Die Abkürzungen der Flächenmaße gehen 15
durch Vorsetzung eines q vor die
Abkürzungen der entsprechenden
Längenmaße aus diesen hervor.
$1 \text{ qkm} = 1000^2 \text{ qm}$, $1 \text{ qm} = 10^2$
qdm, $1 \text{ qdm} = 10^2 \text{ qcm}$, 1 qcm 20
$= 10^2 \text{ qmm}$, $1 \text{ qmm} = 1000^2 \text{ q}\mu$,
$1 \text{ q}\mu = 1000^2\text{q}\mu\mu$.

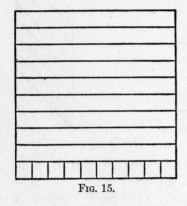

Fig. 15.

Da Raummaße drei Ausdehnungen haben, so erfolgt eine Unterteilung nach drei aufeinander senkrechten Richtungen. So
können wir einen Würfel z. B. von der Kantenlänge eines 25
Dezimeters durch Ebenen parallel zu einer Seitenfläche in 10
Platten von 1 cm Dicke zerlegen, jede dieser Platten wieder durch
parallele Ebenen zu einer zur ersten senkrechten Würfelfläche in
10 je 10 cm lange Stäbe von 1 qcm Querschnitt, und schließlich
jeden dieser Stäbe durch Ebenen, die der dritten senkrechten 30
Richtung parallel sind, in 10 kleinere Würfel, deren Kantenlänge
1 cm beträgt. Es enthält also ein Kubikdezimeter $10 \cdot 10 \cdot 10$
Kubikzentimeter (Fig. 16).

Die Übergangszahlen von einem größeren Raummaß zu einem
kleineren heißen daher allgemein 10^3 oder sind Potenzen 35
davon.

Die Abkürzungen der Raummaße gehen durch Vorsetzen eines c vor die Abkürzungen der entsprechenden Längenmaße aus diesen hervor, mit der Ausnahme, daß ein 5 Kubikmeter cbm geschrieben wird, da die Abkürzung cm ja bereits für 1 Zentimeter verbraucht ist. 1 cbm = 10 10^3 cdm, 1 cdm = 10^3 ccm, 1 ccm = 10^3 cmm. Ein Kubikdezimeter heißt praktisch in der Regel ein Liter (l); 100 15 l heißen ein Hektoliter (hl).

Aggregatzustände.

Unter Aggregatzuständen versteht man die

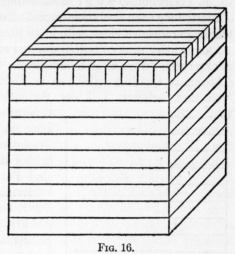

Fig. 16.

20 Zusammenhangszustände der kleinsten Teile der Körper. Man unterscheidet drei Aggregatzustände, den festen, den flüssigen und den luftförmigen Zustand. Viele Stoffe kommen in allen drei Zuständen vor, z. B. sind Eis, Wasser, Wasserdampf derselbe Stoff. Zwischen dem festen und flüssigen Zustande gibt 25 es Übergänge; weich und zähflüssig. Die drei Aggregatzustände kennzeichnet man durch die Teilbarkeit oder den Zusammenhang der kleinsten Teile, durch die Gestalt des Körpers und seine Raumerfüllung und durch die Zusammendrückbarkeit.

Ein Körper heißt f e s t , wenn er schwer teilbar ist, der Zu- 30 sammenhang der Teile also groß ist, wenn er eine bestimmte Gestalt hat, also einen bestimmten Raumteil erfüllt, und mehr oder minder schwer zusammendrückbar ist.

Ein Körper heißt f l ü s s i g , wenn er leicht teilbar ist, der Zusammenhang der Teile also sehr klein ist, wenn er einen be- 35 stimmten Teil des Raumes erfüllt und sich jeder Form (der Gefäßform) anpaßt und schwer zusammendrückbar ist.

Ein Körper heißt l u f t f ö r m i g , wenn er leicht teilbar ist und zwischen den Teilchen kein Zusammenhang besteht, sondern sie auseinanderstreben, wenn er keine bestimmte Gestalt hat, sondern jeden ihm dargebotenen Raum auszufüllen sucht und leicht zusammendrückbar ist.   5

Zur "Erklärung" dieser Eigenschaften nahm die Physik seit alters her [2] "Kräfte" an, die diese Erscheinungen bewirken sollten [3]: Anziehungskräfte zwischen den kleinsten physikalisch nicht mehr teilbaren Teilchen, den Molekülen, und Abstoßungs- kräfte der diese Moleküle oder Molekeln umgebenden—ange- 10 nommenen—Ätherhüllen. Schließt man sich dieser "erklären- den" Beschreibung an, so kann man zusammenfassend sagen:

Ein Körper ist fest, flüssig oder luftförmig, je nachdem ob [4] die Anziehungskräfte der Moleküle größer, gleich oder kleiner sind als die Abstoßungskräfte ihrer Ätherhüllen.   15

Es braucht kaum betont zu werden, daß uns dadurch die Er- scheinungen nicht verständlicher werden. Die neuere Physik versucht daher, sich von solchen unnützen Hypothesen frei zu machen.

Schwere. Wir sagen: " Alle Körper sind schwer " und be- 20 zeichnen damit die Eigenschaft, daß sie auf ihre Unterlage einen Druck ausüben. Die Ursache dieser "Schwere" genannten Ei- genschaft sieht man in einer der Erde zugeschriebenen Schwer- kraft. Die Richtung dieser Schwerkraft erkennt man, wenn man einem unterstützten Körper seine Unterstützungsfläche nimmt: 25 dann fällt er senkrecht zur Horizontalebene nieder. Ist er an einem Faden aufgehängt, so stellt sich dieser in die senkrechte Richtung zur Horizontalebene ein: er ist ein Lot.

Aus dem dauernden Druck der unterstützten Körper auf ihre Unterlage schließen wir, daß die Schwerkraft eine dauernd wir- 30 kende Kraft ist. Da die Lotrichtung überall nach dem Mittel- punkt der Erde zeigt, so scheint die Anziehungskraft vom Erdmittelpunkt auszugehen.

---

[2] seit alters her *for ages.*
[3] sollten *were said to.*
[4] je nachdem ob *according to whether.*

Auf verschiedene Mengen eines Stoffes, z. B. 1 Liter Wasser und
2 Liter Wasser wirkt die Schwerkraft verschieden stark [5] ein:
die größere Menge ist schwerer, sie drückt mehr auf ihre Unterlage, und zwar eine doppelt so große Stoffmenge oder Masse
5 doppelt so stark. Die angenommene Anziehungskraft ist also
nicht allein von der Erde abhängig, sondern auch von dem ange-
zogenen Körper. Allgemeinere Betrachtungen, besonders aus der
Astronomie, haben dazu geführt zu sagen:

    A l l e K ö r p e r z i e h e n s i c h g e g e n s e i t i g a n.
10   D i e S c h w e r e e i n e s K ö r p e r s m e s s e n w i r
d u r c h s e i n G e w i c h t.

Einheit des Gewichtes ist das Gewicht eines Kubikzentimeters
reinen Wassers bei 4° C Wärme oder das Grammgewicht (g).

1 Tonne (t) = 1000 kg = Gewicht eines cbm Wasser,
15   1 kg = 1000 g = Gewicht eines Liters Wasser,
1 g = Gewicht eines ccm Wasser,
1 mg (= 1 Milligramm) = Gewicht eines cmm Wasser.

Den Befund, daß eine größere Stoffmenge ein größeres Gewicht
hat als eine kleinere, und zwar eine 2 mal so große ein 2 mal so
20 großes Gewicht, eine 3 mal so große ein 3 mal so großes, eine k mal
so große ein k mal so großes Gewicht, drückt man folgendermaßen
aus: Masse und Gewicht sind proportional. Daß die Erdanziehung vom Erdmittelpunkt ausgeht, erklärt sich so, daß der
geometrische Mittelpunkt zugleich der Massenmittelpunkt ist.

25   Mengen des gleichen Stoffes, z. B. Wasser, Spiritus, kann man,
wenn dieser flüssig ist, durch Raummaße miteinander vergleichen.
Bei festen Körpern benutzt man dafür in der Regel die Gewichte.
Das darf nicht dazu führen, die Begriffe **Masse = Stoffmenge**
und **Gewicht = Wirkung der Schwerkraft auf die Masse** zu
30 verwechseln. Ein Beispiel wird diese Verwechselung verhüten:
Eine Kugel hat auf dem Monde ein viel kleineres Gewicht als auf
der Erde; aber aus einem Gewehr mit der gleichen Pulverladung
abgeschossen, würde sie dort dieselben Wirkungen ausüben wie
auf der Erde. Die Masse eines Körpers ist überall unveränder-

---

[5] **verschieden stark** *with various intensity.*

lich; sein Gewicht hängt von der Masse und Nähe des ihn an-
ziehenden Körpers ab.

Spezifisches Gewicht. Gleich große Körper verschiedener
Stoffe sind verschieden schwer: ein Stück Blei ist schwerer als
ein gleich großes Stück Granit, dieses schwerer als Eis, dieses 5
schwerer als Kork. Um diese den verschiedenen Stoffen eigen-
tümlichen oder spezifischen Gewichte miteinander zu vergleichen,
bezieht man sie auf gleiche Volumina und wählt als Vergleichsvolumen 1 ccm.

Das spezifische Gewicht eines Stoffes ist das Gewicht der 10
Volumeneinheit (1 ccm).

Es wiegt: 1 ccm Platin 21,4 g,
              1 ccm Gold   19,3 g,
              1 ccm Blei   11,4 g,
              1 ccm Eisen   7,6 g.   15

Also ist das spezifische Gewicht des Platins 21,4 g, des Goldes
19,3 g, des Bleies 11,4 g, des Eisens 7,6 g. Merkenswert ist noch
die Zahl des spezifischen Gewichtes für Quecksilber 13,6. Das
spezifische Gewicht des Wassers ist—infolge der Erklärung des
Gramms—1 g. Wiegt ein ccm eines Stoffes p Gramm, so wiegen 20
v ccm des Stoffes v·p Gramm. Ich erhalte also die Maßzahl des
spezifischen Gewichts wieder, wenn ich das Gewicht in Gramm
durch die Anzahl der Kubikzentimeter teile:

$$\text{spez. Gew.} = \frac{\text{Gewicht}}{\text{Volumen}}$$

Häufiger als diese Erklärung des spezifischen Gewichts wird die 25
folgende gebraucht: Die Maßzahl des spezifischen Gewichts gibt
an, wieviel mal so schwer ein Körper ist wie die gleiche Raummenge Wasser von +4° C.

Die Zahlen der spezifischen Gewichte kennzeichnen auch die
"Dichten", d. h. die Verteilung der Masse auf den Raum, bei 30
verschiedenen Körpern. Den spezifischen Gewichten sind die
Dichten proportional.

Beharrungsvermögen. Jeder Körper verharrt so lange im Zustande der Ruhe oder Bewegung, bis er durch irgendeine äußere Ursache daran gehindert wird. (Galileis Beharrungsgesetz; 1600.)

5 Daß wir dieses Gesetz auf der Erde nicht genau bestätigt finden, hat seinen Grund darin, daß hier jede Bewegung einmal durch entgegenstehende Körper unterbrochen wird. Während ein sich selbst überlassener Wagen im Sande keine größere Strecke zurücklegt, auch wenn er eine große Geschwindigkeit hatte, rollt
10 er auf glatter Straße noch ein ziemlich großes Stück weiter, noch weiter, wenn er auf Schienen läuft. Im Wasser, wo die der Bewegung entgegenstehende Reibung noch geringer ist, fahren unsere größten Schiffe, wenn in voller Fahrt [6] die Maschinen gestoppt werden, noch eine deutsche Meile weiter. Wenn auch
15 diese Reibung und der Beharrungswiderstand des Wassers fehlte, so würde, meinen wir, die Bewegung nie zur Ruhe kommen. In diesem Falle scheinen sich die Gestirne auf ihren Bahnen zu befinden.

Trägheitswiderstände oder Beharrungswiderstände treten auf,
20 wenn ein ruhender Körper bewegt oder ein bewegter angehalten oder wenn ein bewegter aus seiner Richtung abgelenkt werden soll. Der Trägheitswiderstand eines Körpers ist seiner Masse proportional.

Geschwindigkeit. Unter Geschwindigkeit einer Bewegung
25 verstehen wir im gewöhnlichen Sprachgebrauch eine Eigentümlichkeit einer Bewegung. Wir sagen: Die Geschwindigkeit eines Fußgängers ist kleiner als die eines Radfahrers, diese kleiner als die eines Eisenbahnzuges usw.

Um Geschwindigkeiten zu messen, brauchen wir ein Maß, das
30 als Einheit dienen kann. Als solches kann der zurückgelegte Weg oder die zum Zurücklegen eines Weges gebrauchte Zeit dienen. Die Geschwindigkeit eines Körpers ist um so größer, je größer der Weg ist, den der Körper in einer bestimmten Zeit zurücklegt. Die Geschwindigkeit eines Körpers ist um so größer.

---

[6] **in voller Fahrt** *when going full speed* (*ahead*).

je kleiner die Zeit ist, die der Körper zum Zurücklegen einer bestimmten Wegstrecke braucht.

Aus diesen beiden Beziehungen könnten wir Definitionen für die Geschwindigkeitsmessung ableiten, indem wir in dem ersten Falle als Zeit die Zeiteinheit, etwa eine Sekunde oder Stunde 5 wählten, im zweiten als Wegeinheit das Meter oder das Kilometer. Da jedoch die Beziehung zwischen Geschwindigkeit und Wegstrecke eine direkte, zwischen Geschwindigkeit und Zeit eine reziproke ist, so lassen sich Geschwindigkeiten durch Vergleichen der Wegstrecken, die in gleichen Zeiten zurückgelegt werden, 10 leichter beurteilen, als durch Vergleichen der Zeiten, in denen gleiche Wegstrecken durchmessen werden.

Man definiert daher: Die Geschwindigkeit wird gemessen durch den Weg in der Zeiteinheit. Der in der Sekunde zurückgelegte Weg ist ein Maß der Sekundengeschwindigkeit; der in der Stunde 15 zurückgelegte Weg ist ein Maß der Stundengeschwindigkeit. Da jedes Messen ein Vergleichen ist, so ist diese Fassung auch logisch durchaus richtig. Falsch oder doch wenigstens unscharf ist die Fassung: Die Geschwindigkeit ist der Weg in der Zeiteinheit.

Erfolgt die Bewegung mehrere Sekunden lang, so werden soviel 20 Sekundenwegstrecken zurückgelegt, wie die Anzahl der Sekunden beträgt; oder

$$\text{Gesamtweg} = (\text{Weg in der Sekunde}) \cdot (\text{Anzahl der Sekunden});$$
$$\text{spatium} = \text{celeritas} \cdot \text{tempus};$$
$$s = c \cdot t. \qquad 25$$

Hierin bedeuten s, c, t, die Maßzahlen des Gesamtweges, des Weges in der Sekunde und der Anzahl der Sekunden. Das entsprechende gilt natürlich für Stundengeschwindigkeiten usw. Lösen wir die letzte Gleichung noch nach c und t auf, so bekommen wir das System von Gleichungen $s = c \cdot t$, $c = s/t$, $t = s/c$. 30 Diese Wortgleichungen gelten natürlich auch nur für die Maßzahlen.

Beschleunigung. Die meisten Bewegungen verlaufen mit ungleichmäßiger Geschwindigkeit, beschleunigt oder gehemmt. Nur wenn auf einen Körper einmal eine Kraft wirkt, so bewegt er 35 sich mit gleichbleibender Geschwindigkeit. Ein Beispiel ist der (nichtgehemmte) Stoß.

Wirkt auf einen Körper dauernd eine Kraft anziehend ein, so vermehrt diese dauernd seine Geschwindigkeit in der Richtung der
5 Kraftwirkung. Um den Geschwindigkeitszuwachs durch Zahlen wiedergeben zu können, muß man, falls der Zuwachs gleichmäßig erfolgt, bestimmen wie groß der Zuwachs in der Zeiteinheit ist.

Der Geschwindigkeitszuwachs in der Zeiteinheit ist ein Maß der Beschleunigung (b). Beträgt die Geschwindigkeitszunahme
10 in jeder Sekunde b, so ist, wenn der Körper seine Bewegung ohne Anfangsgeschwindigkeit beginnt, seine Geschwindigkeit am Ende der ersten Sekunde gleich der Geschwindigkeitszunahme in der Sekunde, also nach unserer Bezeichnung gleich b. In der zweiten Sekunde vermehrt sich die Geschwindigkeit auch um b;
15 sie beträgt also am Ende der zweiten Sekunde 2b; in der dritten Sekunde kommt wieder die Geschwindigkeitszunahme b hinzu, so daß die Endgeschwindigkeit 3b beträgt. Nach t Sekunden ist also die Endgeschwindigkeit c_t auf $t \cdot b$ gestiegen.

$$c_t = t \cdot b$$

20 Endgeschwindig-$\left.\vphantom{\begin{matrix}1\\1\end{matrix}}\right\}$
keit nach t Sek. $= $ Anzahl der Sek. $\times$ Beschleunigung.

Parallelogramm der Kräfte und Bewegungen. Wirken mehrere bewegende Kräfte auf einen Körper ein, so bewegt er sich in einer mittleren Richtung zu den beiden Bewegungsrichtungen, und zwar kommt er an dieselbe Stelle, als wenn die beiden Kräfte
25 nacheinander einwirkten, er also nacheinander die verschiedenen Bewegungen ausführen müßte. Beispiele: Durchschwimmen eines Flusses, Bewegungen in fahrenden Zügen oder Schiffen. Man kann sich das Zustandekommen der resultierenden Bewegung dadurch verständlich machen, daß man annimmt, daß die
30 bewegenden Kräfte abwechselnd in unendlich kleinen Zeiten wirken. Dann würde der Körper eine gebrochene Linie mit so kleinen Einzelstrecken durchlaufen, daß wir sie von der Geraden nicht mehr unterscheiden könnten (Fig. 17).

Das Resultat der Bewegung oder die resultierende Bewegung oder die Resultante der Bewegungen eines Körpers unter dem Einfluß zweier bewegender Kräfte ist nach Größe und Richtung gleich der Diagonale des Parallelogramms, das man aus den Strecken der Einzelbewegungen zeichnen kann (Fig. 18). Die 5 Einzelbewegungen nennt man Bewegungskomponenten.

In derselben Weise setzen sich Geschwindigkeiten—die ja auch durch Strecken gemessen werden—und Kräfte, die man nach Größe und Richtung durch Strecken veranschaulicht, zu Parallelogrammen der Geschwindigkeiten und Kräfte zusammen. Bei 10 der Darstellung der Kräfte durch Strecken ist die zu wählende Längeneinheit der die Kräfte darstellenden Strecke ganz will-

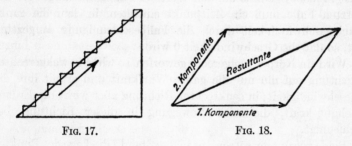

FIG. 17.   FIG. 18.

kürlich; nur müssen die Maßzahlen der Strecken zueinander in demselben Verhältnis stehen wie die Maßzahlen der dadurch dargestellten Kräfte. 15

Wirken die Kräfte in fast derselben Richtung, so kommen beide fast ganz zur Geltung. Wirken die Kräfte unter stumpfem Winkel, so kann es vorkommen, daß die Resultante kleiner ist als eine—selbst als die kleinste—der beiden Komponenten. Als Grenzfälle ergeben sich die folgenden: Von zwei Kräften, die in 20 derselben Richtung wirken, kommt ihre Summe zur Wirksamkeit; von zwei Kräften, die in entgegengesetzter Richtung wirken, kommt die Differenz zur Wirksamkeit. Zwei entgegengesetzt wirkende gleiche Kräfte heben sich auf. Dasselbe gilt von den durch Kräfte hervorgerufenen Bewegungen. Kennt man umge- 25

kehrt die Resultante und eine Komponente und die Richtungen
beider, so kann man durch Rekonstruktion des Kräfte- oder
Bewegungs-Parallelogramms die fehlende Komponente finden.

Der Wurf. Wird ein Körper mit der Geschwindigkeit c ge-
5 worfen, so würde er diese Geschwindigkeit dauernd beibehalten,
wenn keine andere Kraft auf ihn einwirken würde (Trägheits-
gesetz). Wirkt aber die Schwerkraft dauernd auf ihn ein, so
verändert sie dauernd seine Geschwindigkeit.

Erfolgt die Wurfbewegung senkrecht nach unten, so vermehrt
10 die Schwerkraft die Geschwindigkeit in jeder Sekunde um den
Wert der Fallbeschleunigung. Erfolgt die Wurfbewegung senkrecht nach oben, so vermindert die Schwerkraft die Geschwindigkeit in jeder Sekunde um den Wert der Fallbeschleunigung. Im
letzten Falle muß ein Zeitpunkt eintreten, in dem die ganze
15 Steiggeschwindigkeit durch die Fallbeschleunigung aufgezehrt
ist, so daß die Geschwindigkeit 0 wird.

Wird ein Körper waagerecht geworfen, so wirkt in waagerechter
Richtung auf ihn nur die ganze Wurfkraft und erteilt ihm die
Geschwindigkeit; in senkrechter Richtung aber wirkt die Erdan-
20 ziehungskraft, die seine Bewegung in dieser Richtung beschleunigt.

Beide zusammen setzen uns in den Stand [7] die Lage des Punktes
zu jeder beliebigen Zeit zu bestimmen. Wir haben nur beide
Bewegungskomponenten zu bestimmen und daraus die Resultante
25 zu zeichnen oder zu berechnen.

Schwerpunkt. Da die Schwerkraft eine Massenkraft ist, d. h.
um so größere Wirkung auf einen Körper ausübt, je größer dessen
Masse ist, so können wir sie uns an jedem einzelnen Massenteilchen angreifend denken. Alle diese einzelnen Massenkräfte
30 können wir uns durch eine ersetzt denken. Deren Angriffspunkt
soll bestimmt werden. Aus Symmetriegründen ist klar, daß
dieser bei einer mit Masse gleichmäßig belegten Strecke in der
Mitte liegen muß. Dasselbe gilt für einen stab- oder lineal-
förmigen Körper.

---

[7] setzen uns in den Stand *enable us.*

Denkt man sich ein mit Masse belegtes Dreieck (Fig. 19) durch
Parallelen zu einer Seite in sehr schmale Streifen zerlegt, so liegt

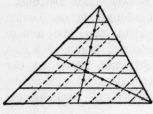

FIG. 19.

der Massenmittelpunkt bei jedem
Streifen in der Mitte, für alle also auf
einer Mittellinie. Ist diese Mittel- 5
linie unterstützt, so greifen auf
beiden Seiten gleiche Massenkräfte
an, halten sich also—wie gleiche
Gewichte auf den Waageschalen—
das Gleichgewicht. Zerlegt man das- 10
selbe Dreieck durch Parallelen zu
einer anderen Seite in solche Streifen, so folgt, daß auch die zu
dieser Seite gehörige Mittellinie eine "Schwerlinie" des Massen-
dreiecks ist, d. h. daß, wenn sie unterstützt ist, das Dreieck selbst
unterstützt ist. Der Punkt, um den die ganze Masse des Dreiecks 15
gleichmäßig angeordnet ist, liegt daher auf den beiden Mittel-
linien, er ist daher ihr Durchschnittspunkt. D e r S c h w e r -
p u n k t o d e r M a s s e n m i t t e l p u n k t e i n e s D r e i -
e c k s i s t d e r S c h n i t t p u n k t d e r M i t t e l l i n i e n .

Hängt man ein solches Massendreieck an einer Ecke oder an 20
der Mitte der Gegenseite auf, so fällt das Lot in die Richtung der
Mittellinie, zeigt also auf den Schwerpunkt. Da dasselbe für
die Aufhängung an einem anderen Eckpunkt gilt, so ergeben sich
dadurch zwei Richtungen am aufgehängten Körper, die den
Schwerpunkt enthalten. Diese Lagerung des Schwerpunkts im 25
Lot—gleichgiltig, wo der Körper aufgehängt ist—muß auch bei
anders gebauten Körpern auftreten; denn wäre eine Seite mas-
siger, also schwerer, so würden die dort angreifenden Kräfte diese
Seite—wie Gewichtsstücke eine Waageschale—nach unten ziehen,
bis ein Gleichgewichtszustand erreicht ist. Daraus folgt: Man 30
bestimmt den Schwerpunkt eines beliebigen Körpers, indem man
ihn an zwei verschiedenen Stellen aufhängt und die Richtungen
der Lote markiert. Ihr Schnittpunkt ist der Schwerpunkt.

Bei geometrisch einfachen Figuren kann man durch wiederholte
Anwendung der Schwerpunktsbestimmung von Teildreiecken, in 35
die man die Figur zerlegt, die Lage des Schwerpunktes der ganzen

Figur durch Konstruktion ermitteln. So wird der Schwerpunkt eines Vierecks gefunden, indem man es erst durch eine Diagonale in zwei Dreiecke zerlegt und deren Schwerpunkte bestimmt. Der Schwerpunkt muß auf der Verbindungslinie der beiden
5 Dreiecksschwerpunkte liegen. Dann zieht man die andere Diagonale und wiederholt dasselbe Verfahren, woraus sich eine zweite Schwerlinie ergibt. Der Schnittpunkt beider ist der Schwerpunkt des Vierecks. Der Schwerpunkt kann auch außerhalb des Körpers liegen, z. B. bei einem kreisförmig zusammenge-
10 bogenen Draht oder einem Bügel.

Gleichgewichtslagen. Ein Körper befindet sich im stabilen (a), indifferenten (b) oder labilen (c) Gleichgewicht, je nachdem sein Schwerpunkt
15 unterhalb (a), im (b) oder oberhalb (c) des Unterstützungspunktes liegt (Fig. 20). Ein Körper, der im stabilen (sicheren) Gleichgewicht ist, kehrt, aus der Gleichgewichtslage
20 gebracht, von selbst wieder in diese zurück. (Hängende Körper.) Ein Körper, der im indifferenten Gleichgewicht ist, bleibt, wie man ihn auch drehen mag, in jeder Lage in Ruhe.

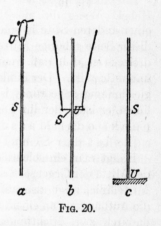

FIG. 20.

25 (Ein ganz gleichmäßig gearbeitetes Rad, das in der Achse unterstützt ist.) Ein Körper, der im labilen (unsicheren) Gleichgewicht ist, kehrt, aus diesem entfernt, in die stabile Gleichgewichtslage zurück. (Stehende Körper.) Alle hängenden Körper sind im stabilen, alle auf unendlich kleiner
30 Unterstützungsfläche stehenden Körper im labilen Gleichgewicht.

In Wirklichkeit gibt es keine Unterstützungspunkte, sondern nur Unterstützungsflächen. Trotzdem bezeichnet man die Gleichgewichtslage eines stehenden Körpers als labil; doch kann
35 man dann offenbar nicht mehr sagen, daß ein solcher Körper, aus der Gleichgewichtslage entfernt, zum stabilen Gleichgewicht strebt.

Die Standhaftigkeit eines Körpers ist um so größer, je größer seine Unterstützungsfläche und sein Gewicht ist, und je tiefer sein Schwerpunkt liegt. Ein Körper kann nur dann stehen, wenn sein Schwerpunkt senkrecht über der Unterstützungsfläche liegt.

Der Hebel. Ein Hebel ist eine Stange, die sich um einen ihrer 5 Punkte drehen kann. Zur Erleichterung der Betrachtungen hat man den Begriff des mathematischen Hebels eingeführt und verwendet diesen Begriff im Gegensatz zu dem physischen oder wirklichen Hebel.

Ein mathematischer Hebel ist ein massenlos gedachter [8] 10 Hebel. Wenn die am Hebel angreifenden Kräfte wesentlich größer sind als das Hebelgewicht, so gelten die Abbildungen für den mathematischen Hebel angenähert auch für den physischen.

Ein Hebel heißt einarmig, wenn Kraft und Last auf derselben Seite vom Drehpunkt angreifen (Beispiel: Hebebaum, Nuß- 15 knacker), ein Hebel heißt zweiarmig, wenn Kraft und Last auf verschiedenen Seiten vom Drehpunkt angreifen. (Beispiel: Druckhebel, Schere.)

Hierbei ist als "Kraft" die eine wirksame Drehkraft, als Last die andere Drehkraft bezeichnet, gegen die die erste wirkt. Z. B. 20 ist beim Hebelarm die Kraft des ihn benutzenden Menschen die am Hebel angreifende "Kraft", die Schwere etwa eines Steines, der weggerollt werden soll, die "Last". Beim Nußknacker ist der Druck der ihn benutzenden Hand die "Kraft", der Gegendruck der Nuß die "Last". 25

Die alltägliche Erfahrung belehrt uns, daß wir z. B. mit einer Schere mehr Kraft ausüben können, wenn wir den "Lastarm des Hebels", d. h. die Länge des Hebels vom Drehpunkte bis zu dem Punkt, wo die Last—der zu zerschneidende Gegenstand— eingeklemmt ist, möglichst klein wählen. Mit einer Zange, wo der 30 Lastarm eine konstante Länge hat, können wir um so mehr Kraft ausüben, je länger wir die Zange fassen, das heißt, je länger wir den Kraftarm machen. Außerdem hängt die Wirksamkeit eines solchen Hebels natürlich auch von der Größe der Kraft ab, und zwar wächst sie in demselben Maße wie die Kraft. 35

[8] **gedachter** *considered* (*to be*).

Versuche haben gezeigt, daß die Wirkung eines solchen Hebels gegen eine Last auf den n-fachen Wert steigt, wenn der Kraftarm n mal so lang gemacht wird, und daß bei gleicher Länge des Kraftarms die Wirkung dann m mal so groß wird, wenn die auf-
5 gewandte Kraft m mal so groß ist. Treten beide Veränderungen zugleich ein, so steigt die Wirkung auf das m-fache des n-fachen des ursprünglichen Betrages; das heißt, sie wird n·m mal so groß. Entsprechend muß die aufzuwendende Drehkraft des Hebels auf den p-fachen Betrag steigen, wenn der Lastarm p mal so lang
10 gemacht wird, und bei gleicher Länge des Lastarms auf das q-fache steigen, wenn die Last auf das q-fache wächst.

Obwohl es bei der Anwendung eines Hebels nicht auf den Gleichgewichtszustand ankommt,[9] sondern auf seine Überwindung, so spricht man die Beziehungen doch für diesen Zustand aus,
15 weil sie dafür eine einfache Gestalt haben und weil der Gleichgewichtszustand leicht eine Mindestkraft zu berechnen gestattet,[10] die um ein geringes [11] zu überschreiten ist, wenn der Hebel wirksam sein soll.

Wir erhalten dann als

20 **Hebelgesetz:**

Am Hebel herrscht Gleichgewicht, wenn das Produkt aus Kraft und Kraftarm gleich dem aus Last und Lastarm ist.

$$\text{Kraft} \times \text{Kraftarm} = \text{Last} \times \text{Lastarm}$$
$$P \;\cdot\; p \;=\; Q \;\cdot\; q$$

25 Aus $P \cdot p = Q \cdot q$ folgt die Proportion

$$P : Q = q : p$$
$$\text{Kraft} : \text{Last} = \text{Lastarm} : \text{Kraftarm}$$

Diese ergibt folgende Fassung des Hebelgesetzes:
Am Hebel herrscht Gleichgewicht, wenn sich die Kräfte umge-
30 kehrt verhalten wie ihre Hebelarme.

[9] ankommen auf *be a question of*.
[10] gestattet *permits us*.
[11] um ein geringes *by a little, by a small margin*.

Die Waage. Die zweiarmige Waage besteht aus einem Tragebalken, der auf einer Schneide ruht und an seinen Enden zwei
gleichfalls auf Schneiden aufgehängte Tragschalen trägt.

Die Prüfung einer Waage auf Gleicharmigkeit geschieht auf
Grund des Satzes von den statischen Momenten: der Zeiger der 5
Waage muß ohne Belastung der Schalen auf dem Nullpunkt der
Skala stehen. Dann muß ein kleines Gewicht, auf beide Waag-
schalen nacheinander aufgelegt, gleich große Ausschläge her-
vorrufen.

Empfindlichkeit einer Waage heißt ihr Ausschlagswinkel für 10
ein Milligramm Belastung der einen Waagschale.

Daß überhaupt durch geringe Mehrbelastung ein dauernder
Ausschlag eintritt, hat seinen Grund darin, daß sich dann zwei
Drehkräfte das Gleichgewicht halten: das Drehmoment des an
dem langen Waagebalken angreifenden Übergewichts und das 15
Drehmoment des Balken- und Schalengewichts, das an einem
viel kürzeren Hebelarm angreift. Bei jeder Waage liegt nämlich,
da die Waage durch ein kleines Übergewicht nicht völlig aus der
Gleichgewichtslage gebracht werden darf, der Schwerpunkt des
Tragebalkens und der Waagschalen nicht im Unterstützungs- 20
punkt, sondern darunter. Bei einseitiger Belastung wird also der
Schwerpunkt seitlich verschoben, so daß eine Gegendrehkraft
auftritt.

Die Empfindlichkeit einer Waage wächst mit der Balkenlänge
(statisches Moment des Übergewichts), wird erstens kleiner, wenn 25
das Balkengewicht zunimmt (statisches Moment des Waagebalkens; Reibungswiderstand) und zweitens, wenn der Abstand
des Unterstützungspunktes des Waagebalkens vom Schwerpunkt
größer gemacht wird (statisches Moment des Balkengewichts).

Die Empfindlichkeit ist also proportional dem Ausdruck 30

$$\frac{\text{Balkenlänge}}{\text{Balkengewicht} \times \text{Abstand des Balkenschwerpunktes vom Drehpunkt.}}$$

Die Rolle. Eine Rolle ist eine radförmige Scheibe, die an
ihrem Umfange zur Aufnahme einer Schnur eine Rinne zeigt. 35

Ist die Achse der Rolle so aufgehängt, daß sie sich nicht vertikal verschieben kann, so heißt die Rolle fest. Bei einer festen Rolle besteht Gleichgewicht, wenn die Kraft gleich der Last ist; denn da Kraft und Last an einer zusammenhängenden Schnur an-
5 greifen, so muß das Kraftgewicht diese gerade so stark spannen, wie sie vom Lastgewicht gespannt wird.

Man faßt die feste Rolle bisweilen auch als gleicharmigen Hebel auf, indem man erwägt, daß das Gleichgewicht, wenn es bei der beweglichen Rolle besteht, nicht dadurch gestört würde, wenn die
10 Schnur auf der Rolle befestigt wäre. Dann würden die beiden horizontalen Radien die gleichen Hebelarme darstellen, so daß die Gleichheit der statischen Momente nur bestehen kann, wenn Kraft und Last gleich sind.

Soll durch eine feste Rolle eine Last gehoben werden, so muß
15 wegen der Reibung die Kraft größer sein als die Last. Es geht also Kraft verloren. Der Vorteil in der Anwendung der festen Rolle besteht darin, daß die Kraft in günstigerer Richtung wirken kann; nach unten, während sich die Last nach oben bewegt.

Unter einer losen, freien oder beweg-
20 lichen Rolle versteht man eine Rolle mit vertikal verschiebbarer Achse. Man verwendet sie praktisch nur in Verbindung mit festen Rollen (Fig. 21). Bei Anwendung einer beweglichen
25 Rolle braucht die Kraft nur halb so groß zu sein wie die Last; denn die Last verteilt sich auf die beiden Enden a und b der Schnur, und zwar aus Symmetriegründen gleichmäßig. Davon
30 braucht die Kraft nur den Zug der einen (b) im Gleichgewicht zu halten. Da jedoch das Schnurende c der Kraft auf Kosten einer Verkürzung von b sowohl wie von a aus der Rolle A heraus-

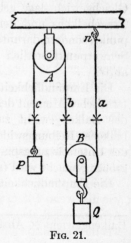

Fig. 21.

35 tritt, so wird die Last nur halb so hoch gehoben, wie sich die Kraft abwärts bewegt.

Ein Flaschenzug ist eine Verbindung von mehreren festen und beweglichen Rollen. Der Name Flaschenzug stammt von der flaschenähnlichen Haltevorrichtung der festen Rollen einerseits und der beweglichen Rollen anderseits her. Am Flaschenzug besteht Gleichgewicht, wenn die Kraft den sovielten Teil der Last 5 beträgt, wie feste und bewegliche Rollen zusammen vorhanden sind; denn die Last verteilt sich auf ebensoviele gleichstark gespannte Seile, von denen nur eins durch das Seil der Kraft im Gleichgewicht gehalten zu werden braucht. Bei einer Bewegung der Last durch die Kraft, wobei die Reibung überwunden werden 10 muß, muß die Kraft größer sein als der sovielte Teil der Last, wie Rollen vorhanden sind. Bei Anwendung eines Flaschenzuges wird die Last nur den sovielten Teil des Kraftweges gehoben, wie Rollen vorhanden sind, bei Anwendung von 3 festen und 3 losen Rollen also nur um 1/6 des Kraftweges; denn alle 6 Seilstücke, an 15 denen die Last hängt, müssen verkürzt werden.

Das Maschinenprinzip. Die einfachen Maschinen: Hebel, Rolle, Wellrad, schiefe Ebene, Schraube, Keil, sowie die daraus zusammengesetzten, bieten als Vorteile: Kraftersparnis oder günstige Kraftrichtung. Unvermeidlich ist in der Regel der 20 Nachteil: Verlängerung des Kraftweges. Wird von der Reibung abgesehen,[12] so gilt stets das

Maschinenprinzip: Kraft $\times$ Kraftweg = Last $\times$ Lastweg.

Man versteht unter Arbeit das Produkt aus Kraft $\times$ Weg. Diese Definition entspricht dem gewöhnlichen Sprachgebrauch. 25 Wir nennen z. B. die Arbeit doppelt so groß, die geleistet wird, wenn ein Steinträger eine Last Steine auf[13] 10 m Höhe trägt, als wenn er sie nur auf 5 m Höhe hebt. Die Arbeit des Hebens von 3 Zentnern auf eine gewisse Höhe nennen wir dreimal so groß wie die, wenn 1 Zentner auf die gleiche Höhe gehoben wird. Die 30 Arbeit wächst also sowohl im Verhältnis mit der gehobenen Last, wie im Verhältnis mit der Hubhöhe, d. h. sie ist proportional dem Produkt aus Last und Lastweg.

[12] **Wird von der Reibung abgesehen** *If we disregard the friction.*
[13] **auf** *(up) to.*

Nun ist Last × Lastweg = Kraft × Kraftweg. Daher nimmt
das Maschinenprinzip die Form an: Durch Anwendung von
Maschinen wird Arbeit weder gewonnen, noch verloren, wenn von
der Reibung abgesehen wird. Da man praktisch den Einfluß der
5 Reibung nicht vernachlässigen darf, so folgt, daß die Maschinen
Arbeit verschlingen, indem sie weniger Arbeit liefern, als sie
aufnehmen.

Das Maschinenprinzip heißt auch die "goldene Regel der
Mechanik". Dieser durch Versuche begründete Satz liefert die
10 mechanische Grundlage des Satzes von der Erhaltung der Energie
oder von der Unmöglichkeit der Konstruktion eines Perpetuum
mobile. (Energie = Fähigkeit, Arbeit zu leisten.) Einheit der
Arbeit ist das Meterkilogramm (mkg) oder die Arbeit, die nötig
ist, um 1 kg 1 m hoch zu heben. Bei der Fortbewegung in hori-
15 zontaler Richtung wird, wenn von der Reibung abgesehen werden
kann, überhaupt keine Arbeit geleistet. Leistung mißt man in
der Physik—wie sonst—durch die in einer bestimmten Zeit ge-
leistete Arbeit. Einheit der Leistung ist die Pferdestärke d. h.
die Leistung von 75 mkg in einer Sekunde.

20 **Das Pendel.** Mathematisches Pendel heißt ein Pendel, das
aus einem Massenpunkte besteht, der an einem massenlosen
Faden aufgehängt ist. Bei physi-
schen Pendeln darf man diese Masse
des Fadens oder der Pendelstange
25 nicht vernachlässigen: auch treten
Komplikationen ein durch die Größe
des Pendelkörpers. Eine Metallkugel, die an einem Faden aufgehängt
ist, kann nahezu als mathematisches
30 Pendel angesehen werden.

Der Abstand zwischen dem Aufhängungspunkt (A in Figur 22) des
Pendels und dem Schwerpunkt des
Pendelkörpers heißt Pendellänge,
35 der Ausschlagsbogen (BC) Schwingungsweite oder Amplitude,
die Zeit der Bewegung von einer Ruhelage (AB) zur anderen

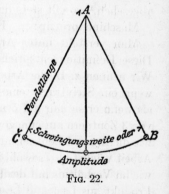

FIG. 22.

(AC) die Schwingungszeit. Die Kräfte, die das Pendel bewegen, sind die Erdanziehungskraft und die Trägheit.

Versuche lassen [14] die Pendelgesetze erkennen:

1. Die Schwingungsdauer eines mathematischen Pendels ist von der Schwingungsweite unabhängig, wenn die Schwingungs- 5 weite unter 10° liegt.

2. Die Schwingungszeit ist der Wurzel aus der Pendellänge proportional.

Die Länge des Sekundenpendels (d. h. des Pendels, das zu einer Schwingung zwischen zwei Ruhelagen eine Sekunde ge- 10 braucht) beträgt rund 1 m.

Aus 2 folgt, daß ein Pendel, das zu einem Hin- oder Hergange zwei Sekunden gebraucht, 4 m lang sein muß, das Dreisekunden- pendel 9 m usw.

Zentripetalkraft und zentrifugaler Trägheitswiderstand. Nach 15 dem Trägheitssatz behält ein Körper seine Geschwindigkeit und Bewegungsrichtung bei, wenn er nicht durch äußere Kräfte be- einflußt wird. Soll sich daher ein Körper im Kreise oder in krummliniger Bahn bewegen, also dauernd seine (durch die Tangente in jedem Punkte der Bahn bestimmte) Richtung 20 ändern, so muß auf ihn dauernd eine Kraft einwirken, die diese Ablenkung hervorruft. Bei kreisförmiger und nahezu kreis- förmiger Bahn nennt man diese Kraft Zentripetalkraft. Den Trägheitswiderstand, den der Körper dieser dauernden Rich- tungsänderung dauernd entgegensetzt, nennt man zentrifugalen 25 Trägheitswiderstand oder Zentrifugalkraft oder Schwungkraft oder Fliehkraft (er ist eine Reaktionskraft, keine treibende, be- wegende Kraft).

Zentripetalkraft und zentrifugaler Träg- heitswiderstand sind entgegengesetzt 30 gleich.

Beispiele: Ein an einem Faden befestigter Körper, der im Kreise herumgeschleudert wird, spannt dauernd den Faden infolge seines zentrifugalen Trägheitswiderstandes. Soll der Körper diese Kreisbahn innehalten, so muß der Trägheitswider- 35

[14] lassen *allow us.*

stand dauernd durch einen Zug am Faden—die Zentripetalkraft—
aufgehoben werden.

Bei der Bewegung der Planeten und Monde liefert die Anziehungskraft des Zentralkörpers die zur Überwindung des zentri-
5 fugalen Trägheitswiderstandes nötige Zentripetalkraft.

Der zentrifugale Trägheitswiderstand wächst mit der Winkelgeschwindigkeit, dem Umdrehungsradius und der Masse des bewegten Körpers.

Hierbei ist unter Winkelgeschwindigkeit die Umdrehungsge-
10 schwindigkeit unabhängig vom Umdrehungsradius verstanden, so
daß bei gleicher Winkelgeschwindigkeit die Wege verschiedener
Punkte in den Abständen $r_1 : r_2$ vom Umdrehungspunkt sich
verhalten wie $r_1 : r_2$, d. h. wie die Radien.

Beispiele: Es ist schwerer, ein 4-Pfund-Stück an einem Faden
15 im Kreise zu schwingen als ein 2-Pfund-Stück—schwerer an
einem 2 m langen Faden als an einem 1 m langen Faden, wenn z. B.
in jeder Sekunde ein ganzer Umlauf erfolgen soll—schwerer (bei
gleichem Gewicht und gleicher Fadenlänge) zwei Umläufe in der
Sekunde herbeizuführen als einen.

20 Anwendungen: Zentrifugalpendel der Dampfmaschine, Venti-
latoren, Zentrifugen.

Die Mechanik flüssiger Körper

Fortpflanzung des Drucks in Flüssigkeiten. Da die Flüssigkeitsteilchen gegenseitig leicht verschiebbar sind und sich die
Flüssigkeiten sehr schwer zusammendrücken lassen, so folgt: In
25 Flüssigkeiten pflanzt sich der Druck nach allen Seiten gleichmäßig
fort. Daher gleichen sich Druckunterschiede in Flüssigkeiten
sehr schnell aus, so daß die Oberfläche einer ruhenden Flüssigkeit
eine Ebene ist. Weiter folgt: in kommunizierenden oder zusammenhängenden Röhren stehen Flüssigkeiten gleich hoch.

30 Durch äußere Kräfte herbeigeführte Flüssigkeitsschwankungen
gleichen sich unter dem Einfluß der Schwere sehr schnell aus. Da
sich der Druck in Flüssigkeiten gleichmäßig fortpflanzt, so übt
eine zusammengedrückte Flüssigkeit auf ein doppelt so großes

Flächenstück einen doppelt so großen Druck aus wie auf das einfache Flächenstück, auf ein n mal so großes einen n mal so großen
Druck.

Die gleichmäßige Fortpflanzung des Drucks in Flüssigkeiten
ist das Prinzip der hydraulischen Presse (Fig. 23). Ein kleiner 5
Stempel (K) wird in eine allseitig abgeschlossene Wassermasse
hineingedrückt, gibt seinen Druck weiter und preßt einen großen
Stempel (K') langsam aber mit so viel mal so großer Kraft in die
Höhe,[15] wie die Druckfläche (der Querschnitt) des kleinen Stempels in der des großen ent- 10
halten ist. Ein Ventil (v)
am Zylinderraum des klei-
nen Stempels läßt beim
Heben des kleinen Stempels
Wasser in diesen Raum 15
eintreten, während gleichzeitig ein Ventil (v') im
Verbindungsrohr der bei-
den Zylinder durch den
Wasserdruck im großen 20
Zylinder angepreßt wird.
Beim Niederdrücken des
kleinen Stempels wird
das Ventil v angepreßt,
während sich das zweite 25
v' öffnet.

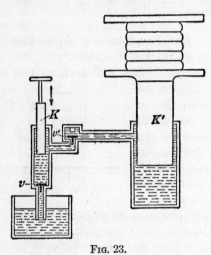

Fig. 23.

Anwendung finden solche Pressen zur Erzielung großer Drucke
in der Industrie: in Tuch- und Papierfabriken, zum Pressen von
Wollballen, zur Prüfung von Dampfkesseln und Stahlbomben für
komprimierte Gase. Halten solche Bomben infolge von Ma- 30
terialfehlern den Druck nicht aus, so erfolgt doch keine Explosion, weil das Druckwasser sich nur wenig auszudehnen braucht,
bis es auf normalen Druck kommt.

Boden- und Seitendruck von Flüssigkeiten. Der Druck einer
Flüssigkeit auf den Boden eines Gefäßes ist gleich dem Gewicht 35

[15] **in die Höhe** up(ward).

einer Flüssigkeitssäule, die den Boden zur Grundfläche und die
Höhe der Flüssigkeit zur Höhe hat. Der Druck ist von der Form
des Gefäßes unabhängig (Fig. 24):

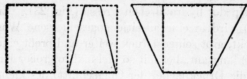

FIG. 24. Querschnitt der Gefäßform ――――, Querschnitt des den Bodendruck bestimmenden Flüssigkeitsvolumens -------.

Hydrostatisches Paradoxon. Das Paradoxe liegt darin, daß
5 scheinbar ein Druck von einer Flüssigkeit ausgeübt wird, die
nicht vorhanden ist. Es scheint sonderbar, daß auch an den
Teilen a b des Gefäßes in Fig. 25 derselbe
Druck herrschen soll wie daneben in der
Flüssigkeit. Wäre das klar, so würde
10 daraus folgen, daß an den Teilen c d der
Druck noch um das Gewicht der Wassersäule mit der Höhe h_2 größer sein muß als
an den Teilen a b, also gleich dem Druck
unter der Wasseroberfläche, etwa bei e.

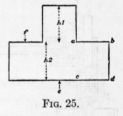

FIG. 25.

15 Daß die Stellen bei a und b jedoch ebenso stark gedrückt werden
wie die Teilchen in gleicher Höhe in der Flüssigkeit, folgt aus
folgendem Versuch: Macht man an einer Stelle f eine Öffnung, so
springt das Wasser (etwa) um die Höhe h_1 empor.

Der Seitendruck einer Flüssigkeit ist gleich dem Bodendruck in
20 derselben Tiefe. Der Seitendruck des Wassers bewirkt infolge
einseitiger Druckaufhebung die Bewegung des Segnerschen Was-
serrades in der der Öffnungsstelle entgegengesetzten Richtung
und die der Turbinen.

Strömendes Wasser treibt die oberschlächtigen, mittelschläch-
25 tigen und unterschlächtigen Wasserräder. Das Wasser fällt [16]
dabei ein oberhalb, in gleicher Höhe, bezw. unterhalb der Achse
des Rades.

[16] fällt . . . ein *falls.*

Das archimedische Prinzip. Ein unten durch eine Platte a b
lose verschließbarer Zylinder erfährt (Fig. 26), in eine Flüssigkeit
eingetaucht, von unten einen Aufdruck, der an allen Stellen so
groß ist wie das Gewicht der darüber stehenden Flüssigkeitssäule
zwischen a b und c d. Durch eine Öffnung in der Verschluß- 5
platte springt nämlich ein Flüssigkeitsstrahl (wegen des Luft-
widerstandes und der Reibung) fast bis zur Höhe des Wassers
außerhalb des Zylinders.

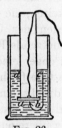

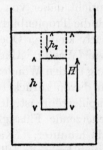

FIG. 26.   FIG. 27.

Ist ein Körper (Fig. 27) ins Wasser eingetaucht, so wirkt auf
seine Grundfläche ein Druck von der Höhe H nach oben,[17] auf 10
seine Deckfläche ein Druck von der Höhe h_1 nach unten. Der
Druck nach oben ist der Druck einer Flüssigkeitsmasse vom
Volumen qH, wenn q den Querschnitt des eingetauchten Körpers
bedeutet; nach unten wirkt der Druck der Flüssigkeit vom
Volumen qh_1. Wirksam bleibt also ein Auftrieb $qH - qh_1$ 15
$= q(H - h_1) = qh$, d. h. der Druck einer Wassermenge vom
Volumen des Körpers.

Archimedisches Prinzip: Ein Körper erfährt in einer Flüssigkeit einen so großen Auftrieb oder vorübergehenden Gewichtsverlust, wie das Gewicht der von ihm verdrängten Flüssigkeit 20
beträgt.

Ein Körper sinkt in einer Flüssigkeit unter, schwebt darin oder
schwimmt auf [18] der Flüssigkeit, je nachdem ein gleich großes

[17] **nach oben** *toward the top.*
[18] **schwebt darin oder schwimmt auf** *floats in or on.*

Volumen der Flüssigkeit leichter, ebenso schwer oder schwerer ist als der Körper.

Ein schwimmender Körper sinkt in einer Flüssigkeit so tief ein, bis das Gewicht der verdrängten Flüssigkeit seinem eigenen 5 Gewichte gleichkommt.

Oberflächenspannung und Kapillarität, Diffusion und Diosmose. Flüssigkeiten haben das Bestreben, ihre Oberfläche möglichst zu verkleinern. Man spricht daher von einer Oberflächenspannung und erklärt 10 dadurch die Tropfenbildung.   Die Kugel ist nämlich der Körper von relativ kleinster Oberfläche.   Flüssigkeiten, die Gefäßwände benetzen (Wasser, Alkohol), steigen wegen der Oberflächenspannung an den Wänden empor, nicht benetzende Flüssigkeiten weichen davon zurück (Quecksilber).   Je enger eine Haarröhre 15 oder Kapillarröhre ist, desto mehr zieht die Oberflächenspannung eine benetzende Flüssigkeit empor und drückt eine nicht benetzende hinunter.   (Kapillardepression des Quecksilbers.)

Diffusion heißt die selbsttätige Mischung übereinander lagernder Flüssigkeiten (z. B. Wasser und Alkohol, Lösungen und ihre 20 Lösungsmittel).

Diosmose heißt das Diffundieren oder Hindurchströmen durch poröse Scheidewände.

Verschiedene Flüssigkeiten diffundieren verschieden schnell [19] durch Scheidewände hindurch.   Die schneller diffundierende übt 25 dabei einen stärkeren Strömungsdruck auf die weniger schnell diffundierende aus, als sie erleidet.   Diese Druckdifferenz heißt osmotischer Druck.   Man erklärt sich die Osmose auch durch die Annahme eines von dem schwerer diffundierenden Stoff auf den anderen ausgeübten Zuges.   So ziehen gehaltreichere Lösungen 30 verschiedener Stoffe aus weniger gehaltreichen das Lösungsmittel an und die weniger gehaltreichen den gelösten Stoff.   (Saftsteigen der Pflanzen, Ernährung der Tiere und Pflanzen.)

Die Mechanik gasförmiger Körper

Gewicht der Luft und Luftdruck. 1 Liter oder 1 cdm Luft wiegt 1,293 g.   Wie alle schweren Körper, so übt auch die Luft

[19] **verschieden schnell** *at various speeds.*

auf ihre Unterlage einen Druck aus, den Luftdruck. Diesen
Druck weist nach **Torricellis Versuch**: Eine einseitig geschlossene,
etwa 1 m lange Röhre wird mit Quecksilber gefüllt, die Mündung
verschlossen, umgedreht und unter Quecksilber geöffnet. Das
Quecksilber fällt etwas, bleibt jedoch bei etwa 76 cm Erhebung   5
über dem unteren Quecksilberspiegel stehen. Also hält der Luftdruck einer Quecksilbersäule von 76 cm das Gleichgewicht.
Oberhalb des Quecksilbers in der Röhre ist ein luftleerer Raum.
Hat diese Quecksilbersäule einen Querschnitt von 1 qcm, so
beträgt ihr Volumen 76 ccm, ihr Gewicht also $76 \cdot 13{,}596$ g = 1033   10
g = 1,033 kg.

Die Luft hält durch ihr Gewicht einer Wassersäule von 10,33 m
das Gleichgewicht, übt also auf jedes Quadratzentimeter einen
Druck von 1,033 kg aus. Dieser Druck heißt der Druck einer
Atmosphäre oder kurz eine Atmosphäre.   15

Barometer. Zum Messen der Schwankungen des Luftdrucks,
die am Meeresspiegel zwischen 720 . . . 760 (normal) . . . 800
mm sich halten, dienen die Barometer. Torricellis Apparat ist
ein (allerdings schlecht transportables) Barometer. Eine häufige
Form stellt das Gefäßbarometer dar. Fehlerquellen sind die   20
Kapillardepression des Quecksilbers und die Veränderung des
Standes der Flüssigkeit im Gefäß, so daß eine doppelte Ablesung
oder eine Verschiebung der Skala nötig ist. Beide Fehler ver-
meidet man beim Heberbarometer, wo der Kapillardepression im
einen Schenkel eine genau gleich große im anderen Schenkel   25
gegenübersteht und eine unten angebrachte Schraube eine Einstellung des Nullpunktes der Skala auf die Kuppe im kurzen
Schenkel gestattet, so daß die Skalenangabe der Differenz der
beiden Säulen entspricht.

Eine häufig gebrauchte (billige) Form ist das "trockene" oder   30
Aneroidbarometer (Fig. 28), das aus einer luftleeren, gebogenen
Kapsel (K . . K) besteht, auf deren größere Außenfläche der Luft-
druck stärker einwirkt als auf die Innenfläche und daher ihre
Enden (A . . B) mehr oder minder zusammenneigt. Diese
Schwankungen werden durch ein Hebelwerk auf einen Zeiger   35
übertragen. Das Instrument muß durch Vergleich mit einem
Quecksilberbarometer ("empirisch") geeicht werden.

In den Wetterkarten werden Stellen hohen Luftdrucks oder barometrische Maxima mit "Hoch", Stellen geringeren Luftdrucks im Vergleich zur Umgebung oder barometrische Minima mit "Tief" bezeichnet. Die Stellen
5 gleichen Luftdrucks werden durch die Isobaren oder Linien gleichen Luftdrucks verbunden. Diese umkreisen also Hoch und Tief ähnlich wie die Schichtlinien auf der Erdkarte Senken
10 oder Kuppen. Wie Wasser vom Berg zum Tal fließt, so strömt die Luft vom Hoch zum Tief, und zwar infolge der Ablenkung durch die Erddrehung in einem spiraligen Wirbel.

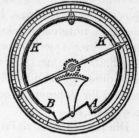

FIG. 28.

15 **Das Boyle-Mariottesche Gesetz (1670).** Steht ein in einen Zylinder eingeschlossenes Gasvolumen unter Atmosphärendruck (rund 1 kg auf das Quadratzentimeter) und verdoppelt man den Druck, indem etwa ein Kolben unter einem Druck von 2 kg auf das Quadratzentimeter in den Zylinder hineingepreßt wird, so
20 wird dadurch das Gas auf die Hälfte des Volumens zusammengepreßt, durch n kg auf den n-ten Teil. Dabei werden die Gasteilchen 2 bzw. n mal so dicht gelagert.[20] "Dem Druck eines Gases ist die Dichte direkt, das Volumen umgekehrt proportional" oder "Das Produkt aus Druck und Volumen einer Gas-
25 masse ist unveränderlich".

Zur Bestätigung dient der Versuch mit der Meldeschen Kapillare, einer einseitig geschlossenen etwa halb mit Luft, halb mit Quecksilber gefüllten engen Glasröhre. Die Röhre wird senkrecht einmal so gestellt, daß das Quecksilber und der äußere
30 Luftdruck die abgesperrte Luftsäule zusammendrücken, das andere Mal umgedreht, so daß sich die Quecksilbersäule an die abgesperrte Luft hängt und sie auseinanderzieht. Der Vergleich mit der Länge der eingeschlossenen Luftsäule bei waagerechter Lage, wo nur der äußere Luftdruck wirkt, bestätigt das Boyle-
35 Mariottesche Gesetz.

[20] **gelagert** *situated.*

DIE GEOLOGIE

DIE GEOLOGIE

Einleitung und Inhalt der Geologie

Die Geologie ist die Lehre vom Bau und der Entstehung des Erdkörpers, insbesondere der Erdkruste. Man teilt sie ein in: allgemeine Geologie und historische Geologie. Die allgemeine Geologie befaßt sich mit der Erforschung und Darstellung aller Vorgänge und Kräfte, welche in der Jetzt- und Vorzeit die 5 Veränderungen der Erde veranlaßt haben und immer noch veranlassen, sowie mit dem Aufbau [1] der Erdrinde nach Material (Gesteinskunde, Petrographie) und Großstruktur (tektonische Geologie). Die historische Geologie sucht aus der Zusammensetzung und dem Aufbau der Gesteine den geschichtlichen 10 Werdegang des Erdkörpers, vor allem der Erdrinde, zu erfassen (Paläogeographie), und mittels des Schichten- und Gesteinswechsels diesen Werdegang zeitlich genau zu gliedern (Stratigraphie, Schichtenlehre). Hierzu dienen vor allem die in den vorweltlichen Ablagerungen enthaltenen fossilen Organismen- 15 reste (Leitfossilienkunde, zum Teil Paläontologie).

Durch diese Aufgaben steht die Geologie in engstem Zusammenhang mit mehreren anderen Wissenschaften: Chemie (Bodenkunde), Geophysik, Mineralogie, Zoologie und Botanik.

Hier soll es sich nur um die Erläuterung des Stoffes und der 20 Forschungsmethoden der allgemeinen Geologie handeln; von den übrigen Zweigen der Geologie wird nur insoweit Notiz genommen, als es zum Verständnis der allgemeinen Geologie und ihres im System der Wissenschaften liegenden Zweckes notwendig ist.

Die Geologie hat ein rein wissenschaftlich-ideelles und ein 25 praktisches Ziel. Mit ihr gewinnen wir einen Einblick in das Walten der Naturkräfte, in den ewigen Wechsel der Erdoberfläche und ihrer Bewohner seit unendlich fernen Zeiten; zugleich aber

[1] **Aufbau** *formation.*

141

liefert sie uns auch die Mittel, um durch planmäßige Erforschung
des Bodens seine Nutzbarmachung für den Menschen auf best-
mögliche Weise zu erreichen (Bergbaukunde, Wassererschließung,
Steinbruchindustrie usw.). Eine bedeutende Rolle hat die
5 praktische Geologie auch im Weltkrieg gespielt (Kriegsgeologie),
wo sie bei den jahrelang fortgesetzten Erdarbeiten, sowie für die
Wassererschließung und Materialgewinnung, von größtem Nutzen
gewesen ist.

Wenn oben gesagt wurde, die Geologie befasse sich mit dem
10 geschichtlichen Werdegang des Erdkörpers, vor allem mit seiner
Kruste, so ist damit nicht gesagt, daß auch die Kräfte, welche die
Umwandlungen durch die Jahrmillionen herbeigeführt haben,
alle auf der Erde oder im Erdkörper selbst zu suchen seien. Es
war seit Lyell in der Geologie Forschungsgrundsatz geworden,
15 zunächst den Erscheinungen der Vorzeit und ihren im Aufbau der
Erdkruste nun vor uns liegenden Formen und Bildungen möglichst unter Anwendung der heute auf der Erde wirksamen Kräfte
beizukommen. Man nannte diesen Grundsatz "Aktualismus".
Beispielsweise sollte [2] die Auffaltung der Gebirge keiner anderen
20 Kraft zu danken sein als der allmählichen Kontraktion des Erdkörpers, den man sich im Innern als glutflüssig vorstellte, dem
man daher eine langsame Abkühlung zuschrieb, wodurch er im
Lauf der Zeiten schrumpfen und die Kruste sich einsenken oder in
Falten legen sollte. Auch die nachgewiesenen umfassenden
25 Klimawechsel im Lauf der erdgeschichtlichen Zeiten, die Polverlagerungen, Schichtbildungen u. a. sollten sich aus jetzt beobacht-
baren kleinen Vorgängen durch gewaltige Summierung im Lauf
langer Zeiträume erklären lassen.

Die höchst erfolgreiche geologische Forschung hat nach diesem
30 Prinzip zweifellos im letzten Jahrhundert viele Entdeckungen
gemacht; aber eben diese Erkenntnisse führten dazu, daß sie
jetzt in einem Wissensstadium sich findet, in dem die Auflösung
ihrer Probleme mit dem aktualistischen Prinzip nicht mehr
gelingen will.

[2] **sollte . . . zu danken sein** *was said to be due to.*

Der Erdkörper als Ganzes und sein frühester Zustand

Probleme der Entstehung

Nach den Erfahrungen der Astronomie am heutigen Sternhimmel stellen wir uns vor, daß die Erde, wie die anderen Planeten, einst als glühende Masse den sich verdichtenden Ursonnenkörper verließ (Kant-Laplacesche Theorie), der seinerseits wieder
aus einem staubförmigen, glühenden oder kalten Urnebel ent- 5
stand. Die nun zu einem selbständigen Planetenindividuum gewordene Erde kühlte sich dann soweit ab, daß sie eine zähflüssige,
allmählich erkaltende und fester werdende [3] Kruste bekam.

Die Kant-Laplacesche Theorie genügt aber heute nicht mehr
den Erkenntnissen, die man vom Kosmos gewonnen hat. Andere 10
Möglichkeiten der Stoffballungen und des Ursprungs unseres
Sonnensystems sind in den Kreis der Betrachtung gerückt. So
soll nach der Chamberlinschen Planetesimaltheorie die Erde aus
dem Zusammenschießen von größeren und kleineren Weltkörpern
entstanden und infolgedessen ihrem inneren Aufbau nach [4] ganz 15
anderer Art sein, als wenn man sie mit Kant-Laplace lediglich für
eine abgekühlte Glutmasse hält.

Ganz besonders hat [5] neuerdings die Welteislehre von sich reden
gemacht, sie ist aber noch so vom Streit der Meinungen umtobt,
daß man als Erdgeschichtsforscher ein bestimmteres Urteil kaum 20
wird abgeben wollen. Sie hat zwar die einheitliche, aus einem
Ursonnenkörper explosiv ausgeschossene Materieverdichtung des
gesamten Sonnensystems nicht geleugnet, nimmt aber an, daß
auch während der zeitlich noch erfaßbaren geologischen Zeiträume, in denen sich die jetzt sichtbare Erdrunde bildete, Welt- 25
körpermassen sich mit der Erde vereinigten, wodurch dieser nicht
nur immerfort neue Materialschichtungen hinzugefügt, sondern
auch Wassermassen zugeführt wurden; im Zusammenhang damit
werden auf höchst geistvolle Weise auch alle die Probleme der
Geologie geklärt, die wir vorhin für das aktualistische Prinzip als 30

---

[3] **fester werdende** *hardening.*
[4] **ihrem inneren Aufbau nach** *in respect to its interior formation.*
[5] **hat ... von sich reden gemacht** *has aroused comment.*

unlösbar bezeichneten; so etwa die Polverlagerungen, die gewaltigen Klimawechsel, die Gebirgsbildungen, die Überflutungen der Kontinente.

Damit ist zugleich die Geschichte der Geologie in eine neue
5 Epoche getreten. Sie begann am Ende des 18. Jahrh. damit, daß alle überzeugt waren von katastrophalen Einwirkungen, denen die Erde im Lauf ihrer Entwicklung zeitweise ausgesetzt gewesen sei. Durch die aktualistische Forschung hat man sich von dieser Voraussetzung ganz abdrängen lassen, bis man eben jetzt wieder er-
10 kennt, daß die großen erdgeschichtlichen Vorgänge ohne solche, uns derzeit unbekannte Einwirkungen von außen her [6] nicht erklärbar sind. Das hat den Boden geebnet, um nunmehr Theorien entstehen zu lassen, die mit vollem Bewußtsein wieder zu älteren, wenn auch nunmehr durch ein ungeheueres Tatsachen-
15 material weit besser fundierten Anschauungen zurückführen. Da wir aber eben erst im Werden solchen Gesinnungs- und Anschauungswandels stehen, so läßt sich vorläufig noch nicht übersehen, welcher Art etwa die künftigen Erklärungen der großen erdgeschichtlichen Probleme sein werden. Jedenfalls hat die Welteis-
20 lehre hier im Prinzip schon kraftvoll vorgearbeitet, wenn sie sich auch in ihrer bisherigen Form geologisch nicht halten läßt.

Der allgemeine Aufbau der Erdkugel

Die Anschauungen über den jetzigen Zustand des Erdinnern gehen noch sehr auseinander. Vielfach stellte man sich die Erde als eine von ihrem Urzustand her noch heute größtenteils glut-
25 flüssige Kugel vor, die unter einer verhältnismäßig dünnen Kruste zunächst eine zähflüssige Magmazone enthalte, aus der die Vulkane gespeist würden; noch weiter im Innern aber befänden sich die geschmolzenen Massen infolge des dort herrschenden ungeheuren Druckes in einem durch Zusammenpressung ultra-
30 plastischen Zustand, und im Innersten seien sie als über den kritischen Punkt erhitzte, zu einer Art Flüssigkeit verdichtete

---

[6] **von außen her** *from the outside.*

Gase zusammengepreßt—Zustände der Materie, für die wir an der Oberfläche kein Analogon haben.

Unter der Erdkruste darf man eine in verschiedenen Spannungszuständen befindliche Dehnungszone annehmen, der die feste Kruste als einsinkende Pressungsschale gegenübersteht. Das ist 5 von Bedeutung für die Erklärung des Vulkanismus, der Gebirgsbildung und der einfachen Hebungen und Senkungen der Kontinentalflächen, die, wenn auch nicht unmittelbar, so doch mittelbar auf denselben Ursachenkomplex zurückgehen.

Nun hat sich inzwischen von zwei Forschungsgebieten her 10 neues Licht über den Aufbau des Erdinnern verbreitet: durch die Erfahrungen, Berechnungen und Schlußfolgerungen der Erdbebenkunde (Seismologie), sowie durch die Schweremessungen über den kontinentalen und ozeanischen Gebieten. Die Arten der Wellenbewegung bei Erdbeben, sowie der Verbreitungsmodus 15 beim Durchgang der Wellen durch das Erdinnere haben den Schluß nahegelegt, daß unter einer verhältnismäßig dünnen Erdrinde von etwa 40 km Dicke und einem spez. Gewicht von 2,5 eine zähe, glutflüssige Magmazone von 1400 bis 1500 km Mächtigkeit liegt und daß diese ihrerseits einen festen Nickeleisenkern 20 vom spez. Gewicht etwa 11 umschließt.

Diese aus der Erdbebenkunde gewonnene Auffassung deckt sich mit den aus den Schweremessungen zu ziehenden Schlüssen. Danach besteht der Boden der Ozeane im allgemeinen aus einem spezifisch schwereren, dichteren Material als die Kontinental- 25 schollen und die Inseln. Das erstere entspräche dem plastischen, nur unmittelbar unter dem Ozeanwasser vielleicht etwas verhärteten Material der Magmazone; das letztere dem, was wir als feste (kontinentale) Erdrinde kennen. Die Schweremessungen haben ferner ergeben, daß die Erdrinde überall im Gleichgewicht 30 ist oder wenigstens nach dem Gleichgewichtszustand strebt, wo sie es vorübergehend nicht ist. Das hinwiederum läßt sich nur vorstellen unter der Annahme, daß die leichteren Kontinentalschollen nicht nur auf jener Magmazone aufliegen, sondern auf ihr "schwimmen", d. h. bis zu einer gewissen Tiefe in sie noch einge- 35 taucht und darin schwach beweglich sind. Dies deckt sich wieder mit gewissen Forderungen der Erdbebenforschung, wonach eine bestimmte Wellenart sich längs der Erdkruste nur fortpflanzen kann unter der Voraussetzung, daß diese auf einer zähflüssigen Unterlage "schwimmt".

5 Wann und wie sich diese Unterschiede herausgebildet haben, und ob heute noch aus der Magmazone leichteres kontinentales Krustenmaterial abgeschieden wird, wissen wir nicht. Keinesfalls aber existiert auf unseren Festländern noch etwas von der ersten Erstarrungskruste des Erdkörpers. Keines unserer Ge
10 birge, kein Felsgestein, das uns in den tiefsten Gründen unserer Bergwerke entgegentritt oder das wir im tiefsten Bohrloch (2400 m) erreichen, hat irgendwie noch etwas mit jener frühesten Rinde des eben erkalteten Planeten zu tun. Was man früher "Urgestein" nannte, ist demgegenüber ein geologisch ganz jungzeitliches
15 Produkt. Die älteste Kruste ist im Laufe der nach Jahrmillionen zählenden [7] Erdgeschichte längst aufgearbeitet worden, ihr Material hat die mannigfaltigsten Umsetzungen erfahren. Was wir von Felsgesteinen, einerlei wo, die feste Erdkruste zusammensetzen sehen, das sind alles Massen, deren Entstehung in irgendein
20 erdgeschichtliches Zeitalter fällt, das zwar viele Millionen Jahre hinter uns liegen mag, das aber seinerseits dennoch zeitlich viel näher an unsere Menschheitsjahrtausende herangerückt ist, als an jene Zeit der Entstehung einer ersten Erstarrungskruste.

Zwischen dieser, für die Geologie theoretisch ältesten Zeit einer
25 seits, welche mangels entsprechender Gesteinsablagerungen der unmittelbaren Erforschung unzugänglich bleibt, und der geologischen Jetztzeit andererseits, liegen jene andauernden Umwandlungsprozesse der Erdoberfläche, die schließlich zu ihrem heutigen Zustand führten, zu der heutigen Verteilung von
30 Wasser und Land, zu den heutigen Oberflächenformen, Gesteinsformationen und Gesteinslagerungen. Noch mehr: auch die Lebewesen müssen sich in diesem langen Zeitraum aus unbekannten Anfängen herausgebildet und die vielen Stadien ihres Werdens durchlaufen haben, in denen sie uns andeutungsweise als Ver
35 steinerungen (Fossilien) in den Erdschichten überliefert sind.

[7] **nach Jahrmillionen zählenden** *which is counted in millions of years.*

So erscheint uns die Erdkruste und ihre Oberfläche mit allem, was auf ihr vorhanden ist und war, als etwas stets Wechselndes. Sache der Geologie ist es, diese Erdgeschichte zu schreiben, indem sie die Art und Weise erforscht und die Umstände und Kräfte ermittelt, unter denen sich diese Geschichte vollziehen konnte 5 und noch immer vollzieht.

Das Material der Erdkruste

Die Hauptgesteinsarten und ihre Einteilung

Wir sehen ab von der Erörterung des im vorigen Abschnitt betonten wahrscheinlichen Unterschiedes zwischen dem dichteren Material unter den Ozeanen und dem spezifisch leichteren der Kontinente. Nur von letzterem soll die Rede sein.[8] 10

Wo [9] wir hinblicken, sehen wir die Erdkruste zusammengesetzt aus losen oder festen, aus verschiedenen Mineralstoffen zusammengemischten Materialien, wie Humus, Sand, Geröll, Ton, Kalkstein, Sandstein, Mergel, Schiefer, Granit, Basalt, Porphyr usw. Diese Gesteinsarten treten in kürzerer oder längerer 15 Horizontal- und Vertikalerstreckung auf, sind massig, gebankt, geschichtet, geschiefert oder zerklüftet; bald stoßen sie mit scharfer Grenze aneinander ab, bald gehen sie unmerklich nach den Seiten oder nach oben ineinander über. Sie sind entweder normal übereinandergelagert, linsenförmig ineinander eingelagert 20 oder sich stockförmig durchsetzend, oder sie sind horizontal gelagert, geneigt, aufgerichtet, gebogen und gefaltet—kurz, nach Material und Form denkbar verschieden.

Alles das, was die Erdkruste zusammensetzen hilft, sei es lose, wie Sand und Geröllkies, oder fest, wie Granit und Marmor, 25 nennt der Geologe ein Gestein. Wenn bei Torf und Kohle die organischen Stoffe (Pflanzen) weitaus vorherrschen, oder bei Ansammlungen von jetztweltlichen und vorweltlichen Muschelschalen oder Korallenbauten das tierisch-organogene Material fast rein als solches auftritt, so nennen wir auch dies ein Gestein, 30

[8] soll die Rede sein *shall we speak.*
[9] Wo *Wherever.*

im Gegensatz zum Mineral, das ein chemisch und meist auch physikalisch einheitlicher Körper (Kristall) ist und sich dadurch von dem zusammengeschmolzenen vulkanischen und dem zusammengeschwemmten oder zusammengewürfelten, verbackenen
5 oder losen Gestein unterscheidet. Freilich sind die Mineralien in diesem enthalten, sei es infolge Auskristallisierung aus dem Schmelzfluß oder Infiltration auf feuchtem Weg, Inhalation durch Dämpfe oder Ausscheidung in gewöhnlicher Temperatur beim Festwerden der Absatzgesteine.

10 Die zu rund 40 km Dicke anzunehmende feste kontinentale Rinde besteht zum allergrößten Teil aus einem eigenartigen, sog. kristallinischen Gesteinstypus, den wir mit einem Sammelbegriff als Gneis bezeichnen wollen.

Der Gneis im weitesten Sinne ist, ähnlich wie der Granit und
15 andere verwandte Gesteine, eine Mischung von Quarz, Feldspat und Glimmer mit gelegentlicher Beimischung auch anderer Mineralien, wodurch vielerlei Varietäten und weitere Arten des "Urgesteins" entstehen (Hornblendeschiefer, Chloritschiefer, Tonschiefer-Phyllit). Das sind jene Gesteine, welchen im all-
20 gemeinen das spez. Gewicht 2,5 zukommt, wodurch nach Übereinstimmung aller diesbezüglichen Untersuchungen die uns bekannte Erdkruste sich vor der schwereren Innenzone auszeichnet.

Die kristallinen Gesteine der Gneisreihe sind keine ursprünglichen, sondern umgewandelte (metamorphosierte) Gesteine, im
25 Gegensatz zu fast allen übrigen uns bekannten Materialien der Erdrinde. Während Granite, Porphyre, Basalte u. a. vulkanischen Ursprungs sind und ihre bei der erstmaligen Erstarrung (Erstarrungsgesteine) gewonnene Struktur unverändert beibehalten haben, während Kalke, Sandsteine, Tone u. dgl. im Wasser
30 abgelagerte und dann unter unwesentlichen Umänderungen meistens erhärtete Gesteine (Sedimentgesteine) sind, sind die kristallinen Gesteine aus diesen beiden Grundtypen hervorgegangen und bis zu einem solchen Grad verändert worden, daß man vielfach gar nicht weiß, ob sie vulkanischen oder sedimen-
35 tären Ursprungs sind.

Diese kristallinen Gneismassen bilden nun überall die Unterlage der Sedimentgesteine, während die vulkanischen meistens beide durchsetzen und sich wohl auch zwischen ihnen lagerförmig ausbreiten. Wo die meist geschichteten Sedimentgesteine (Schichtgesteine) zwischen kristallinischen liegen und mit ihnen 5 verkeilt und verfaltet oder selbst stellenweise kristallin geworden sind, handelt es sich entweder um nachträgliche, verschieden starke Umwandlung der Schichtgesteine selbst oder um spätere, nach Absetzung derselben eingetretene gewaltsame Verfaltung, nie um einen ursprünglichen Zustand. 10

Gegenüber der alles unterlagernden Masse des gneisartigen "Urgesteins" bildet die Reihe der jüngeren vulkanischen Erguß- und die der Schichtgesteine nur eine verhältnismäßig dünne Auflage von wechselnder Mächtigkeit. An manchen Stellen ist diese Auflage nie über das Kristallin gedeckt gewesen oder, wenn 15 doch,[10] dann wieder abgetragen worden. Dadurch treten die älteren Kristallingesteine frei zutage, wie in Kanada, Finnland, Skandinavien, Grönland, südliches Ostsibirien, mittleres und südliches Afrika, Indien, Westaustralien, nördliches und westliches Südamerika, während kleinere Komplexe allenthalben, 20 auch bei uns in Deutschland, anzutreffen sind, besonders in den alten Rumpfgebirgen (Schwarzwald, Vogesen, Bayrisch-böhmisches und Fichtelgebirge, Riesengebirge). Doch ist es wahrscheinlich, daß die letztgenannten kristallinen Massen jüngeren Alters sind als die ersteren. 25

Die Einteilung der Gesteine in ihre Hauptgruppen erfolgt, wie das Vorhergehende schon gezeigt hat, nicht nach ihrer stofflichen Zusammensetzung, sondern richtet sich nach dem Mechanismus und dem Ort ihrer Entstehung, wie es dem historisch-genetischen Charakter der geologischen Forschung überhaupt entspricht. 30 Erst die speziellste Einteilung innerhalb der genetischen Gruppen und Untergruppen beruht dann auf dem Charakter des Materials.

Alle Gesteine und Gesteinsmaterialien sind einerseits unmittelbar Verwitterungsprodukte oder wieder umgewandelte Verwitterungsprodukte aus früheren festen und weichen Gesteinen, 35

[10] **wenn doch** *even if it has.*

andererseits sind sie selbst steter Verwitterung ausgesetzt. Als
Verwitterungsprodukte gibt es eine Unmenge Gesteinsarten, die
in den Hauptgruppen nicht mit einbegriffen sind, wie Schutt,
Ackererde (Humus), Lehm, Porzellanerde, in gewissem Sinn auch
5 Torf.

Im Vorübergehen wurde [11] oben schon auf den geologischen
Altersunterschied zwischen kristallinen und sedimentären Gesteinen angespielt. Es ist ein bei Nichtfachleuten weitver-
breiteter Irrtum, geologische Altersbezeichnungen wie "Buntsand-
10 stein", "Kreide", "Muschelkalk" u. a. für Gesteinsmaterialbe-
zeichnungen anzusehen, ein Irrtum, der auf einer Verwechslung
von folgenden beiden Umständen beruht: Jedes geologische
Produkt, sei es eine Geländeform, also ein Gebirge, ein Flußtal u.
dgl., oder ein Gestein bzw. eine Gesteinsfolge, ist das Resultat
15 eines zeitlich mehr oder minder ausgedehnten Prozesses. Es ist
also nicht nur durch seinen Stoff und seine Form schlechthin bestimmt, sondern muß auch in seinem Zeitverhältnis zu anderen
Entstehungsprodukten erfaßt werden. Wir haben es eben überall mit geschichtlich Gewordenem,[12] stets Veränderlichem, nicht
20 mit ein für allemal Feststehendem zu tun. Die geologische
Wissenschaft ist [13] allmählich und mühsam durch viele Irrtümer
hindurch in den Köpfen der Menschen erst geworden. So kam
es, daß man anfänglich den Material- und Zeitbegriff nicht scharf
auseinanderzuhalten wußte [14] und der Meinung war, daß jedes
25 geologische Zeitalter auch nur durch eine ganz bestimmte Gesteinsbildung ausgezeichnet gewesen und heute in der Erdkruste
noch so vertreten sei. Damals entstanden Ausdrücke wie
"Urgestein", "Übergangsgestein", "Kreide", "Muschelkalk"
usw., beide Bedeutungen, die stoffliche und die zeitliche, in sich
30 vereinigend, bis man späterhin einsah, daß in allen möglichen
Zeitaltern Urgesteine, Muschelkalke u. dgl. gebildet wurden,

---

[11] **wurde . . . angespielt** *allusion was made.*

[12] **geschichtlich Gewordenem** *that which has come about historically.*

[13] **ist . . . erst geworden** *has only come into being.*

[14] **nicht scharf auseinanderzuhalten wußte** *did not know how to differentiate sharply between.*

genau wie sich heute noch an den verschiedenen Stellen der Erde
alle möglichen Materialien absetzen oder durch Vulkane austreten. Unterdessen waren aber diese Namen für bestimmte
Zeitalter schon in der Literatur festgelegt, und da es—will man
nicht die heilloseste Verwirrung anrichten—unmöglich ist, doppel- 5
sinnige Begriffe in der Wissenschaft zu verwenden, so beließ man
den Zeitaltern diese ihre Namen und unterschied von da ab scharf
zwischen Material- und Zeitbenennung, zumal man inzwischen
auch eingesehen hatte, daß die Mannigfaltigkeit aller Gesteine
zu groß ist, als daß [15] man mit den paar unbestimmten Namen und 10
Begriffen auf die Dauer ausgekommen wäre.

So muß es von vornherein ein Hauptgrundsatz für den mit
Geologie sich Beschäftigenden sein, jeweils bei einer Gesteinsformation wohl zu unterscheiden zwischen Form, Material und
Zeitäquivalent, und in der Anwendung der Namen niemals das 15
eine mit dem anderen zu vermischen. Kennt jemand den
schwäbischen Jura mit seinen hellgelben, geschichteten Kalk-
mauern und kommt er in eine fremde Gegend, wo ihm gleichartige
Gesteine und Gesteinsformen entgegentreten, so wäre es grundfalsch von ihm, diese nun als "Jurakalk" zu bezeichnen, solange 20
nicht irgendwie festgestellt ist, daß sie das gleiche geologische
Alter wie jene schwäbischen Felsgesteine haben.

Lagerungsart und Absonderungsform der Gesteine

Sedimentgesteine

Die typische Lagerungsart der Sedimentgesteine ist die Schichtung und Bankung, woher sie auch Schichtgesteine heißen. Sie
rührt vornehmlich von der Absetzung im Meer, seltener aus Seen 25
und Flüssen her und beruht auf einem ziemlich regelmäßigen
Wechsel des Ablagerungsmaterials, indem z. B. Ton und Kalk-
lagen übereinander regelmäßig wiederkehren, oder indem zwischen
nur gleichartigen Bänken eine Unterbrechung, eine Schichtfuge
liegt. Auch vulkanische Gesteine können eine Schichtung 30

[15] als daß man . . . ausgekommen wäre *for one to have got along.*

haben, doch wird diese, solange nicht das Wasser mit im Spiel [16]
war, von Natur aus [17] nie sehr regelmäßig und anhaltend sein;
sie geht auf andere Ursachen zurück. Sind Sedimentgesteine
nicht gebankt, so bezeichnet man sie als "massig" oder "klotzig".

5   Mit jener primären Schichtung nicht zu verwechseln [18] ist die
Schieferung, sekundär hervorgerufen durch späteren Gebirgs-
druck, dem alle Gesteine unterliegen können. Die Schieferung
verläuft stets rechtwinklig zu dem erzeugenden Gebirgsdruck und
kann die Schichtung quer durchsetzen oder mit ihr parallel
10 laufen. Dünngeschichtete Sedimentärgesteine können daher wie
geschiefert aussehen, die Verwendung des Namens "Schiefer"
(z. B. für die lithographischen Plattenkalke des fränkischen Jura)
ist also strenggenommen unstatthaft.

Die einfachste, ursprüngliche Lagerungsart der Sedimentge-
15 steine ist die horizontale; die Schichten liegen normal oder söhlig.
Sind sie einseitig gesenkt,
ohne daß die Tafeln zer-
brochen sind, dann liegen sie
geneigt; wenn sie um 90°
20 gegen die ursprüngliche horizontale Lagerung aufrecht
stehen, sind sie seiger. Die
Richtung ihrer Neigung heißt

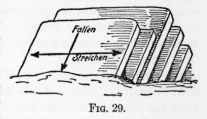

FIG. 29.

das Einfallen oder Fallen, die rechtwinklig dazu verlaufende
25 Richtung das Streichen.

Das erstere wird mit dem Senkel unter Angabe des Neigungs-
winkels gemessen; das Streichen mittels des bergmännischen
Kompasses unter Angabe des Betrages von Winkelgraden, um
den die Streichrichtung von der Nordsüdlinie abweicht.

30 Ist die bei der ursprünglichen Ablagerung zustande gekommene
Schichtung aus irgendeinem Grunde in dem Sinn [19] unregelmäßig,
daß rasch aufeinanderfolgend die einzelnen Schichtungsrichtungen

[16] mit im Spiel *also instrumental.*
[17] von Natur aus *by its very nature.*
[18] nicht zu verwechseln *not to be confused.*
[19] in dem Sinn . . . daß *in the sense that.*

sich unter mehr oder minder spitzen Winkeln schneiden, so
spricht man von Kreuzschichtung, die, im Gegensatz zu den
Ablagerungen der freien Flach- und Tiefsee, besonders bei
Delta- und äolischen Bildungen vorherrscht.

Stellt sich bei der genaueren Untersuchung einer dem äußeren 5
Ansehen nach einheitlichen und in regelmäßiger Schichtenfolge
sich präsentierenden Gesteinsmasse heraus, daß trotzdem darin
geologische Zeitglieder (Zeitstufen) fehlen, daß aber die Unstetigkeitsfläche an der betr. Stelle nicht den Charakter einer groben
Diskordanzfläche, sondern mehr einer Schichtfuge hat, so spricht 10
man von Unkonformität.

Das kann sich auch im kleinen [20] oftmals wiederholen, und dann
ist in jedem Einzelfalle zwischen Schichtfuge und Unkonformitätsfläche klar zu unterscheiden. Man erkennt die letztere
meist an den auf echten Schichtflächen nie vorhandenen Merk- 15
malen der Verwitterung oder der Ansiedlung von Meerestieren,
die eine vorhergehende Erhärtung der unterlagernden Bank zur
Voraussetzung haben (Austern, Bohrmuscheln), Geröllbildung
über der Fläche u. dgl.

Wird die vorhergehende Schichtlage jedoch vor Absetzung der 20
neuen nur um ein weniges durch Bodenbewegung abgelenkt, so
entsteht, ohne daß es jedoch zu einer ausgesprochenen, an Ort
und Stelle [21] bemerkbaren Diskordanz kommt, eine Diskonformität. Einzelne Gesteinslagen keilen dabei auf größere Entfernung
langsam aus, genau wie im kleinen bei der schon erwähnten 25
Kreuzschichtung, nur mit dem Unterschied, daß diese nicht durch
Bodenbewegung, sondern durch wechselnde Richtung der
Materialzufuhr bei der Ablagerung bedingt ist. Man muß auch
bei diesen Erscheinungen und ihrer Bezeichnung durchaus ent-
wicklungsgeschichtlich denken. 30

Kein Gestein bleibt auf größere Entfernung hin gleichartig,
weder in seiner Lagerungsart, noch in seiner stofflichen Zusammensetzung. Dies gilt sowohl in horizontaler wie in vertikaler
Richtung. Man nennt diese Änderung Fazieswechsel. Im

---

[20] im kleinen *on a small scale.*
[21] an Ort und Stelle *immediately, right on the spot.*

Grunde ist jeder regelmäßige Schichtungswechsel ein Fazieswechsel, weshalb jener Begriff ausdrücklich auf die einmalige und
sozusagen dauernde Abänderung angewendet wird. Wenn die
Fazies mehr oder minder spitz auslaufen, dann nennt man das
5 auskeilen.

Wie [22] sich bei einigem Nachdenken von selbst versteht, kann
kein marines Absatzgestein, das wir heute auf unseren Festländern antreffen, noch in derselben relativen Höhe liegen, wie
zur Zeit seiner Entstehung in einem vorweltlichen Meer. Es ist
10 vielfach in Laienkreisen die Auffassung verbreitet, als ob die
irgendwo vorhandenen Sedimentgesteine der ehemals Meeresboden bildenden Landschaft aufgeschüttet seien; es wird nicht
verstanden, daß die Landschaft, wie sie sich heute unserem Auge
darbietet, lediglich aus einer ehemals geschlossen [23] aus dem
15 Meere herausgehobenen, dann erst im Laufe längerer Zeiträume
durch Verwitterung, Wasserkreislauf und Bodenbewegungen
(tektonische Verschiebungen) zu ihrer derzeitigen Oberflächenform herausmodellierten Gesteinsmasse selbst besteht—soweit sie
natürlich nicht aus vulkanischen oder äolischen oder fluviatilen
20 jungen Aufschüttungen besteht. Es sind daher so gut wie alle [24]
Sedimentärgesteine gegen den Ort ihrer Entstehung sowohl im
ganzen verlagert, wie auch im einzelnen häufig "gestört".

Vulkanische Gesteine

Gemäß ihrer anderen Entstehungsweise ist auch die Lagerungsart der vulkanischen Produkte von jener der Sedimentärgesteine
25 ganz verschieden. Sie ist meistens viel unregelmäßiger, am
ehesten [25] der fortgesetzt diskordanten Überlagerung und Kreuzschichtung jener zu vergleichen.

Die vulkanischen Ausbrüche fördern im allgemeinen dreierlei
Material zutage: schmelzflüssige Lava, Gesteinstrümmer größeren

[22] Wie sich . . . von selbst versteht *As is self-evident.*
[23] geschlossen *compact.*
[24] so gut wie alle *practically all.*
[25] am ehesten . . . zu vergleichen *more than anything else to be compared
with.*

(Bomben) und kleineren (Lapilli) Durchmessers, und Asche.
Alles das schichtet sich wie zufällig übereinander oder durchsetzt
sich gegenseitig, und nur, wenn die eine Art der Materialförderung
ganz oder nahezu ganz vorherrscht, entstehen mehr einheitlich
aufgebaute Gesteinslagen.   5

Es gibt zwei Arten des Austritts vulkanischen Materials aus
dem Erdinnern: die explosive und die ruhig ausfließende. Bei der
explosiven kommen alle drei Formen der Materialförderung vor
und bauen einen bald breiteren, bald spitzeren Kegelberg auf, der
über einem meist unvulkanischen Grundgebirge aufsitzt, das von 10
einem Spalt oder einer Verwerfung durchsetzt ist, worin die
Glutmasse aufsteigt. Selten steht ein Vulkan ganz allein, vielmehr bringt es [26] seine Lage auf einer Verwerfung oder einem
Spaltennetz mit sich, daß an vielen Stellen die Lava heraufdringt,
wodurch die Vulkane reihenförmig oder in Gruppen beisammen- 15
stehen. Dadurch bauen sich im Laufe der Zeit auch ganze
vulkanische Höhenzüge und Gebirge auf (Siebengebirge, Euganeen), die entweder frei aus einem ebenen Land hervorwachsen
oder ein Gebirge nichtvulkanischen Ursprungs durchsetzen und
ganz oder teilweise überschütten. Stets bewirkt dies eine unre- 20
gelmäßige Lagerung. Bei der anderen Art von Austreten,
nämlich dem ruhigen Ausquellen des Magmas, entstehen je nach
der ursprünglichen Geländeform flach ausgebreitete, horizontal
liegende oder geneigte Decken (Island, Samoa), von geringer oder
bedeutender Ausdehnung und Mächtigkeit. Stets sind es 25
Spalten, denen auf solche Weise das vulkanische Schmelzmaterial
entquillt. Zuweilen haben in der Erdgeschichte diese Ausflüsse
ungeheure Dimensionen angenommen; so zur Tertiärzeit in
Indien und dem westlichen Nordamerika, wo Flächen wie
Deutschland mit einer mächtigen Basaltmasse überschwemmt 30
wurden, die sodann als Decke ältere Gesteine überlagerte und
selbst teilweise wieder von jüngeren überlagert worden ist. Ein
Mittelding zwischen dem explosiven und dem stromförmig-
flüssigen Austreten führt zur Bildung von Quellkuppen, wobei das
zähe Magma ähnlich der Ölfarbe aus einer Tube austritt und sich 35

[26] **bringt es . . . mit sich** *brings it about.*

unmittelbar an der Austrittsstelle kuppenförmig aufhäuft, indem
sich immer neue Masse nachschiebt, die vorherige verdrängt und
sich über sie hinüberschiebt.

Die aus einem Vulkan austretenden Lavaströme nehmen beim
5 Erkalten stets eine unregelmäßige Oberflächenform an. Bald
sehen sie aus wie bedeckt mit erstarrten Wülsten zähen Teiges,
bald haben sie eine wirre krause, zackige Oberfläche. Je nachdem
beim Erkalten sich viele oder keine Gase von innen heraus abschei-
den, wird die Lava porös und durchlöchert oder dicht und ge-
10 schlossen erscheinen. Der Bimsstein z. B. ist ein an sich sehr
hartes, festes Glas, das aber so durch und durch mit Gasporen
übersät ist, daß es brüchig und lose erscheint.

Da die zu Tuff erhärteten vulkanischen Aschen, die nichts
anderes als explosiv zerstäubte und zerspritzte Laven sind, sehr
15 rasch der Verwitterung und Abtragung durch die Atmosphärilien
unterliegen, findet man von den früheren, vorweltlichen Vulkanen
vielfach nur noch die im gewachsenen Grundgebirge steckenden
erhärteten Magmamassen in den Gängen, durch die sie ehedem
emporquollen. In der weiteren Umgebung dieser Gänge liegende
20 Reste von Aufschüttungsmassen sind dann oft sehr schwer auf den
Ort ihrer Herkunft zu beziehen. Ist ein alter Vulkan auf die
bezeichnete Weise abgetragen und sind die Auftriebskanäle frei-
gelegt, dann erscheinen diese aber nicht nur als Stöcke oder Gänge
in dem ehemals von ihnen durchdrungenen Gestein, sondern
25 ragen, weil sie gewöhnlich härter als dieses sind und der Zerstörung länger Widerstand leisten, als Kuppen und "Berge"
über die jetzige Landoberfläche hervor. Das Hegau bietet
genügend Beispiele dafür. Man nennt diese Stöcke Lakkolithe.

Nicht immer gelingt es den vulkanischen Massen, bis an die
30 Oberfläche vorzustoßen. Viele Abzweigungen verlieren sich beim
Aufdringen in den Klüften und Schichtfugen des durchsetzten
Gesteins, erstarren dort und bilden auf diese Weise nicht nur
quer durchstreichende Ganggesteine und Stöcke, sondern können
auch auf größere oder geringere Strecken hin [27] wie normal ein-
35 gelagerte Schichtglieder mitten in einem Sedimentärgestein er-

[27] **auf größere oder geringere Strecken hin** *for greater or lesser distances.*

scheinen. Tritt aber das vulkanische Material im Meere selbst
aus oder gerät die auf dem Lande ausgestoßene Lava und Asche
sofort ins Meer, dann wird dieses Material vielfach regelrecht
sedimentiert und kann dann als Sediment angesprochen werden.

Es ist meistens nicht schwer, in der Natur zu entscheiden, ob 5
ein solches Vorkommen auf die eine oder die andere Weise entstanden ist. Denn wenn die Zwischenlagerung durch Eindringen
der Glutflußmasse in die Schichtfugen entstanden ist, dann hat die
Hitze das angrenzende Sedimentärgestein umgewandelt (Kontaktmetamorphose). Diese Umwandlung äußert sich in Rö- 10
stungs- und Schmelzungserscheinungen, Neuausscheidung von
Mineralien im ursprünglichen Gestein, in der Umwandlung des
gewöhnlichen Kalkes in grauen oder weißen kristallinischen
Marmor, benachbarter Kohlenlager in Anthrazit usw. Ist dagegen das eingelagerte vulkanische Material schon ursprünglich 15
sedimentiert, dann fehlen natürlich alle diese Erscheinungen, und
zudem enthält der "Tuff" auch meistens versteinerte Tier- und
Pflanzenreste, was bei einem primären Erstarrungsgestein unmöglich ist.

Abgesehen von der unregelmäßigen Übereinanderschichtung 20
ungleichartiger Eruptivgesteine, wie sie oben geschildert wurde,
erfahren viele Massengesteine auch eine innere Absonderung,
wie man sie auch an den geschmolzenen und wieder erkalteten
Hochofenschlacken beobachten kann. Bekannt ist die sechskan-
tige, säulenförmige Absonderung des Basaltes, dem eine ähnliche, 25
wenn auch bei weitem nicht so regelmäßige des Porphyrs entspricht, während der Granit gern kugelige Absonderungsformen
annimmt.

Die Vulkangesteine werden natürlich ebenso gestört, gefaltet,
überfaltet und überschoben, wie die Sedimentärgesteine. Da sie 30
schon von vornherein meist recht unregelmäßig diese durchsetzen, so läßt sich leicht denken, zu welch verwickelten, für den
Forscher oft gar nicht zu enträtselnden Lagerungsverhältnissen
die nachträglich gemeinsame Verfaltung und Störung solcher Vorkommen führt. 35

Entstehung einiger wichtiger Bodenschätze

Der Boden birgt in Form gewisser organogener Gesteine, wie Torf, Kohlen, Harze, Asphalt, Petroleum, Erze und Salz, für den Menschen höchst wichtige Schätze, deren Bedeutung und Allgemeininteresse es nicht unzweckmäßig erscheinen läßt, sie in
5 einem populär gehaltenen Geologiebuch wie dem vorliegenden nach diesem Gesichtspunkt zusammenzufassen und ihre Lagerungsart, Entstehung und Gewinnung in einem geschlossenen Kapitel darzulegen, statt sie in rein wissenschaftlichem Sinn an verschiedenen Stellen getrennt zu behandeln.

Kohlen, Harze und Öle

10 Diese unter dem Begriff brennbare Minerale zusammengefaßten "Gesteine" sind sämtlich organogener Entstehung.

Unter den Kohlen unterscheiden wir im allgemeinen vier Abarten oder Grade: Torf mit 60%, Braunkohle mit 70%, Steinkohle mit 90% und Anthrazit mit 95% Kohlenstoff. Im
15 Torf und in der Braunkohle können wir die pflanzliche und Holzstruktur noch nachweisen, in der Steinkohle nur in seltenen Fällen, meist gar nicht, und im Anthrazit überhaupt nicht mehr. Es bedeutet also der größere Gehalt an reinem Kohlenstoff eine um so größere Umwandlung gegenüber dem ursprünglichen Ab-
20 lagerungszustand.

Die Torfmoore und die Sumpfwälder geben uns einen Anhaltspunkt für den Charakter der urzeitlichen Wälder, in denen die für unsere Kultur so wichtigen Kohlen entstanden sind. Zunächst die Braunkohlen, die ja in Deutschland ziemlich reichlich ver-
25 breitet sind und allergrößtenteils aus der Tertiärzeit stammen. In der Niederlausitz werden solche Braunkohlen im Tagebau abgebaut. Oft findet man noch im unteren Teil der Lager die verkohlten, aber noch eingewurzelten, aufrecht stehenden Baumstümpfe. Entsprechend dem ehemaligen Stand des Wasser-
30 spiegels in jenen tertiären Sumpfwäldern sind die Bäume erst von einer gewissen Höhe an verfault; nur was von Holz im Wasser stand oder ins Wasser fiel, verkohlte. Die mikroskopische

Untersuchung des Braunkohlenholzes im Dünnschliff ergab die Gattungszugehörigkeit zu jener Sumpfzypresse, welche einen Hauptbestandteil der amerikanischen Sumpfwälder ausmacht.

Im Wesen ähnlich, wenn auch in ihrer Vegetation ganz fremdartig, waren jene die echten Steinkohlen produzierenden Sumpf- 5 wälder der Steinkohlenzeit im Paläozoikum. Das waren merkwürdige Baumbestände in Lagunen an flachen Küsten des Meeres: Bäume, die aussahen wie riesenhafte Schachtelhalme, Bärlappe und Farne. Auch diese Pflanzen verkohlten unter Wasser, doch von Zeit zu Zeit brach in Sturmfluten das nahe Meer herein und 10 breitete seinen Schlamm über die zuvor gebildete Kohlenschicht; danach gingen das Wachstum und der Verkohlungsprozeß wieder weiter, die Meereseinbrüche wiederholten sich—und so kommt es, daß die Steinkohlenlager aus vielen, bald dickeren, bald dünneren übereinandergelagerten, durch Tonschiefer (mit Meeresmuscheln) 15 getrennten Flözen und Flözchen bestehen. In den Tonschiefern aber haben sich wundervolle Reste der Steinkohlenpflanzen in Abdrücken und kohligen Belagen erhalten, während vielfach in den die Unterlage größerer Flöze bildenden Tonschiefern noch die Wurzeln der zum Teil noch aufrecht stehenden Baumstümpfe, 20 wie in gewissen Braunkohlenlagern, stecken. Die Steinkohlenmasse selbst aber hat, von Ausnahmefällen abgesehen, ihre Struktur verloren.

Steinkohlen- und Anthrazitlager sind auf der ganzen Welt verbreitet, insbesondere in Deutschland, England, Nordamerika und 25 China. Es gibt Kohlenlager auch in anderen Formationen als nur im Tertiär und Karbon, z. B. in der untersten Kreide von England; aber sie sind niemals so ergiebig wie jene. Während die meisten Kohlenvorkommen am ehemaligen Wachstumsort der sie zusammensetzenden Bäume und Pflanzen liegen (autochthone 30 Kohlen), gibt es auch einige Lager, die offenbar einer Zusammenschwemmung von fluviatilem oder marin verfrachtetem Treibholz ihre Entstehung verdanken, wofür wir ein Beispiel an den riesigen Treibholzansammlungen des Mississippi und an nordischen Meeresküsten haben. Nach Vollsaugen des Holzes mit Wasser 35 sinkt es unter und kann dann verkohlend unter Sedimenten begraben werden. Solche allochthonen Lager können natürlich niemals die Ausdehnung und Beständigkeit haben wie "gewachsene".

Zweifellos ist der reine Anthrazit aus Steinkohle hervorge-
5 gangen. Durch genügend anhaltenden und starken Gebirgs-druck, besonders unter Erwärmung bei einer tektonischen Tiefer-verlagerung der alten Kohlenflöze ist diese Umwandlung vor sich gegangen. So wurden die in die Alleghenies mit eingefalteten karbonischen Kohlenflöze in Anthrazit verwandelt, die gleichen
10 Lager außerhalb der Faltungszone aber blieben Steinkohle. Die Frage, ob unter den gleichen Umständen und bei gehörig vor-geschrittenem geologischen Alter auch aus der tertiären Braun-kohle später Steinkohle und Anthrazit werden könnte, muß jedoch verneint werden, weil die Tertiärbraunkohle aus harz-
15 haltigem Holz hervorging, das niemals den Grad der Umwand-lung zu reiner Kohle erreichen kann, wie die aus harzfreiem Holz entstandene paläozoische Kohle.

Außer der Kohle gibt es noch eine große Zahl Kohlenwasser-stoffe, die alle organogener Entstehung sind. Die wichtigsten
20 sind Petroleum und Asphalt. Petroleum kommt in allen mög-lichen klüftigen Gesteinen vor, in denen es meistens zusammen-gesickert ist, und zwar findet man es am häufigsten auf tekto-nischen Sätteln, weil in den Einmuldungen das Grundwasser steht, auf dem es schwimmt. Wenn es erbohrt ist, so strömt es
25 gewöhnlich unter Gasdruck aus, wie ja auch im kohlenwasser-stoffreichen Gelände natürliche Gasquellen vorkommen. Pe-troleum, Asphalt, Erdwachs, Erdgas gehören genetisch zusammen und sind alle aus Ansammlungen von ursprünglich schon öl-haltigen Süßwasser- oder Meerwassertieren und dem daraus
30 entstehenden Faulschlamm hervorgegangen, indem derartige Ablagerungen überdeckt und im Lauf der Erdgeschichte so tief verlagert wurden, daß die innere Wärme des Gesteins zu einem Destillationsprozeß geführt hat, aus dem diese teils mehr, teils weniger weit umgewandelten gasförmigen, flüssigen und zähen
35 Stoffe hervorgegangen sind. Auch die Nähe vulkanisch auf-dringender Massen kann durch Erhitzung der umliegenden Ge-

steine in einiger Tiefe dasselbe bewirken, doch darf das gelegent-
liche Auftreten solcher Kohlenwasserstoffe in vulkanischem
Gebiet nicht zu der Ansicht verleiten, als ob sie aus anorganischen
Prozessen (wasserzersetzte Metallkarbide) hervorgegangen wären.

Volkswirtschaftlich und geschichtlich eine große Rolle spielt 5
der Bernstein, ein erhärtetes fossiles Baumharz der Tertiärzeit,
das von großen harzreichen Waldbeständen im heutigen Ostseegebiet herrührt. Er ist von diesem Meer, vor allem an der sam-
ländischen Küste, aus einer tonigen Schicht ausgespült, in der er
selbst wieder als auf einer "sekundären Lagerstätte" zusammen- 10
geschwemmt liegt. Er wird gefischt, früher auch am Strande
aufgelesen und neuerdings durch Schachtung auf jene Schicht
hinunter vom Lande aus abgebaut.

VOCABULARY

VOCABULARY

The principal parts of strong (ablaut) and irregular verbs are given either in full or by indicating the vowel change. Irregularities which occur in the singular of the present tense are given in parenthesis. The principal parts of compound verbs are listed only when they have not already appeared under the simplex. Separable verbs are hyphenated.

The plurals of nouns are regularly given, with the exception of feminines ending in -e, -heit, -keit, -schaft, -ung, -ei, -ie, -tät, and -tion, which form their plurals by adding -(e)n. Those masculine and neuter nouns which form their genitive singular by adding -(e)s omit any indication of the genitive form; all others are listed in parenthesis, with the exception of feminine nouns, which retain the nominative form for all cases in the singular.

Ordinarily the present and past participles, as well as infinitives used as nouns, are not accorded a separate listing unless the verb occurs only in that form or unless the meaning could not readily be derived from the meaning listed under the basic verb form.

Although German frequently uses adjectives as adverbs, the vocabulary lists merely the adjectival English form.

Ordinary da- or hier- and wo- combinations are omitted.

The following abbreviations should be noted: *adj.*, adjective; *decl.*, declension; *pl.*, plural; *rfl.*, reflexive verb; (*rfl.*), verb is also used reflexively.

A

die **Abänderung** variation, modification

die **Abart, -en** species

Abb. = die **Abbildung** figure, representation

ab-bauen mine

die **Abbildung** portrayal, representation, illustration, figure

ab-brechen break off, break away

ab-drängen force out, force away, push off, squeeze out

der **Abdruck, ⸗e** imprint, impression

ab-drücken press out, force out

aber but, however, yet; on the other hand

ab-fallen fall off

der **Abfallstoff, -e** waste (matter), waste material

ab-führen remove

die **Abgabe** loss, delivery, giving off

ab-geben give off, emit; serve, provide, furnish, deliver; transfer to

ab-gehen go off, pass, proceed

abgerechnet excepting, excepted

abgeschlossen distinct

abgesehen von apart from, aside from

abgesperrt separated, closed off

ab-gießen pour off, decant

ab-grenzen divide off, define

die **Abgrenzung** division

ab-hängen (von) depend (upon)

abhängig (von) dependent (upon)

die **Abhängigkeit** dependence

ab-kühlen cool (off)

die **Abkürzung** abbreviation

ab-lagern deposit

die **Ablagerung** deposit, deposition

der **Ablagerungszustand, ⸗e** state of deposition

ab-laufen proceed, run
ab-leiten deduce, derive; lead off
ab-lenken divert, displace, deflect; fault
die Ablenkung diversion, deviation
die Ablesung reading
die Abnahme decrease
ab-nehmen decrease
ab-reißen tear off
das Absatzgestein, -e sedimentary rock
das Abschätzen estimating
ab-scheiden, ie, ie (*rfl.*) separate, isolate; give off, evolve, secrete
die Abscheidung secretion
ab-schießen, ö, ö shoot off, discharge
ab-schließen close off, shut off; separate, isolate; end, settle
der Abschluß, (-schlusses), -schlüsse conclusion, end; exclusion
ab-schneiden sever, cut
der Abschnitt, -e section, portion, segment; chapter
ab-sehen (von) disregard, turn away (from)
ab-setzen deposit, implant
die Absetzung deposit(ing), deposition; sediment
die Absicht, -en intention, purpose
absichtlich intentional
ab-sinken sink, decrease
die Absolutgröße absolute size
absonderlich special, especial, unusual, extraordinary
ab-sondern separate; secrete
die Absonderung separation; secretion; jointed structure (*of rocks*)
die Absonderungsform, -en form of separation; form of jointed structure
ab-spalten split off
ab-spielen (*rfl.*) occur, take place
der Abstand, ⸗e distance (between), interval
ab-sterben, (i), a, o die off
ab-stoßen diverge; break off
die Abstoßungskraft, ⸗e repulsive *or* repellent force

ab-streifen strip off, slough off
die Abstufung gradation
ab-stumpfen dull, blunt, deaden, weaken
die Abteilung division, section; order, genus
ab-tragen carry away, level off
die Abtragung carrying away, leveling, demolition
ab-trennen separate, sever
abwärts downward
abwechselnd alternate, changeable
ab-weichen deviate, vary, diverge
die Abweichung deviation, variation
ab-zweigen (*rfl.*) branch off
die Abzweigung branch, ramification
die Achse axis
die Achsel, -n shoulder; axis
das Achsenskelett, -e axial skeleton
die Ackererde soil
das Adalin adalin
die Ader, -n vein; blood vessel
der Affe, (-n), -n ape
Afrika Africa
der After anus
der Aggregatzustand, ⸗e state of aggregation
ähnlich similar (to), like; — wie like
die Ähnlichkeit similarity
der Ahorn, -e maple
das Akazienblatt, ⸗er acacia leaf, locust leaf
der Aktualismus, (-) actualism
aktualistisch actualistic
die Alge alga
alkalisch alkaline, basic
der Alkohol, -e alcohol
all all, any; —es everything; vor —em above all
allbekannt well-known
die Alleghenies Alleghenies
allein alone; however
allemal each time, invariably
allenthalben everywhere
allerdings to be sure
allergrößt greatest (of all)

allergrößtenteils for the greatest part

allerlei all sorts of, diverse

der Allesfresser, - omnivorous animal, omnivore

allgemein general, common, universal; im —en generally, in general

das Allgemeininteresse general interest

alljährlich annual, from year to year

allmählich gradual

allochthon allochthonous, *i.e.*, *not native to the location in which it is found*

allseitig on all sides

alltäglich daily, everyday

allzu (all) too

als when, as; like; but; than; — ob as if

also therefore, thus

alt old

alteingesessen native, old-established

das Alter age

die Altersbezeichnung designation of age

der Altersunterschied, -e difference in age

altern age, grow old, decline

das Aluminium aluminum

das Aluminiumhydroxyd aluminum hydroxide

die Alveole alveola

der Amboß, (Ambosses), Ambosse incus, anvil

die Amerikanerin, -nen (female) American

amerikanisch American

die Amplitude amplitude

die Amputation amputation

der Amtsgenosse, (-n), -n colleague

an at, to, by, in, on, near, along, alongside of, beside

das Analogon, Analoga analogy

die Analyse analysis

analytisch analytical

anatomisch anatomical

an-bringen attach

an-dauern last, continue

ander other, different; nichts —es als nothing but; unter —em, unter —en among other things

ander(er)seits otherwise, on the other hand

ändern (*rfl.*) change

anders otherwise, differently

die Änderung change

andeutungsweise by way of suggestion *or* allusion

aneinander together, alongside one another

das Aneroidbarometer, - aneroid barometer

der Anfang, ≃e beginning, origin

anfänglich initial, at first

der Anfangsbuchstabe, (-ns), -n beginning letter, initial

die Anfangsgeschwindigkeit initial velocity

das Anfangsglied, -er beginning member, initial member

die Anforderung demand

an-führen mention, state

die Angabe datum, figure; indication, tabulation; estimate

an-geben indicate; estimate

an-gehören belong to

angenähert approximate

angeordnet arranged

die Angliederung articulation

an-greifen, griff, -gegriffen touch, be attached, be connected; attack, invade; act

angrenzend bordering, adjacent

der Angriffspunkt, -e point of attack *or* influence

an-haften adhere

an-halten last, continue; stop

anhaltend continuous, persevering

der Anhaltspunkt, -e basis for conjecture, point of departure

der Anhang, ≃e appendix

das Anhängsel, - appendage

die Anhäufung accumulation

an-heften (an) fasten (to), affix (to)

die Anheftung attachment

anheim-fallen fall (prey) to

animal animal

an-kommen arrive; darauf — be a question of

an-lagern deposit, situate

an-legen adjoin, attach, connect; lay; sich — an be attached to

an-liegen adjoin, adhere to

an-locken attract

die Annahme assumption, supposition

an-nehmen take on; assume, suppose; accept

an-ordnen arrange, order

die Anordnung arrangement

anorganisch inorganic

an-passen fit, suit, accommodate; adapt

die Anpassung adaptation, adjustment

der Anprall impact

an-prallen strike against

an-pressen press against, press down, press shut

an-regen incite, impel, move, urge on, stir up

an-richten cause

an-sammeln collect

die Ansammlung accumulation

die Ansatzstelle place of attachment

die Anschauung conception, (point of) view

der Anschauungswandel, - change of view(s)

an-schließen join, adjoin, connect, follow; sich — an be connected to

der Anschluß, (-schlusses), -schlüsse connection; im — an in connection with

die Anschwellung swelling, prominence

die Anschwemmung (alluvial) deposit

an-sehen look at, regard, view, consider

das Ansehen appearance

ansehnlich large, considerable, respectable

an-setzen *rfl.* attach, adhere, adjoin

die Ansicht, -en view, opinion

an-siedeln settle

die Ansiedelung settling, settlement, colony, colonization; patch

an-sitzen be attached to, be connected to

an-spielen allude to

an-sprechen call

der Anspruch, ⸗e claim, requirement, demand; in — nehmen engage, claim

an-spülen touch on, play on, ripple against

an-steigen increase, rise

der Anstoß, ⸗e impetus, impulse

an-streifen rub against

der Anteil, -e share, part, participation

der Anthrazit, -e anthracite

das Anthrazitlager, - anthracite bed *or* mine

an-treffen find, meet (with)

an-treten begin, start, enter on, undertake

an-wachsen (an) grow fast (to), adhere (to)

an-weisen, ie, ie direct, refer; auf etwas angewiesen sein be dependent upon something

an-wenden use, apply

die Anwendung use, application

die Anwesenheit presence

die Anzahl number, quantity

das Anzeichen, - sign

an-ziehen attract

anziehend attractive, in an attracting manner

die Anziehung attraction

die Anziehungskraft, ⸗e attractive force

das Anzünden lighting, kindling

äolisch aeolian

der Apparat, -e apparatus, contrivance

Arabien Arabia

die Arbeit, -en work, task, labor

arbeiten work, perform; make, construct

das Arbeitsmaterial, -ien raw material

Archimedes (about 287–212 B.C.), *most important physicist and mathematician of antiquity*

archimedisch Archimedes'

das Archiv, -e archive(s)

der Argon argon

das Argon-Atom, -e argon atom

arm poor, deficient

der Arm, -e arm, branch

der Armlose (*adj. decl.*) armless person

die Art, -en way, manner, method; kind, sort, type, species

arteriell arterial

artikulieren articulate

die Asche ash(es)

asiatisch Asiatic

der Asphalt, -e asphalt

der Ast, ⸚e branch

das Ästchen, - little branch, twig

die Astronomie astronomy

die Atemluft respiratory air

das Atemrohr, trachea

der Atemweg, -e air passage

das Äthan ethane

die Ätherhülle ether shell

atmen breathe

das Atmen breathing, respiration

die Atmosphäre atmosphere

der Atmosphärendruck atmospheric pressure

die Atmosphärilien (*pl.*) atmospheric forces

die Atmung breathing, respiration

das Atmungsorgan, -e respiratory organ

das Atom, -e atom

der Atombau atomic structure

der Atombegriff, -e atomic theory

die Atombindung atomic union

das Atomgewicht, -e atomic weight

der Atomkern, -e atomic nucleus

der Atom-Molekülbegriff, -e atomic and molecular concept *or* theory

der Atomrest, -e remainder of the atom

die Atomtheorie atomic theory

das Ätzen etching

auch also, too; even; — wenn even if

auf on, upon, in; to, toward; for, as to

auf-arbeiten work up *or* over

der Aufbau structure, construction, formation

auf-bauen (*rfl.*) build up, construct, base

das Aufbereiten preparation, purification

auf-bewahren store up, keep, save, conserve

auf-brechen break open

auf-dringen press upward

das Aufdringen upward penetration

der Aufdruck upward pressure

aufeinander on one another

aufeinanderfolgend consecutive, repeated

auf-fallen be noticeable

auffallend striking

die Auffaltung folding (up), faulting

auf-fangen, (ä), i, a collect, pick up, catch up

auf-fassen consider, conceive

die Auffassung conception, interpretation

auf-finden discover

das Aufflammen flaring up, flaming up

das Auffliegen flying up

die Aufgabe task, problem

aufgelegt placed (on)

das Aufglühen glowing

auf-hängen suspend

die Aufhängestelle point of suspension

die Aufhängung suspension

der Aufhängungspunkt, -e point of suspension

auf-häufen heap up, pile up

auf-heben suspend; *rfl.* eliminate, neutralize each other

auf-hören stop, cease

die **Auflage** layer; edition

auf-lesen, (ie), a, e pick up

auf-liegen lie upon, rest upon

auf-lösen (*rfl.*) solve, resolve, dissolve, break up; terminate; diffuse

die **Auflösung** dissolving, dissolution; solution

die **Aufnahme** reception, adoption, taking up; absorption, assimilation

auf-nehmen take up, take on, absorb; receive, accept; perceive

auf-platzen split, crack

das **Aufquellen** expansion, swelling

aufrecht upright, erect

aufrecht halten maintain

auf-richten erect, raise, bristle

auf-schütten pile *or* heap up

die **Aufschüttung** deposit, piling up; elevation

die **Aufschüttungsmasse** elevated mass

das **Aufsehen** notice, comment

auf-sitzen sit *or* rest (upon)

auf-speichern store up

das **Aufspringen** springing open, bursting

auf-stehen rise, arise, get up; rest firmly

das **Aufstehen** arising

auf-steigen mount, ascend

auf-stellen establish

auf-tragen diagram

auf-treiben distend, blow up

die **Auftreibung** prominence

auf-treten appear, occur

das **Auftreten** appearance

der **Auftrieb** buoyancy

der **Auftriebskanal**, ⸗e volcanic passage

das **Aufwachen** awakening

der **Aufwand** expenditure

auf-weisen, ie, ie exhibit, possess, present

auf-wenden expend, employ; apply

auf-werfen cast up

auf-winden, a, u wind up

auf-zehren consume

das **Auge**, -n eye

der **Augenblick**, -e moment, instant

augenblicklich momentary

die **Augenhöhle** eye socket

das **Augenlid**, -er eyelid

der **Augenwinkel** canthus (of the eye)

aus out (of), from; made of

die **Ausatmung** exhalation

aus-bilden develop

die **Ausbildung** development, formation

aus-breiten expand, extend, spread out, diffuse

die **Ausbreitung** diffusion

der **Ausbruch**, ⸗e outbreak, eruption

die **Ausbuchtung** pouch, bulge

aus-dehnen expand, extend, draw out

die **Ausdehnung** expansion, extent, extension; dimension

die **Ausdehnungsangabe** measurement, indication of extent

der **Ausdruck**, ⸗e expression

ausdrückbar expressible

aus-drücken express

ausdrücklich express, explicit

auseinander apart, asunder

auseinander-gehen diverge, be divergent

auseinander-halten hold apart, differentiate

auseinander-streben diffuse

auseinander-ziehen separate, pull apart

aus-fließen flow out

der **Ausfluß**, (-flusses), -flüsse outpouring, emanation, discharge

aus-führen perform, execute, carry out; make

der **Ausführungsgang**, ⸗e excretory duct

aus-füllen fill out, fill up, complete

der **Ausgang**, ⸗e exit, end, result; starting point

der **Ausgangsstoff**, -e ingredient, component part

ausgeatmet exhaled

ausgedehnt extensive, vast

aus-gehen go out, issue, proceed, start

ausgeprägt distinct, pronounced

ausgerüstet equipped

ausgesprochen pronounced, decided

ausgestoßen expelled, emitted

ausgezeichnet excellent, distinguished

ausgiebig generous

aus-gleichen equalize, neutralize

aus-halten hold out, stand

aus-helfen help out, aid

aus-keilen crop out

aus-keimen sprout, germinate

aus-kleiden line, coat

die Auskleidung lining, coating

aus-kommen get along

die Auskristallisierung crystallization, crystallizing (out)

aus-laufen proceed; run out; project

der Ausläufer, - runner, shoot

die Auslese selection

das Auslesen selection

aus-lösen cause, produce; execute; set free

die Auslösung release, execution

aus-machen constitute, amount to

die Ausnahme exception

der Ausnahmefall, ⸗e exceptional case

aus-nutzen make use of

das Ausquellen gushing forth

aus-reichen suffice

aus-rotten exterminate

aus-sagen state

aus-scheiden, ie, ie secrete, excrete; separate, precipitate

aus-schießen, ŏ, ŏ shoot out, expel

der Ausschlag, ⸗e deflection, divergence

der Ausschlagsbogen, - or ⸗ arc of deflection

der Ausschlagswinkel, - angle of deflection

aus-schleudern hurl out or forth, expel

ausschließlich exclusive

aus-sehen look, seem, appear

außen outside; nach — outwardly

aus-senden give off

die Außenfläche outer surface

das Außenorgan, -e external or outer organ

die Außentemperatur external temperature

die Außenwelt outside world

außer except, besides, outside of

äußer outer, external; —st extremely, utmost

außerdem moreover, besides

außergewöhnlich unusual, extraordinary

außerhalb outside of, beyond

äußerlich external

äußern (rfl.) express, exert, manifest

außerordentlich extraordinary, unusual

äußerst outermost, outer; extreme

aus-setzen expose

aus-sprechen express, enunciate

das Ausspringen springing out, escaping

das Ausspritzen squirting out

aus-spülen wash (out), wash up

die Ausstrahlung radiation, emission

aus-strömen flow or stream out

die Auster, -n oyster

aus-treten come out, go out, emerge, leave

das Austreten emergence

der Austritt, -e emergence

die Austrittsstelle opening, aperture, orifice

aus-üben exert, practice, carry on

aus-zeichnen (rfl.) distinguish, designate, characterize

autochthon autochthonous, indigenous, native

Avogadro, Amadeo (1776–1856), *Italian physicist, founder of the molecular theory*

Avogadro'sch Avogadro's

B

der **Bach,** ⁼e brook
der **Bachlauf,** ⁼e (course of a) brook
die **Backentasche** cheek pouch
der **Backenzahn,** ⁼e molar
das **Bad,** ⁼er bath
die **Bahn,** -en course, path, orbit
das **Bakterium** (die **Bakterie**), **Bakterien** bacterium
bald soon; **bald . . . bald** now . . . now, sometimes . . . sometimes
das **Balkengewicht,** -e weight of the beam
die **Balkenlänge** length of the beam
der **Balkenschwerpunkt** center of gravity of the beam
die **Balsamine** balsamine
das **Band,** ⁼er band, strand, ligament; elator (*of Equisetum*)
die **Bandschleife** bow, loop
die **Bank,** ⁼e bank, layer, stratum
die **Bankung** banking
das **Bariumsuperoxyd** barium peroxide
der **Bärlapp,** -e lycopodium, club moss
das (*also* der) **Barometer,** - barometer
barometrisch barometric
der **Basalt,** -e basalt
die **Basaltmasse** mass of basalt
die **Base** base
die **Basis, Basen** base
basisch basic
das **Bassin** basin
der **Bau,** -ten structure
das **Baucheingeweide,** - abdominal viscera
das **Bauchfell,** -e peritoneum
der **Bauchfellüberzug,** ⁼e peritoneal coating
die **Bauchhöhle** abdominal cavity
der **Bauchspeichel** pancreatic juice
die **Bauchspeicheldrüse** pancreas
der **Baum,** ⁼e tree
baumartig treelike
der **Baumbestand,** ⁼e stand *or* growth of trees
das **Baumharz** resin

das **Baumleben** tree life
der **Baumstumpf,** ⁼e tree trunk
die **Baumwolle** cotton
die **Baumwollstaude** Indian cotton
Bayrisch-böhmisches Gebirge Bavarian and Bohemian Mountains
beachten regard
die **Beachtung** consideration
das **Becken** pelvis
der **Beckengürtel** pelvic girdle
die **Beckenhöhle** pelvic cavity
Becquerel, Henri (1852–1908), *French physicist, proved that uranium salts emit rays. Received the Nobel Prize jointly with M. and Mme. Curie in 1903.*
der **Bedarf** need
bedecken cover
bedeuten mean, signify
bedeutend important, significant, considerable
bedeutsam important
die **Bedeutung** meaning, significance, importance
bedingen limit, restrict, condition; determine, stipulate; involve, cause, produce
die **Bedingung** condition
bedürfen need
beeinflussen influence
die **Beere** berry
beerenfressend berry-eating
der **Beeresame,** (-ns), -n berry seed
befähigt able, adapted
befallen attack, affect
befassen *rfl.* be concerned
befestigen (*rfl.*) fasten, attach
die **Befestigung** fastening, attachment
befinden *rfl.* be, be situated
befindlich situated, present, existing
befreien free
der **Befund** finding
begeben (*rfl.*) move, go
begierig eagerly, readily
beginnen, a, o begin, start
der **Begleiter,** - companion; **accompaniment, conductor**

beglückt blessed; fortunate

begraben bury

begreifen, i, i understand

begreiflich understandable

begrenzen limit, bound, enclose

die Begrenzung limit, border, boundary

der Begriff, -e idea, concept(ion)

begriffen engaged, occupied with, in the process of, found in

begründen found, base, establish

behaart hairy

die Behaarung hair, hairiness

behandeln treat

das Beharrungsgesetz law of inertia

das Beharrungsvermögen force of inertia

der Beharrungswiderstand resistance to inertia

die Beherrschung mastery, dominance

bei in the case of, at, by; with, in; near, among, under

bei-behalten keep, retain, maintain

beide both, two

beiderseitig two-sided, bilateral

die Beifügung addition, appendage

bei-kommen get at, attack, seek to understand

bei-mengen mix in, admix

die Beimengung admixture; impurity

die Beimischung admixture

das Bein, -e bone; leg

beinahe almost, nearly

die Beinhaut, ⁼e periosteum

beisammen-stehen stand together

das Beispiel, -e example

beispielsweise for example

bei-tragen contribute

bekannt (well) known, familiar

bekanntlich as everyone knows

bekommen receive, get, obtain, assume

der Belag, ⁼e covering, coating

belassen leave

die Belastung load(ing)

belebt animated

belegen overlay, cover, fill

belehren inform, teach

beliebig optional, (as) desired

bemerkbar noticeable, perceptible, visible

bemerken notice, note, observe

bemerkenswert noteworthy

die Bemühung effort

benachbart neighboring

die Benennung naming, nomenclature

die Benetzbarkeit capacity to absorb moisture

benetzen wet

benutzen use

beobachtbar noticeable, observable

beobachten observe

die Beobachtung observation

der Beobachtungsfehler, - observational error

berechnen calculate, compute

die Berechnung calculation, computation

der (also das) Bereich, -e region, area

bereiten prepare; offer

bereits already

der Berg, -e mountain

die Bergbaukunde study of mining, science of mining

bergen, (i), a, o hide, conceal; contain

bergmännisch miner's, mineralogical

das Bergsteigen mountain climbing

das Bergwerk, -e mine

berichten report, inform

der Bernstein amber

das Berufskraut, ⁼er fleabane

beruhen (auf) rest (on), be based (on), depend (on), be due (to)

berühmt famous

berühren touch (upon)

das Berühren contact

die Berührung touch, contact

die Berührungsempfindung sensation of touch

das Beryllium beryllium

Berzelius, Jöne Jakob (1779–1848), *Swedish chemist, determined the atomic weights of various elements, discovered three new elements, and introduced the use of chemical symbols.*

besagen state

beschädigen injure

die Beschädigung injury

die Beschaffenheit texture, composition; nature, characteristic

beschäftigen engage, employ, occupy; *rfl.* be concerned, be occupied

der Beschäftigende (*adj. decl.*) person occupied

die Beschäftigung occupation

beschenken present with, make someone a present of

die Beschießung bombardment

beschleunigen accelerate

beschleunigend in an accelerating manner

die Beschleunigung acceleration

beschränkt restricted, confined, limited

beschreiben describe

die Beschreibung description

besetzen fill, occupy, cover

besetzt provided; lined

besiedeln colonize, settle

der Besitz, -e possession; **in — nehmen** take possession of

besitzen have, possess

besonder especial, particular, separate

die Besonderheit peculiarity

besonders especially

besorgen supply, provide (for), take care of; effect

besprechen discuss

die Besprechung discussion

bespritzen sprinkle, bespatter

beständig stable

die Beständigkeit stability, permanence

der Bestandteil, -e component, constituent, ingredient, part

bestätigen confirm

die Bestätigung confirmation

bestehen exist; **— aus** consist of; **— in** consist in; **— auf** insist upon

das Bestehen existence

bestimmen decide, determine; cause, induce

bestimmt definite, fixed, certain, limited; destined, intended

die Bestimmtheit certainty

die Bestimmung determining, determination

bestmöglich best possible

das Bestreben tendency, endeavor

der Besuch, -e visit, attendance

besuchen visit

beteiligen *rfl.* participate, share; **beteiligt sein** be involved

betonen emphasize

betr. = **betreffend** concerning, concerned, respective, in question

die Betracht consideration; **in — kommen** count, be of some account

betrachten consider, observe, regard

beträchtlich considerable

die Betrachtung observation, consideration, view

der Betrag amount

betragen amount to

betreffend in question, concerned, concerning, respective, referred to

der Betreffende (*adj. decl.*) the person concerned

die Betriebskraft, ⁼e working power, energy for operation

die Beugungserscheinung diffraction phenomenon

beurteilen judge

das Beuteltier, -e marsupial, *i.e., mammals having a pouch to carry their young*

bewahren keep

bewähren *rfl.* stand the test

bewegen move

beweglich mobile, movable

die Beweglichkeit mobility

die **Bewegung** movement, motion

die **Bewegungskomponente** component of motion

die **Bewegungslosigkeit** loss of movement

das **Bewegungs-Parallelogramm**, -e parallelogram of motion

der **Bewegungsnerv**, -en motor nerve

die **Bewegungsrichtung** direction of motion

der **Bewegungssinn** sense of motion

beweisen, ie, ie prove

bewirken cause, produce, effect, bring about

bewohnen occupy, inhabit

der **Bewohner**, - inhabitant

bewußt conscious

das **Bewußtsein** consciousness

bezeichnen designate, mark, term

die **Bezeichnung** designation, term, terminology

beziehen auf (*rfl.*) refer to, relate to, equate to

die **Beziehung** regard, respect, relation(ship); in — **treten** come into contact

bezw. = **beziehungsweise** or else, respectively, or as the case may be

biegen, o, o bend

die **Biegsamkeit** flexibility

die **Biegungsfestigkeit** stability (against bending)

bieten, o, o offer

bilateral bilateral

bilateralsymmetrisch bilaterally symmetrical

das **Bild**, -er picture, image

bilden form, make, cultivate

die **Bildung** formation

billig cheap

der **Bimsstein** pumice stone

die **Bindegewebsfaser**, -n connective fiber, fiber of connective tissue

die **Bindegewebshaut**, ⁼e membrane of connective tissue

die **Bindegewebsschicht**, -en layer of connective tissue

binden, a, u bind, fasten, connect, restrict; — **an** (*rfl.*) connect with

der **Bindestrich**, -e dash, hyphen; bond (*in structural formulae*)

die **Bindung** binding, bond, union

die **Bindungsart**, -en type of combination *or* union

die **Binse** rush, reed

die **Biologie**, biology

birnförmig pyriform, pear-shaped

bis till, until, as far as, up; — **zu** *or* — **an** up to

bisher previously, as yet

bisherig previous

der **Bissen**, - bite, mouthful

bisweilen at times

bitter bitter

blank shiny

bläschenartig vesicular

die **Blase** blister; bladder, vesicle; bubble

blasenförmig bulbous

das **Blatt**, ⁼er leaf

blätterig foliated, convoluted

blau blue

die **Blausäure** hydrocyanic acid

das **Blei** lead

bleiben, ie, ie remain, stay; **übrig** — remain, be left over

der **Blick**, -e glance, view

blind blind

der **Blinddarm** caecum

der **Blinde** (*adj. decl.*) blind person

bloß mere, bare; **mit** —**em Auge** with the naked eye

das **Blut** blood

blutarm anemic

die **Blüte** blossom, flower

die **Blütenpflanze** flowering plant

der **Blütenschaft**, ⁼e palea, flower stem

der **Blütenstiel**, -e peduncle, flower stem

das **Blutgefäß**, -e blood vessel

das **Blutgefäßsystem**, -e vascular system

das **Blutkörperchen**, - blood corpuscle

blutreich plethoric, rich in blood

die **Bluttemperatur** blood temperature

der **Boden,** - *or* = floor, base; ground, soil, earth; — **ebnen** clear the way

die **Bodenbewegung** earth movement, movement of the ground

der **Bodendruck** pressure on the bottom

die **Bodenkunde** science of the soil, knowledge of the properties of the soil

der **Bodenschatz,** =e natural resource

der **Bogen,** - *or* = curve, arch, arc

der **Bogengang,** =e semicircular canal

das **Bogenspektrum, -spektren** arc spectrum

bohnenförmig bean-shaped

Bohr, Niels (1885–), *Danish physicist, created the foundations of the modern atomic theory. Received the Nobel Prize in 1922.*

das **Bohrloch,** =er bore hole

die **Bohrmuschel, -n** pholad, stone borer

die **Bombe** bomb

das **Bor** boron

die **Borste** seta, bristle

borstenartig bristlelike

das **Borstenhaar, -e** bristly hair

die **Botanik** botany

botanisch botanical

Boyle, Robert (1627–1691), *Irish physicist and chemist, discovered with Mariotte the law of the effect of pressure on the volume of gases.*

Boyle-Mariottesch of Boyle-Mariotte

brauchen need, require; use

braun brown

die **Braunkohle** lignite, brown coal

das **Braunkohlenholz** lignite *or* brown-coal wood

das **Braunkohlenlager,** - lignite bed *or* mine

der **Braunstein** manganese dioxide

brechen, (i), a, o break

breit broad, wide; widely spread

die **Breite** width

der **Breitendurchmesser,** - maximum diameter

brennbar combustible

brennen, brannte, gebrannt burn

die **Brennessel, -n** urtica, stinging nettle

der **Brennstoff, -e** fuel

bringen, brachte, gebracht bring, take; **mit sich** — bring about

das **Brom** bromine

das **Bromid, -e** bromide

die **Bromverbindung** bromine compound

der **Bromwasserstoff** hydrogen bromide

die **Bronchien** (*pl.*) bronchi

der **Bruch,** =e crack, fracture; fraction

brüchig brittle, breakable

das **Bruchstück, -e** fragment

der **Bruchteil, -e** fraction

der **Brüllaffe, (-n), -n** howler, howling ape

die **Brust,** =e chest

das **Brustbein** sternum

der **Brustgürtel** thoracic girdle

die **Brusthöhle** thoracic cavity

der **Brustkorb** thorax

die **Brustmuskulatur** thoracic muscular formation

die **Brustwand** thoracic wall

der **Brustwirbel,** - thoracic vertebra

die **Brustwirbelsäule** thoracic spinal column

die **Brutknospe** asexual spore, gonidium (*as of algae*)

der **Buchstabe, (-ns), -n** letter (*of the alphabet*)

die **Bucht, -en** bay; bulge, corner, pocket

der **Bügel,** - hoop, bow

das **Bündel,** - bundle, fascicle

Bunsen, Robert (1811–1899), *German chemist, produced aluminum and magnesium, discovered with Kirchhoff spectral analysis, and designed*

*the Bunsen galvanic element and
the Bunsen burner.*
der **Buntsandstein** variegated sandstone
der **Busch,** ⁼e bush, bushy territory
bzw. = beziehungsweise respectively, or as the case may be

C

C. = Celsius centigrade
ca. = circa about
cbm = das **Kubikmeter** cubic meter
ccm = das **Kubikzentimeter** cubic
centimeter
cdm = das **Kubikdezimeter** cubic
decimeter
celeritas speed, velocity
Cels. = Celsius centigrade
Celsius centigrade
die **Chalkogene** (*pl.*) (elements in)
Group VI, *i.e.,* "metal formers"
Chamberlinsche Planetesimaltheorie
The "planetesimal theory" of Thos.
C. Chamberlin, *American geologist
(1843–1928), assumes that the earth
and the planets owe their origin to
the approach of another sun or star
bringing about a partial disruption
of the sun, and the expulsion of a
great mass. This, as a swarm of
minute, solid particles, the "plane-
tesimals," swinging in orbits about
the sun, ultimately gathered to form
the earth.*
der **Charakter, -e** character, nature
charakterisieren (*rfl.*) characterize
charakteristisch distinctive, characteristic
die **Chemie** chemistry
der **Chemiker, -** chemist
chemisch chemical
Chile Chile
China China
die **Chlamydomonadaceen** (*pl.*) Chla-
mydomonadacea, *an order of volvox*
das **Chlor** chlorine
das **Chlor-Atom, -e** chlorine atom
das **Chlorgas** chlorine gas

das **Chlorid, -e** chloride
der **Chloritschiefer** chlorite slate
das **Chloroform** chloroform
die **Chlorverbindung** chlorine compound
der **Chylus** chyle
das **Chylusgefäß, -e** chyle vessel
cm = das **Zentimeter** centimeter
cmm = das **Kubikmillimeter** cubic
millimeter
die **Cutis** cutis, derma

D

da there, here; then; since; **von — ab**
from then on
dabei in this case; at the same time,
on that occasion; thereby
dadurch by means of this; in this
manner; through it, thereby
dafür in its place; instead of that;
for it, therefor
dagegen on the other hand, on the
contrary
daher hence, therefore
Dalton, John (1766–1844), *English
physicist and chemist, discovered the
law of multiple proportions and
established the atomic theory.*
damals then, at that time
damit with it, therewith, thereby; so
that, in order that
der **Damm,** ⁼e perinium; dam, em-
bankment
der **Dampf,** ⁼e vapor
der **Dampfdruck, -e** vapor pressure
die **Dampfdruckkurve** curve of the
vapor pressure
die **Dampfform, -en** form of vapor
der **Dampfkessel, -** boiler
die **Dampfmaschine** steam engine
daneben besides
dank owing to, thanks to
danken thank; owe
dann then; afterward; in that case
darauf then; on it
dar-bieten offer, present
dar-legen set forth
der **Darm,** ⁼e intestine

der **Darmabschnitt, -e** section of the intestine

das **Darmbein** ilium

die **Darmdrüse** intestinal gland

das **Darmrohr, -e** intestinal tube

der **Darmsaft,** ⸚e chyle, intestinal juice

die **Darmschlinge** intestinal loop, fold of viscera

die **Darmzotte** villus (*of the intestine*); *pl.* villi

dar-**stellen** represent, make up; present, show; prepare, produce

die **Darstellung** description; presentation, representation; production

die **Darstellungsmethode** method of preparation

daruntergelagert situated beneath

das the; that; which

daß that, so that

die **Dauer** duration; permanence, durability; **auf die — permanently

das **Dauergebiß** permanent set of teeth

dauern last, continue

dauernd lasting, permanent; continuous, constant

dazu for this purpose; moreover, in addition

dazwischengelagert situated within *or* between

die **Dazwischenschiebung** interplacement, intervention

die **Decke** cover(ing), blanket; sheath

decken cover; *rfl.* coincide, be identical

die **Deckfläche** (top) surface

definieren define

die **Definition** definition

die **Degeneration** degeneration

dehnbar extensible, elastic

die **Dehnungszone** tension zone, dilation zone

das **Dekantieren** decanting

der **Delphin, -e** dolphin

die **Delta-Bildung** delta formation

dementsprechend accordingly

demgegenüber as opposed to that, contrariwise; compared with this

demgemäß accordingly

demnach therefore, accordingly

denkbar (as far as) conceivable

denken, dachte, gedacht think; *rfl.* imagine, consider

das **Denken** thinking, thought

denn for, because; then

dennoch nevertheless

das **Dentin** dentine

der the; which, that, who; this, that

derartig such

deren its, their; of which, whose

derjenige that one; he, she, it; such

derselbe the; it; the same

derzeit at that time; for the moment

derzeitig present, for the time being

deshalb therefore, for that reason

die **Desmidiaceen** (*pl.*) Desmidiaceae, *a family of algae*

die **Destillation** distillation

der **Destillationsprozeß, (-prozesses), -prozesse** distillation process

destillieren distill

deuten indicate, interpret, construe

deutsch German

der **Deutsche** (*adj. decl.*) German

Deutschland Germany

deutlich clear

die **Deutung** interpretation

dezimal decimal

das **Dezimeter, -** decimeter

d.h. = das heißt that is, i.e.

die **Diagonale** diagonal

das **Diagramm, -e** diagram

die **Diatomeen** (*pl.*) Diatomaceae, *a family of unicellular algae*

dicht dense, compact; close, near; tight

die **Dichte** density

dick thick, heavy

der **Dickdarm,** ⸚e large intestine, colon

die **Dicke** thickness

dickflüssig viscous

das **Dickicht, -e** thicket

dienen serve

der Dienst, -e service, duty

diesbezüglich on this question, referring to this

dies(er) this; the latter

die Differenz, -en difference, differential

diffundieren diffuse (through), seep through

die Diffusion diffusion

das Diffusionsvermögen, - capacity for diffusion

die Dimension dimension

das Ding, -e thing, matter; vor allen —en above all

die Diosmose osmosis

direkt direct

die Diskonformität disconformity, dislocation

diskordant discordant

die Diskordanz, -en unconformity

die Diskordanzfläche unconformable surface

dissoziieren dissociate

dm = das Dezimeter decimeter

doch yet, still, however, nevertheless, after all

das Doppelsalz, -e double salt

doppelsinnig ambiguous

doppelt double, twice, twofold

der Dornfortsatz, ⁼e spinous process

dort there

dorthin to that place, thither

die Dosierung mixing, admixing, administering

der Draht, ⁼e wire

drängen press

draußen outside

drehen rotate, turn

der Dreher axis

die Drehkraft, ⁼e rotating force

das Drehmoment, -e torsion, torque

der Drehpunkt, -e pivot

drei three

das Dreieck, -e triangle

dreieckig triangular, three-cornered

der Dreiecksschwerpunkt center of gravity of a triangle

dreierlei three sorts of

dreifach threefold

dreihundert three hundred

dreimal three times

dreißig thirty

das Dreisekundenpendel, - three-second pendulum

dringen, a, u penetrate

dritt- third

die Drossel, -n thrush

der Druck, -e or ⁼e pressure, compression

die Druckachse axis of the pressure

die Druckänderung change in pressure

die Druckaufhebung elimination of the pressure

die Druckdifferenz, -en difference in pressure

die Druckempfindung sensation of pressure

drücken press

die Druckfläche pressure surface

der Druckhebel, - crowbar, downward acting lever

der Druckpunkt, -e pressure point

der Drucksinn sense of pressure

der Druckunterschied, -e difference in pressure

das Druckwasser compressed water

die Drüse gland

das Drüsenhaar, -e glandular hair

der Drüsenkomplex, -e glandular complex

der Drüsenreichtum, (large) amount of glands

die Drüsenschicht, -en layer of glands

der Duft, ⁼e scent, fragrance

das Düngemittel, - fertilizer

dunkel dark

dunkel-braun dark brown

dünn thin

der Dünndarm small intestine

dünngeschichtet thinly stratified

der Dünnschliff transparent section

durch through, by, by means of; — und — throughout, through and through durchaus thoroughly, entirely, absolutely, by all means; — nicht not at all, by no means

durchbrechen pierce, break through

durchdringen (*also separable*) penetrate

die Durchdringung penetration, overlapping

durchführbar possible, (able) to be executed, (able) to be carried through

durch-führen maintain, carry out, execute

der Durchgang, ⁼e passage

durchgängig general, universal, prevailing

durchlaufen traverse, pass through

durchlöchert perforated

durchmessen traverse

der Durchmesser, - diameter

durch-reißen sever

durch-schlagen, (ä), u, a penetrate

das Durchschneiden severing, cutting through

der Durchschnitt, -e cross section; average

durchschnittlich on the average

der Durchschnittspunkt, -e point of intersection

das Durchschwimmen swimming across

durchsetzen suffuse, permeate, traverse; intersperse, be interspersed with

durchsichtig transparent; obvious

die Durchsichtigkeit transparency

durchstreichend running (through)

durchströmen (*also separable*) flow through, stream through; charge

durchziehen traverse, pass through

dürfen, (darf), durfte, gedurft be permitted, allow, may; *with negative*: must not

der Durst thirst

E

eben just; indeed; even, level, flat

die Ebene plane; plain

ebenen level, flatten, smooth

ebenfalls likewise

ebenso just as, just the same; likewise, in the same way; — wie just as

ebensoviel just as much

echt real, genuine, true

die Ecke corner

der Eckpunkt, -e corner point

der Eckzahn, ⁼e canine tooth

edel precious; inert, inactive

das Edelgas, -e inert gas

die Edelgaskonfiguration configuration of the inert gas

das Edelmetall, -e rare metal

der Effekt, -e effect

ehe before

ehedem formerly, previously

ehemalig former

ehemals formerly

eher sooner, rather

ehest- soonest; am —en more than anything else

das Ei, -er egg, ovum

eichen standardize

der Eichenwald, ⁼er oak forest

der Eierstock ovary

eiförmig oval, egg-shaped

eigen own, characteristic, distinct

eigenartig peculiar, similar

die Eigenbewegung motion of its own

der Eigengeruch, ⁼e specific odor

die Eigenschaft property, quality, characteristic

der Eigenschaftsbegriff, -e conception of properties

eigentlich real, proper, actual, true

eigentümlich peculiar, characteristic

die Eigentümlichkeit characteristic, peculiarity

der Eileiter, - oviduct, Fallopian tube(s)

ein a, an; one

einander one another, each other

einarmig one-armed

das Einatmen respiration, inhalation

die **Einatmung** inspiration, inhalation

einbegriffen included

ein-betten embed

der **Einblick** insight

ein-büßen lose, yield

ein-dampfen evaporate

ein-dringen invade, penetrate

das **Eindringen** entrance, invasion, penetration

der **Eindringling, -e** invader, intruder

der **Eindruck, ⸗e** impression

einerlei no matter, regardless; of one kind

einerseits on the one side *or* hand

einfach simple, single

das **Einfallen** dip

die **Einfettung** greasing, oiling

ein-finden *rfl.* appear, put in an appearance

der **Einfluß, (-flusses), -flüsse** influence

ein-führen introduce

der **Eingang, ⸗e** entrance

eingeatmet inhaled

eingebürgert established, adopted

eingefaltet folded

ein-gehen (auf) enter (into); discuss

eingeklemmt squeezed in, grasped

eingeleitet started, introduced

eingelenkt articulated

eingerichtet arranged, equipped, supplied

eingesenkt embedded

eingewandert immigrated

das **Eingeweide, -** viscera, intestines

eingewurzelt rooted

ein-haken catch, hook in

ein-hängen hang on, put in

einheimisch domestic, native

die **Einheit** unit, unity

einheitlich uniform, homogeneous

einige some; **nach —r Zeit** after a time

einjährig annual

ein-lagern embed, deposit

ein-lassen let in, admit

die **Einleitung** introduction

einmal once, at some time; even; on the one hand; **auf —** suddenly

einmalig single, solitary

ein-mischen (*rfl.*) meddle

die **Einmuldung** syncline, trough

ein-münden empty into, run into

die **Einmündung** entrance

die **Einmündungsstelle** (place of) entrance

ein-nehmen take in, take up, occupy

die **Einrichtung** arrangement, contrivance, device, mechanism

ein-rollen roll up

ein-saugen absorb, draw in

ein-schätzen value

ein-schieben, o, o (*rfl.*) be inserted, be added

ein-schleppen carry in, bring in

ein-schließen include, enclose

ein-sehen perceive, realize, understand

einseitig on the one side, unilateral; partial

ein-senken (*rfl.*) sink (down), depress

die **Einsenkung** depression

ein-sinken sink into, sink down

einst once

ein-stellen stop; *rfl.* set in, take place, begin

die **Einstellung** appearance, setting-in; setting, focusing

ein-tauchen immerse

ein-teilen divide, separate; classify

die **Einteilung** division, separation; classification

ein-treten enter, occur, set in, take place

der **Eintritt, -e** entrance, appearance

ein-üben practice

der **Einwanderer, -** immigrant

die **Einwanderung** immigration

einwärts inward

ein-wirken influence, affect, act (on)

die **Einwirkung** action, reaction, influence

die **Einzahl** singular

ein-zeichnen mark, designate; draw in

die Einzelbewegung individual motion

der Einzelfall, ⸗e individual *or* particular case

das Einzelmolekül, -e single molecule

einzeln single, individual, particular; some, certain; separate, isolated; im —en in detail, in individual cases

die Einzelstrecke individual distance

das Einzelteilchen, - single particle

einzig single, only

das Eis ice

das Eisen iron

die Eisenbahnschiene rail, track (*of a railroad*)

der Eisenbahnzug, ⸗e railroad train

das Eisenoxyd iron oxide

das Eisenteilchen, - particle of iron

das Eisstückchen, - particle of ice

das Eiweiß albumin

die Eiweißart, -en albuminoid, proteid

der Eiweißkörper, - albuminoid

elastisch elastic

die Elastizität elasticity

der Elefant, (-en), -en elephant

elektrisch electric(al)

die Elektrizität electricity

die Elektrode electrode

die Elektrolyse electrolysis

elektrolytisch electrolytic

elektromagnetisch electromagnetic

das Elektron, -en electron

das Elektronengas, -e (*hypothetical*) electron gas, roaming electrons

die Elektronengruppe group of electrons

die Elektronenhülle electronic outer structure *or* shell

die Elektronenkonfiguration configuration of electrons

das Elektronenpaar, -e pair of electrons

das Element, -e element

elementar elementary

der Elementbegriff concept of the element

das Elementsymbol, -e symbol of the element

die Elle ulna

der Ellenbogen, - elbow

der Embryo, -nen embryo

empfangen, (ä), i, a receive

empfänglich receptive

empfinden feel, sense, perceive

empfindend perceptive, sensory

empfindlich sensitive, delicate

die Empfindlichkeit sensitivity

die Empfindung sensation, feeling; perception

die Empfindungsgruppe sensation group

die Empfindungslosigkeit loss of feeling, insensibility

der Empfindungsnerv, -en sensory nerve

empirisch empirical

empor-quellen, (i), o, o gush up

empor-springen spring up

empor-steigen ascend

empor-ziehen draw up, pull up, raise

die Emulsion emulsion

das Ende, -n end, conclusion, limit, termination

enden end, terminate

der Endfaden, - *or* ⸗ end fiber

die Endgeschwindigkeit final velocity

endgültig definite, final

endigen end, terminate

endlich finally

das Endorgan, -e end organ, terminal

das Endprodukt, -e end product

das Endstück, -e final *or* last section

der Endteil, -e end part

die Energie energy

die Energieabgabe emission *or* loss of energy

die Energiequelle source of energy

energiereich rich in energy

die **Energiezufuhr** addition of energy

eng narrow, close; limited

England England

der **Engländer, -** English(man)

der **Enkel,** grandchild, second generation

enorm enormous

entbehren dispense with

die **Entdeckung** discovery

die **Ente** duck

entfernen remove, withdraw

entfernt remote, distant, far away, removed; by far

die **Entfernung** distance

entfliehen, o, o escape

entgegengesetzt opposite, contrary, reverse

entgegen-setzen oppose, contrast; present, interpose

entgegen-stehen oppose, be opposed

entgegen-treten meet, greet, appear before

enthalten contain

die **Entladungsröhre** discharge tube

entquellen, (i), o, o gush forth

enträtseln make out, decipher, unravel

entreißen tear away

entscheiden, ie, ie decide, determine

entscheidend decisive, deciding

entschlüpfen escape

entspannen decompress, remove pressure from

entsprechen correspond to, conform with, comply with, answer

entsprechend corresponding to, suitable to, according to

entspringen rise, arise, originate

entstehen arise, originate, be formed; result

die **Entstehung** origin, source

das **Entstehungsprodukt, -e** formation product, product of origin

die **Entstehungsweise** manner of origin

entweder ... oder either ... or

entweichen escape

entwickeln develop

die **Entwickelung** development

der **Entwickelungsgang, ⸗e** course of development

entwickelungsgeschichtlich evolutionary, ontogenetic, regarding the history of development

die **Entwickelungszeit** evolutionary period

entziehen remove

entzünden ignite

die **Enzyme** enzyme

die **Epoche** epoch, era

er he; it

das **Erblinden** blinding, blindness

erbohren bore, tap

die **Erdanziehung** earth's attraction

die **Erdanziehungskraft, ⸗e** attractive force of the earth

die **Erdarbeit, -en** digging; *pl.* earthworks

die **Erdausdehnung** earth's boundary *or* extent

das **Erdbeben, -** earthquake

die **Erdbebenforschung** earthquake research

die **Erdbebenkunde** seismology

die **Erdbeeransiedelung** (settling of a) strawberry patch

die **Erdbeere** strawberry

die **Erdbeerpflanze** strawberry (plant)

der **Erdboden** ground, soil

die **Erddrehung** rotation of the earth

die **Erde** earth; soil

das **Erdgas, -e** natural gas

die **Erdgeschichte** geology, earth history

erdgeschichtlich geologic

der **Erdgeschichtsforscher, -** geologist

das **Erdinnere** (*adj. decl.*) interior of the earth

die **Erdkarte** geological map

der **Erdkörper** earth, terrestrial body

die **Erdkruste** lithosphere, earth's crust

der **Erdmeridianquadrant**, (-en), -en quadrant of the earth's meridian

der **Erdmittelpunkt** center of the earth

die **Erdoberfläche** surface of the earth

das **Erdreich** earth

die **Erdrinde** lithosphere, earth's crust

lie **Erdrunde** face of the earth

die **Erdschicht**, -en stratum of the earth

die **Erdscholle** clod

der **Erdteil**, -e part of the world

das **Erdwachs** native paraffin

ereignen (*rfl.*) take place, occur

erfahren experience, undergo, learn

die **Erfahrung** experience, knowledge, finding

erfaßbar comprehensible

erfassen grasp, understand

erfolgen follow, result, arise, succeed; happen, occur, take place; last

erfolgreich successful

erforderlich necessary

erfordern require

erforschen investigate, explore, find out

die **Erforschung** investigation, research

erfreuen delight

erfüllen fill (up), fulfill

ergeben (*rfl.*) give, yield; indicate, show, prove; follow, result (in)

das **Ergebnis**, (-ses), -se result, conclusion

ergehen happen to

ergiebig productive, rich

ergießen, ŏ, ŏ (*rfl.*) pour forth, empty

ergreifen, -griff, -griffen grasp

das **Ergußgestein**, -e igneous rock

die **Erhabenheit** elevation, convexity

erhalten receive, obtain, get; support, maintain, preserve; assume

die **Erhaltung** preservation, conservation

erhärtet hardened

die **Erhärtung** hardening

erheben *rfl.* arise

erheblich considerably

die **Erhebung** elevation

erhitzen heat

die **Erhitzung** heating

erhöhen raise, increase

die **Erhöhung** rise

erinnern (**an**) remind (of); *rfl.* remember

die **Erinnerung** recall; memory

das **Erkalten** cooling (off)

erkalten cool (off)

erkennbar recognizable

erkennen recognize; discern, perceive

die **Erkenntnis**, -se knowledge

die **Erkennung** recognition

erklärbar explainable

erklären explain

die **Erklärung** explanation

erkrankt diseased

die **Erkrankung** illness, sickness, disease

erlangen get, attain

erläutern explain

die **Erläuterung** explanation

erleichtern make easy, facilitate

die **Erleichterung** simplification

erleiden, -litt, -litten undergo

ermitteln determine, find out

die **Ermittelung** determination

ermöglichen make possible

die **Ermüdung** fatigue, exhaustion

der **Ermüdungsstoff**, -e product of fatigue

ernähren nourish

die **Ernährung** nourishment, nutrition

die **Ernährungsweise** method of (getting) nutrition

das **Ernährungswerkzeug**, -e organ of nutrition

erobern conquer, attain, win

die **Erörterung** discussion

erregen incite, produce, cause; excite, stimulate, arouse die **Erregung** excitement, excitation, stimulus

die **Erregungsstelle** point of stimulus, place of excitation, place of arousal

erreichen reach, attain, obtain, accomplish

die **Erreichung** attainment

erscheinen seem, appear

die **Erscheinung** phenomenon, appearance; sight; symptom

die **Erschlaffung** relaxing, debility

die **Erschütterung** shaking, shock, concussion

ersehen perceive

ersetzbar replaceable

ersetzen replace, substitute, restore, take the place of

erst first; only, not until

erstarren congeal, solidify, become rigid, crystallize

das **Erstarren** solidification, crystallization

die **Erstarrung** solidifying, congelation

das **Erstarrungsgestein, -e** congelated rock, igneous rock

die **Erstarrungkruste** torpid *or* congelated crust

der **Erstarrungspunkt, -e** solidification *or* crystallization point

das **erstemal** the first time

erstens in the first place

erster- (the) former

erstmalig first, for the first time

erstreben strive for, endeavor

erstrecken (*rfl.*) extend, reach

erteilen give, impart

das **Eruptivgestein, -e** rock formed by eruption

erwachsen adult, mature

erwägen consider

erwähnen mention, refer to

erwärmen heat

die **Erwärmung** heating

erwarten expect

erweisen, ie, ie prove

erweitern widen, enlarge, extend, expand, dilate

die **Erweiterung** enlargement, expansion

erwerben, (i), a, o acquire

das **Erz, -e** ore

erzeugen produce, generate

das **Erzgemisch, -e** mixture of ore

die **Erzielung** attainment

erzwingen force

es it; there; **— gibt** there is, there are

essen, (i), a, gegessen eat

das **Essen, -** eating, meal

die **Essigsäure** acetic acid

etwa about, approximate, some; perhaps, possibly; for instance, for example

etwas something; somewhat; some

die **Euganeen** Euganean Hills, *in northern Italy*

der **Europäer, -** European

eustachisch Eustachian

ewig eternal

exakt exact

die **Existenz** existence

das **Existenzgebiet, -e** field of existence

existieren exist

das **Exkrement, -e** excretion

das **Exkretionsorgan, -e** excretory organ

das **Expansionsvermögen** ability to expand

experimentell experimental

die **Explosion** explosion

explosionsartig explosive

explosiv explosive

der **Export, -e** export

die **Exspiration** exhalation

extrem extreme

die **Extremität** extremity

F

-fach fold, times

der **Faden, -** *or* **=** thread, filament, fiber

fadenförmig threadlike, ciliary

die **Fadenlänge** length of the thread
fähig capable (of), able (to)
die **Fähigkeit** ability, capacity; qualification, fitness
fahren, (ä), u, a travel, go
die **Fahrt, -en** trip, journey; progress
der **Faktor, -en** factor
der **Fall, ⸗e** fall; case, event
die **Fallbeschleunigung** acceleration of the fall *or* of gravity
fallen, (ä), ie, a fall
das **Fallen** dip
falls in case
der **Fallschirm, -e** parachute
falsch false
fälschlich falsely
die **Falte** fold, crease
falten fold
faltenförmig foldlike
die **Faltung** fold(ing)
die **Faltungszone** folding zone
die **Farbe** color
färben color
farbig colored
farblos colorless
der **Farbstoff, -e** dye material
die **Färbung** coloring
der **Farn, -e** fern
die **Faser, -n** fiber
das **Fäserchen, -** fibril, small fiber
faserig fibrous
der **Faserzug, ⸗e** thread *or* bundle of fiber
fassen grasp, seize; make, comprise
die **Fassung** concept(ion), version
fast almost, nearly
der **Faulschlamm** decaying slime
die **Fazies** (*pl.*) face, facies
der **Fazieswechsel, -** face *or* facies change
fehlen lack, be lacking, be absent
der **Fehler, -** error, defect
die **Fehlerquelle** source of error
fein fine, delicate
der **Feinbau** fine structure
das **Feld, -er** field
der **Feldspat** feldspar
das **Fell, -e** skin

das **Felsenbein, -e** petrous portion of the temporal bone
der **Felsenbeinfortsatz, ⸗e** petrous portion of the temporal bone
das **Felsgestein, -e** rock, stone
das **Fenster, -** window
das **Fensterchen, -** little window
fern far, distant
ferner further, moreover
die **Ferse** heel
das **Fersenbein** os calcis
fertig (zu) ready (for)
die **Fessel, -n** fetter
fest fast, solid, firm, close; fixed, stationary
festgeheftet firmly attached
fest-halten hold firmly
die **Festigkeit** firmness, stability, rigidity, solidity
das **Festland, ⸗er** mainland, continent
fest-legen fix, establish
festliegend (firmly) fixed
fest-stecken *rfl.* attach (itself) firmly
feststehend stable, fixed
fest-stellen determine, fix, settle, establish
das **Festwerden** solidification, becoming solid
das **Fett, -e** fat
fettgedruckt printed in boldface type
die **Fettsäure** fatty acid
feucht damp, moist, humid
das **Feuer** fire
die **Feuerlilie** fire lily
das **Fichtelgebirge** Fichtelgebirge (Fir Mts.)
der **Fieberfrost, ⸗e** feverish chill
Fig. = die **Figur** figure, cut
die **Figur, -en** figure, cut
das **Filtrieren** filtration
finden, a, u find, discover; *rfl.* be (found)
der **Finger, -** finger
fingerdick as thick as a finger
die **Fingerkrautart, -en** species of cinquefoil

die **Fingerspitze** fingertip
Finnland Finland
der **Fisch, -e** fish
fischen fish
der **Fischteich, -e** fish pond
flach flat, level; shallow
die **Fläche** surface, area
das **Flächenmaß, -e** surface measure(ment), measurement of area
das **Flächenstück, -e** part of a surface
die **Flachsee** shallow water
die **Flagellate** Flagellata, *i.e., an order of Mastigophora (protozoans) having 1–4 flagella, or whiplike appendages, on their anterior end*
die **Flamme** flame
das **Flammenspektrum, -spektren** flame spectrum
flaschenähnlich flasklike
flaschenförmig flask-shaped
der **Flaschenzug, ²e** compound pulley, flask pulley, bottle-neck pulley
die **Fledermaus, ²e** bat
das **Fleisch** flesh, meat
fleischfressend carnivorous
der **Fleischfresser, -** carnivore
fleischig fleshy
die **Fleischkost** meat diet
die **Fliehkraft** centrifugal force
fließen, ö, ö flow
die **Flora** flora
die **Flöte** flute
das **Flöz, -e** seam, stratum
das **Flözchen, -** small seam *or* stratum
flüchtig volatile
der **Flug, ²e** flight
der **Flugapparat, -e** flying apparatus
der **Flügel, -** wing; lobe; grand piano
die **Flughaut** patagium, wing membrane
das **Fluor** fluorine
der **Fluorkern, -e** nucleus of the fluorine atom
die **Fluorverbindung** fluorine compound

der **Fluorwasserstoff** hydrogen fluoride
der **Fluß, (Flusses), Flüsse** river
flüssig fluid, liquid
die **Flüssigkeit** fluid, liquid
die **Flüssigkeitsoberfläche** surface of the liquid
die **Flüssigkeitsmasse** mass of fluid
die **Flüssigkeitssäule** column of fluid
die **Flüssigkeitsschwankung** variation in fluid(s)
der **Flüssigkeitsstrahl, -en** stream of liquid
das **Flüssigkeitsteilchen, -** particle of fluid
der **Flußlauf, ²e** (course of a) river, waterway
die **Flußsäure** hydrofluoric acid
der **Flußspat** fluorite, fluorspar
das **Flußtal, ²er** stream *or* river valley
fluviatil fluvial
die **Folge** consequence
folgen follow
folgendermaßen as follows
die **Forderung** demand
die **Form, -en** form, shape
die **Formation** formation
die **Formel, -n** formula
formen form, shape
förmlich actual
der **Forscher, -** investigator, research worker
die **Forschung** research, investigation
das **Forschungsgebiet, -e** field of research
der **Forschungsgrundsatz, ²e** research axiom, cardinal principle of research methodology
die **Forschungsmethode** research method, method of investigation
fort forth, away, along
fort-bewegen move along *or* away
die **Fortbewegung** motion, locomotion; dissemination
die **Fortentwickelung** progressive development

fort-führen   drive away, lead away

fortgesetzt   continual, continued, continuous

fort-leiten   transmit

fort-pflanzen   transmit, communicate

die Fortpflanzung   transmission, propagation

fort-reißen   tear away, sweep away

fort-rollen   roll along

der Fortsatz, ⸚e   appendage, process

fort-schleudern   hurl away, hurl forth, emit

fortschreitend   progressively

der Fortschritt, -e   progress

fort-schwemmen   wash away

fort-setzen   continue

die Fortsetzung   continuation

fort-treiben   drive along, drive away, disperse

fortwährend   continual, continuous

fort-waschen, (ä), wusch, -gewaschen   wash away

fossil   fossilized, fossiliferous

die Frage   question; in — kommen   be a question of

fragen   ask

fraktioniert   fractional

fränkisch   Frankish, Franconian

französisch   French

frei   free, open, vacant; — machen   liberate

die Freiheit   freedom; in — setzen   set free, liberate

frei-legen   lay bare

freilich   to be sure, indeed, of course

freiwillig   by itself, spontaneous

fremd   strange, foreign; external

fremdartig   different

der Fremdling, -e   stranger, foreigner

der Fremdstoff, -e   foreign matter, impurity

fressen, (i), a, e   eat, devour

frisch   fresh, new

die Frucht, ⸚e   fruit, grain

das Fruchtblatt, ⸚er   fruit leaf

das Früchtchen, -   seed

der Fruchthalter   receptacle for the ovum, matrix, uterus

das Fruchtköpfchen, -   blossoming head, burr

die Fruchtreife   maturity of the fruit or seed

fruchttragend   fruit-bearing

früh   early

früher   formerly

frühzeitig   early, premature

fühlen   feel, sense, perceive

führen   lead, conduct, bring, carry

die Fülle   abundance

füllen   fill

die Füllung   filling; inflating

fundieren   found, establish

fünf   five

der Funken, -   spark

das Funkenspektrum, -spektren   spark spectrum

die Funktion   function

funktionieren   act, function

für   for, by, of; instead of; ein — allemal   once and for all

die Furche   furrow, groove

der Fuß, ⸚e   foot

der Fußgänger, -   pedestrian

die Fußwurzel   tarsus

G

g = das Gramm   gram

Galilei, Galileo (1564–1642), *Italian physicist and philosopher, discovered several laws of motion.*

die Galle   bile

die Gallenblase   gall bladder

der Gallengang, ⸚e   gall duct, bile duct

gallertartig   gelatinous, colloidal

der Gang, ⸚e   passage(way), duct, meatus; posture, gait; course, progress

das Ganggestein, -e   vein (of rock)

das Ganglion, Ganglien   ganglion; *pl.* ganglia

der Ganglienknoten, -   ganglion; junction of ganglia

ganz whole, entire, quite; **im —en** on the whole, altogether

gänzlich entire, total

gar absolutely, even, very; **— nicht** not at all

der **Garten, ⸗** garden

das **Gas, -e** gas

der **Gasbrenner, -** gas burner, Bunsen burner

die **Gasdichte** gas density

der **Gasdruck, ⸗e** gas pressure

die **Gasentladung** gas discharge

gasförmig gaseous

das **Gasgemisch, -e** mixture of gases

das **Gasgesetz, -e** gas law

die **Gasmasse** mass of gas

die **Gasmenge** quantity of gas

die **Gasphase** gas phase

die **Gaspore** gas pore

die **Gasquelle** source of gas, gas well

der **Gasraum, ⸗e** gaseous space

die **Gasreaktion** reaction of gas(es)

der **Gasrest, -e** remainder of the gas

das **Gasteilchen, -** particle of gas

die **Gastheorie** gas theory

das **Gasvolumen, -volumina** gas volume

die **Gattung** kind, species

die **Gattungszugehörigkeit** membership of the species, generic membership

die **Gauklerblume** maidenwort, monkey-flower, Mimulus luteus

der **Gaumen, -** palate

das **Gaumenbein, -e** palatine bone

der **Gaumenbogen, ⸗** palatine arch

der **Gaumenraum, ⸗e** palatine space

das **Gaumensegel, -** soft palate

Gay-Lussac, Louis J. (1778–1850), *French physicist and chemist, noted for his research on specific weights*

gebankt banked, in beds, in layers

gebärend bearing, giving birth to; **lebendig —** viviparous

gebaut built, constructed

geben, (i), a, e give; **es gibt** there is, there are

das **Gebiet, -e** field, sphere, domain, territory, region

das **Gebilde, -** form, formation, structure; product, creation

das **Gebirge, -** mountain (range)

die **Gebirgsbildung** formation of mountains

der **Gebirgsdruck** mountain pressure *or* compression

das **Gebiß, (Gebisses), Gebisse** set of teeth, denture

die **Gebißformel, -n** dental formula

geboren born

der **Gebrauch, ⸗e** use, employment; custom

gebrauchen use

das **Gedächtnis, (-ses), -se** recollection, memory

der **Gedanke, (-ns), -n** thought, idea

geeignet suitable

die **Gefangenschaft** captivity

das **Gefäß, -e** vessel, receptacle

das **Gefäßbarometer, -** cup barometer

die **Gefäßform, -en** form of the receptacle

das **Gefäßmaterial, -ien** receptacle material

die **Gefäßwand, ⸗e** vessel wall

das **Gefieder** feathers, plumage

das **Geflecht, -e** network

das **Gefühl, -e** feeling, sensation; touch

der **Gefühlssinn** (sense of) feeling

gegen toward, against; in exchange for; compared with; **— hin,** toward

die **Gegend, -en** area, region

die **Gegendrehkraft, ⸗e** opposing *or* rotating force, opposing torsion

der **Gegendruck, ⸗e** opposing pressure

der **Gegensatz, ⸗e** opposite, contrast; **im — zu** in contrast with

die **Gegenseite** opposite side

gegenseitig mutual, reciprocal

der **Gegenstand, ⸗e** object; subject

die **Gegenständlichkeit** solidity, objectivity

das **Gegenteil, -e** opposite; **im —** on the contrary

gegenüber against, toward; over against, across from, as opposed to, opposite to; as concerns, in relation to, with reference to; compared with, in contrast to; in the face of

gegenüber-stehen confront, face; stand in relation

gegenüber-stellen place opposite

die **Gegenwart** presence

der **Gehalt, -e** content(s); proportion

gehaltreich rich (in content), substantial

gehemmt retarded

gehen, ging, gegangen go; **vor sich —** take place, occur, continue, proceed

das **Gehen** walking

das **Gehirn, -e** brain

die **Gehirnflüssigkeit** brain fluid, cerebral fluid

die **Gehirnhaut, ⸗e** cerebral membrane; *pl.* cerebral meninges

die **Gehirnmasse** mass of the brain

der **Gehirnteil, -e** part of the brain, brain portion

das **Gehirnzentrum, -zentren** brain center

das **Gehör** hearing

gehören belong (to), appertain to, be counted among

der **Gehörgang, ⸗e** auditory canal

gehörig belonging to; suitable, requisite

das **Gehörknöchelchen, -** auditory ossicle

das **Gehörorgan, -e** auditory organ

das **Gehörwasser** liquor of the inner ear, liquor Contunnii

das **Gehörzentrum, -zentren** center of hearing

gehüllt covered, enveloped

die **Geige** violin

Geißler, Heinrich (1814–1879), *a German mechanic who made the discharge tubes which bear his name*

Geißler'sch (of) Geissler

geistig mental, intellectual; spiritual

geistvoll clever, ingenious

geklärt cleared (up), clarified

gekoppelt joined

das **Gekröse, -** mesentery

gekrümmt curved, bent

das **Gelände** contour; country, region

die **Geländeform, -en** surface form, topographical feature

gelangen reach, arrive, gain access to; **— an** gain access to; **— in** get into, arrive at; **— zu** attain, reach

gelb yellow

gelbgrau yellowish gray

gelbgrün yellowish green

gelblich yellowish

gelegen situated, located

gelegentlich occasional

der **Gelehrte, (-n), -n** learned man, scholar

das **Gelenk, -e** joint

die **Gelenkfläche** articular surface

gelenkig jointed, articulated, flexible

der **Gelenkhöcker, -** articular eminence, condyle

der **Gelenkkopf, ⸗e** articular process, head of a bone, ball-and-socket joint

die **Gelenkstelle** place of articulation

gelingen, a, u succeed

gelten, (i), a, o be valid, hold true, serve; **— für** be considered

die **Geltung** value, validity, importance, acceptance; **zur — kommen** come into play

gemäß according to, in accord with

das **Gemeingefühl** general condition, general well-being

gemeinsam common, familiar; joint, mutual, in common

das **Gemenge, -** mixture

gemindert lessened, diminished, reduced

das **Gemisch, -e** mixture

genau exact, accurate; careful

geneigt inclined, dipped, oblique

das Generationsmerkmal, -e sex characteristic

das Generationsorgan, -e genital organ

genetisch genetic

genug enough

genügen suffice; *with dative*: satisfy, suffice for

genügend sufficient

genußreich pleasurable

der Geologe, (-n), -n geologist

die Geologie geology

das Geologiebuch, ⁼er geology book, work on geology

geologisch geological

geometrisch geometrical

die Geophysik geophysics

gepulvert powdered

gerade exact, straight; just, particularly

die Gerade, (-n), -n straight line

geradezu absolutely

geraten, (ä), ie, a get

gering small, slight, little, scanty

geringstmöglich least possible

gern gladly, willingly; readily

das Geröll(e) rubble stones, boulders

die Geröllbildung gravel formation

der Geröllkies coarse gravel

die Gerste barley

der Geruch, ⁼e smell, odor; sense of smell

geruchlos odorless

die Geruchsempfindung olfactory sensation

das Geruchsorgan, -e olfactory organ

der Geruchssinn olfactory sense

das Gerüst, -e frame, skeleton

gesamt entire, whole (amount of), total

die Gesamtheit totality, total number

der Gesamtweg total distance

die Gesamtzahl total number

geschehen, (ie), a, e happen, occur, take place, be done

die Geschichte history

geschichtlich historical

geschickt deft, clever, skillful

geschiefert exfoliated

geschildert described

geschlechtlich sexual

das Geschlechtsorgan, -e sexual organ

die Geschlechtszelle reproductive cell

geschlossen closed, sealed; continuous; compact

der Geschmack taste

die Geschmacksempfindung sensation of taste

der Geschmacksnerv, -en gustatory nerve

das Geschmacksorgan, -e organ of taste

die Geschmackspapille taste papilla

der Geschmackssinn sense of taste

geschmolzen fused, molten

die Geschwindigkeit speed, velocity

die Geschwindigkeitsmessung measurement of velocity

die Geschwindigkeitszunahme increase in velocity

der Geschwindigkeitszuwachs increase of velocity

das Gesetz, -e law

gesetzmäßig regular, normal

das Gesicht, -er face; sight

der Gesichtsknochen, - facial bone

der Gesichtspunkt, -e point of view

der Gesichtsteil, -e facial portion

der Gesinnungswandel, - change of mind, change of sentiment *or* conviction

gespensterartig spectral, ghostly

die Gestalt, -en form, shape, figure, configuration

gestalten fashion, shape, form, make

gestatten permit, grant, give

das Gestein, -e rock

die Gesteinsablagerung rock deposit(ion)

die **Gesteinsart, -en** type of rock
die **Gesteinsbildung** rock formation
die **Gesteinsfolge** sequence of rocks
die **Gesteinsformation** rock formation
die **Gesteinskunde** petrology
die **Gesteinslage** stratum *or* layer of rocks
die **Gesteinslagerung** rock stratification
die **Gesteinsmasse** mass of rocks
die **Gesteinsmaterialbezeichnung** designation of rock material
die **Gesteinstrümmer** (*pl.*) fragments of rocks
der **Gesteinstypus, (-), -typen** type of rock
der **Gesteinswechsel, -** change in the rocks
das **Gestirn, -e** celestial body
gestört shifted, deranged, disturbed
gestreift striped, striated
gestrichelt in dashes
gesund sound, healthy
die **Gesundheit** health
das **Getreide** grain
das **Getreidefeld, -er** grain field
getrennt separate(d)
gewachsen grown; autochthonous (*of coal*)
gewähren give, grant, furnish
die **Gewalt, -en** force, power, violence
gewaltig powerful, mighty
gewaltsam vigorous, violent
das **Gewässer** water(s), body of water
das **Gewebe, -** tissue; web, texture, fabric
das **Gewehr, -e** gun
das **Geweih, -e** horns, antlers
das **Gewicht, -e** weight; gravity; importance
gewichtsmäßig according to weight
die **Gewichtsmenge** quantity by weight
das **Gewichtsprozent, -e** percentage by weight

das **Gewichtsstück, -e** weight
die **Gewichtsänderung** change in weight
das **Gewichtsverhältnis, (-ses), -se** proportion by weight
der **Gewichtsverlust, -e** loss of weight
gewinnen, a, o win, gain, get, obtain
die **Gewinnung** production, extraction
gewiß certain, sure
gewöhnlich usual, common, ordinary
giftig poisonous
die **Giraffe** giraffe
das **Gitter, -** lattice
das **Gittergerüst, -e** lattice framework
glänzend brilliant, shining
das **Glas, ⸗er** glass
die **Glasröhre** glass tube
glatt smooth
glauben believe
gleich like, equal (to), same (as); at once
gleicharmig equal-armed
die **Gleicharmigkeit** equality of beam *or* lever arm; equilibrium
gleichartig similar, homogeneous
gleichbleibend uniform
gleichen, i, i be like, resemble
gleichfalls likewise
das **Gleichgewicht** equilibrium
die **Gleichgewichtslage** state of equilibrium
der **Gleichgewichtszustand, ⸗e** state of equilibrium
gleichgiltig = gleichgültig regardless
gleichgültig regardless, no matter, of no account, indifferent
die **Gleichheit** equality
gleich-kommen equal
gleichmäßig even, uniform, regular
gleichsam so to speak
gleichstark equally strong
gleichstellig holding the same place
gleichteilig homogeneous

die Gleichung equation
gleichzeitig at the same time, simultaneous
das Glied, -er limb, member, joint, part
gliedern classify; form, divide
die Gliedmaße limb
das Gliedmaßenpaar pair of limbs
der Glimmer mica, muscovite
die Glocke bell jar
glücken succeed
glühen glow
glutflüssig molten, fiery liquid
die Glutflußmasse molten mass
die Glutmasse fiery mass
das Glykogen glycogen, animal starch
der Gneis, -e gneiss
gneisartig gneisslike
die Gneismasse mass of gneiss
die Gneisreihe gneiss group
das Gold gold
golden golden
goldrot gold-red
graben, (ä), u, a dig, burrow
der Grad, -e degree; grade
das Gramm, -e gram
das Grammgewicht, -e gram weight
der Granit, -e granite
die Granne bristle, beard, whisker
das Grannenhaar, -e beardlike hair
das Gras, ⁼er grass
grau gray
das Greiforgan, -e grasping organ
Greifswald *a German university city*
die Grenze edge, limit, boundary, border
der Grenzfall, ⁼e borderline case
die Grenzkurve boundary curve, bordering curve
die Grenzwertigkeit border valence
griechisch Greek
grob coarse, rough, gross; thick
grob-mechanisch roughly mechanical
Grönland Greenland
groß large, great, eminent; im —en und ganzen on the whole

die Größe size, amount, magnitude
die Größenabnahme decrease in size
das Großhirn cerebrum
die Großhirnhälfte hemisphere of the cerebrum
die Großstruktur structure (on the large scale)
größtenteils for the most part
die Grube pit, groove, fossa
grün green
das Grün verdure
der Grund, ⁼e bottom, base, foundation; ground, reason, basis, cause; depth; im —e basically, in the last analysis
grundfalsch absolutely false
die Grundfläche base, (bottom) surface
das Grundgebilde, - basic structure
das Grundgebirge, - primitive mountain
die Grundlage principle, basis
gründlich fundamental
das Grundmaß, -e (basic) standard
die Grundmasse basic mass
der Grundsatz, ⁼e principle, axiom
der Grundtypus, (-), -typen basic type
das Grundwasser ground water, basic water
der Grundzug, ⁼e outline, principal feature
die Gruppe group
die Gruppennummer group number
günstig favorable
das Gürteltier, -e armadillo
gut good, well

H

das Haar, -e hair
der Haarbalg, ⁼e hair follicle, hair sheath
die Haarbekleidung hair covering
die Haarbildung hair structure *or* formation
haarfein fine as a hair, capillary
haarförmig hairlike, capillary, ciliary

das **Haarkleid**　hair covering
der **Haarkranz,** ⸗e　hair crown, ton-
　sure
die **Haarröhre**　capillary tube
die **Haarsorte**　type *or* sort of hair
die **Haarwurzel,** -n　hair root
die **Haarzwiebel,** -n　hair bulb
haben, (hat), hatte, gehabt　have
haften (an)　cling (to), adhere (to)
der **Hahnenfuß,** ⸗e　crowfoot, ranun-
　culus
hakenförmig　barbed, hook-shaped
halb　half
halbautomatisch　semiautomatic
halbieren　halve, divide in half
halbkreisförmig　semicircular
halbschematisch　semischematic
die **Hälfte**　half
das **Halogen,** -e　halogen
der **Hals,** ⸗e　neck, cervix
die **Halsvene**　jugular vein
der **Halswirbel,** -　cervical vertebra
die **Halswirbelsäule**　cervical verte-
　bral column
haltbar　stable, tenable
halten, (ä), ie, a　hold, keep; *rfl.*
　maintain; — **für**　consider
die **Haltevorrichtung**　holding device,
　device for suspension
die **Haltung**　position, posture
der **Hammer,** ⸗　hammer, malleus
die **Hand,** ⸗e　hand
der **Handel**　commerce
handeln　deal, treat, act; **sich — um**
　be a question of, be a case of
die **Handfertigkeit**　manual skill
der **Handgriff,** -e　handle
das **Handskelett,** -e　skeleton of the
　hand
die **Handwurzel**　carpus
der **Handwurzelknochen,** -　carpal
　bone
hängen, i, a　hang, be suspended
das **Härchen,** -　small hair
die **Harnblase**　urinary bladder
das **Harnorgan,** -e　urinary organ
hart　hard
die **Härte**　hardness

hartnäckig　obstinate, stubborn
das **Harz**　resin
harzfrei　resin-free
harzhaltig　resinous
harzreich　rich in resin
haselnußgroß　as large as a hazelnut
häufig　frequent
die **Hauptaufgabe**　main task
der **Hauptbestandteil,** -e　chief por-
　tion, main ingredient
die **Haupteigenschaft**　main property
der **Hauptgallengang,** ⸗e　main gall
　duct
die **Hauptgesteinsart,** -en　chief type
　of rock
der **Hauptgrundsatz,** ⸗e　cardinal
　principle
die **Hauptgruppe**　main group
die **Haupthöhle**　main cavity
die **Hauptmasse**　bulk, chief mass
die **Hauptmenge**　main quantity
der **Hauptnervenstrang,** ⸗e　chief
　nerve cord
die **Hauptrolle**　chief part, main role
die **Hauptsache**　main thing; **der —**
　nach　in the main
hauptsächlich　chief, principal, main
die **Hauptsubstanz,** -en　main sub-
　stance
der **Hauptteil,** -e　principal part
die **Haupt-Untersuchungsmethode**
　chief method of investigation
das **Haustier,** -e　domestic animal
die **Haut,** ⸗e　skin, membrane; **die**
　harte —　dura mater; **die weiche**
　—　pia mater
hautartig　skinlike, membranous
die **Hautfalte**　fold of skin
häutig　membranous
der **Hautlappen,** -　flap of skin
der **Hautnerv,** -en　skin nerve
der **Hebebaum,** ⸗e　pinch bar, crab
　bar
der **Hebel,** -　lever
der **Hebelarm,** -e　lever arm
das **Hebelgesetz,** -e　lever law
das **Hebelgewicht,** -e　weight of the
　lever

das **Hebelwerk, -e** lever mechanism
heben, o, o raise, lift; *rfl.* rise
das **Heberbarometer, -** siphon barometer
die **Hebung** elevation, raising, rising
die **Heftigkeit** violence
das **Hegau,** *the landscape along the Bodensee (Lake Constance)*
die **Heide** heath
Heidelberg *university city in Baden, Germany*
heillos deplorable, disastrous
das **Heilmittel, -** medicine
die **Heimat** home, home town *or* country
heimisch domestic
die **Heimstätte** home (place)
heiß hot
heißen, ie, ei be called; call
das **Hektoliter, -** hectoliter
helfen, (i), a, o help, assist
das **Helium** helium
das **Helium-Ion** helium ion
hellgelb bright yellow
hellrot bright red
die **Hemisphäre** hemisphere
her hither, here, this way (*usually not to be translated*)
herab down from, downward
herab-hängen hang down, droop
herab-setzen reduce
heran-rücken bring forward
heran-wachsen grow (up)
heran-ziehen bring up, draw upon, bring into play
herauf-dringen press forth
heraus out, forth, toward the outside (*usually not to be translated*)
heraus-bilden develop
heraus-drücken press *or* force out
herausgehoben lifted up
heraus-lösen extricate, bar, delete, remove, dissolve out
herausmodelliert modeled out
heraus-spritzen squirt out
heraus-stellen *rfl.* turn out, prove
heraus-treten come out; escape; protrude, emerge

heraus-ziehen draw out
herbei-führen bring about, cause, produce
der **Herbst** autumn
herein-brechen break in
herein-hängen hang down
die **Herkunft, ⸗e** origin, extraction
die **Herrschaft** mastery, power
herrschen rule, prevail, (pre)dominate
herrschend prevalent, prevailing
her-rühren come from, be due to, arise from, originate
her-stammen come from
her-stellen make, produce, prepare
die **Herstellung** production
her-tragen bring along, bear hither
herum around
herum-schleudern hurl around, scatter about
herunter down
herunter-gehen go down, drop
herunter-hängen hang down
hervor-bringen produce, cause
hervor-gehen proceed, come forth, arise, originate; follow, result
hervor-ragen project, protrude, stand forth; be pre-eminent
hervor-rufen call forth, produce, cause
hervor-wachsen protrude, grow (out)
das **Herz, (-ens), -en** heart
die **Herzkammer, -n** ventricle
heterogen heterogeneous
heute today
heutig present, of today, present-day
H-förmig H-shaped
hier here
hierbei in this case, with this
hierdurch by means of this, through this, thereby
hierfür for this; in place of this
hierher here, hither
hierin in this
hiervon from this
hierzu for this purpose; in this connection; in addition

die Hilfe help, aid
hin thither, along, away; nach —
  toward
hinab-steigen descend
hinaus on, onward, out
hinaus-ragen project out
hin-blicken look
hindern hinder, prevent
hindurch through(out)
hindurch-strömen flow through,
  pass through
hinein-drücken imprint, press in
hinein-pressen squeeze in, press in
hinein-ragen protrude into
hinein-stülpen rfl. be placed, be arranged; be turned inward
der Hin- oder Hergang passage to
  or fro
hingegen on the contrary
das Hingleiten, - stroking, gliding
  along
hinreichend sufficient
hinsichtlich with regard to, as to, in
  view of
hinten behind, rear; nach — to the
  rear, backward
hinter behind, after; rear, posterior
hintereinander one after another,
  "running"
das Hinterende posterior end
die Hintergliedmaße hind limb, posterior limb
das Hinterhaupt occiput, back of the
  head
das Hinterhaupt(s)bein occipital
  bone
das Hinterhauptsloch occipital for-
  amen
der Hinterkopf occiput, back of the
  head
die Hinterwand, ⸚e posterior wall
hinüber-schieben, o, o push on
hinunter-drücken press down
der Hinweis, -e hint, indication
hin-weisen (auf) indicate, show,
  point out; point to, refer to
hinwiederum again, in turn
hinzu-fügen add

hinzu-kommen be added
hinzukommend added
das Hirn, -e brain
die Hirnhälfte half of the brain
die Hirnhaut, ⸚e cerebral meninges
der Hirnlappen, - brain lobe, brain
  flap, gyrus (pl. gyri)
die Hirnleitung brain circuit
die Hirnmasse brain substance, mass
  of the brain
der Hirnnerv, -en brain nerve,
  cranial nerve
die Hirnrinde brain covering, cerebral cortex
der Hirnteil, -e portion of the brain
historisch historical
historisch-genetisch historical-ge-
  netic
die Hitze heat
das Hitzegefühl, -e sensation of heat
hl = das Hektoliter hectoliter
hoch high, great
das Hoch, -e high (air-pressure region)
hochgeschwollen highly swollen
die Hochofenschlacke slag of the
  blast furnace
höchst highest; extremely
hochstehend (standing) high
hoch-steigen ascend
höchstens at the most
die Höchstwertigkeit maximal valence
die Höchstzahl greatest number,
  maximum
der Höcker, - condyle
höckerig uneven, bumpy, knobby
die Höhe height, altitude; in die —
  upward, toward the top
der Höhenzug, ⸚e chain or ridge of
  hills
hohl hollow, concave
die Höhle cavity, hollow
der Hohlraum, ⸚e cavity, chamber,
  hollow (space)
das Holz, ⸚er wood
die Holzstruktur, -en wood structure

homogen homogeneous

hören hear

das Hören (sense of) hearing, audition

horizontal horizontal

die Horizontalbeziehung horizontal relation

die Horizontalebene horizontal plane

die Horizontalreihe horizontal row

die Horizontalstreckung horizontal extension

die Hornbildung cornification

der Hornblendeschiefer horn slate, hornblende slate

der Hörnerv, -en auditory nerve

hornig hornlike, leathery

die Hubhöhe height of the lift

der Huf, -e hoof

das Hüftbein hip bone, ilium

das Hügelland, ⸗er hilly country

das Huhn, ⸗er chicken

die Hülle sheath, covering

Humboldt, Alexander von (1769–1859), *German natural scientist and traveler, active in many fields of science*

der Humus humus

der Hund, -e dog

hundert hundred

hundertprozentig complete, hundred per cent

der Hunger hunger

der Hüter, - guard(ian)

hydraulisch hydraulic

hydrostatisch hydrostatic

das Hydroxyl, -e hydroxyl

die Hydroxylgruppe hydroxyl group

hygroskopisch hygroscopic

die Hypothese hypothesis

I

ihr her, its, their

ihrerseits for its part

immer always, ever, continually; *with comparative, cf.*: immer schneller faster and faster

immerfort always, consistently, continually

imstande sein be able, can

in in, into

indem as

indessen meanwhile

Indien India

indifferent indifferent

das Individuum, Individuen individual

die Industrie industry

ineinander into one another

die Infiltration infiltration

infolge as a consequence of, as a result of

infolgedessen consequently; on account of this, on account of which

die Inhalation inhalation, pneumatolysis

der Inhalt, -e content(s)

inhaltsgleich equal in content, equal in area

inhomogen nonhomogeneous, heterogeneous

inne-halten maintain

innen within, inside

die Innenfläche inner surface

die Innenseite inside, interior (surface)

die Innenwand, ⸗e inner wall

die Innenzone interior zone

inner inner, interior, internal

das Innere, (-n), -n inside, interior, inner part

innerhalb inside of, within

das Innerste, (-n) inmost part

innig intimate, close

inorganisch inorganic

insbesondere in particular, especially

die Insel, -n island

insgesamt altogether

insofern in so far (as)

insoweit in so far (as)

die Inspiration inspiration, inhalation

instabil unstable

das Instrument, -e instrument

intensiv intensive

interessant interesting

das **Interesse** interest
inzwischen in the meantime
das **Ion, -en** ion
die **Ionenbindung** ionic union
das **Ionengitter, -** lattice of ions
irgend any, some
irgendein any, some
irgendwie in some way, somehow, in any way
irgendwo somewhere, anywhere
Irland, Ireland
der **Irrtum, ⁼er** error, mistake
Island Iceland
die **Isobare** isobar
isolieren insulate; isolate
das **Isotop, -e** isotope
das **Isotopengemisch, -e** mixture of isotopes

J

ja yes; surely, indeed
das **Jagdtier, -e** wild animal, game
das **Jahr, -e** year
jahrelang years-long, for years
die **Jahreszeit, -en** season
Jahrh. = das **Jahrhundert** century
das **Jahrhundert, -e** century
die **Jahrmillion, -en** million (of) years
das **Jahrtausend, -e** millennium, thousand (of) years
das **Jahrzehnt, -e** decade
je each, ever, respectively; **je . . . desto** the . . . the; **je nach** according to; **je nachdem** according as, according to whether, in so far as
jedenfalls in any case, at any rate, by all means
jeder each, every, any; everybody
jederseits on each side, on every side
jedesmal every time, always
jedoch nevertheless, however, yet
jemand anyone
jener that; the former
jenseits beyond, on the other side of
Jericho Jericho

jetzig present
jetzt now
jetztweltlich (of the) present time
die **Jetztzeit** present (time)
jeweilig in each case
jeweils occasional, at times; in each case; at any given time
das **Jochbein, -e** zygoma, malar bone
das **Jod** iodine
das **Jodid, -e** iodide
das **Jodoform** iodoform
die **Jodtinktur** tincture of iodine
die **Jodverbindung** iodine compound
Joule, James Prescott (1818–1889), *English physicist, discovered numerous electrical and physical phenomena.*
die **Jugend** youth
jung young; recent
das **Junge (-n), -n** young, offspring
jungzeitlich recent
der **Jurakalk** Jura limestone

K

der **Kahn, ⁼e** boat, skiff
die **Kaktee** cactus
der **Kaktus, (-), Kakteen** cactus
die **Kalilauge** potash lye, potassium hydroxide
der **Kalisalpeter** potassium nitrate
das **Kaliumchlorat** potassium chlorate
das **Kaliumhydroxyd** potassium hydroxide
die **Kaliumjodlösung** potassium iodide solution
das **Kaliumphosphat** potassium phosphate
der **Kalk, -e** lime(stone)
die **Kalklage** limestone layer
die **Kalkmauer** chalk(y) wall
der **Kalkstein** limestone
kalt cold
die **Kälte** cold, below zero
der **Kältegrad, -e** degree of cold
der **Kältepunkt, -e** cold point
das **Kalzium** calcium

das **Kalziumchlorid** calcium chloride
das **Kalziumhydroxyd** calcium hydroxide
das **Kalziumsulfat** calcium sulphate
die **Kammer, -n** chamber, room; ventricle
der **Kampf,** ⸚**e** struggle, battle
kämpfen fight, strive, struggle
Kanada Canada
kanadisch Canadian
der **Kanal,** ⸚**e** canal, duct
Kant-Laplacesche Theorie *the solar hypothesis arrived at independently by the German philosopher Immanuel Kant (1724–1804) and the French mathematician and astronomer Pierre Simon, Marquis de Laplace (1749–1827)*
die **Kantenlänge** length on the edge
die **Kapillare** capillary
die **Kapillardepression** capillary depression
die **Kapillarität** capillarity
die **Kapillarröhre** capillary tube
das **Kapitel, -** chapter
die **Kapsel, -n** box, case
das **Karbon** carbon; Carboniferous Period
karbonisch carbonic, carbonaceous
die **Kartoffel, -n** potato
die **Kartoffelfurche** potato furrow
der **Katalysator, -en** catalyst, catalytic agent
katalysieren catalyze
katalytisch catalytic
katastrophal catastrophic
kaum hardly, scarcely, barely
der **Kegelberg, -e** conical mountain
kegelförmig conical
der **Kehldeckel, -** epiglottis
der **Kehlkopf,** larynx
der **Keil, -e** wedge
das **Keilbein** sphenoid (bone)
keimen germinate
keimfähig fertile, capable of germinating
kein no (one), not any, none
keinerlei no sort(s) of, no kind(s) of

keinesfalls by no means, in no case
keineswegs by no means
der **Kelch, -e** calyx, flower cup
kennen, kannte, gekannt know, be acquainted with
kennen-lernen become acquainted with
kennzeichnen characterize
keramisch ceramic
der **Kern, -e** nucleus, core
der **Kernbestandteil, -e** nuclear constituent
die **Kernladung** nuclear charge
die **Kernumwandlung** nuclear transformation
die **Kerze** candle
kg = das **Kilogramm** kilogram
der **Kiefer, -** jaw, maxilla
der **Kieferrand,** ⸚**er** edge of the jaw
die **Kieselalgen** (*pl.*) Bacillariaceae, *a family of unicellular algae*
die **Kieselsäure** silicic acid
das **Kieselsäureanhydrid** anhydride of silicic acid
kieselsäurehaltig silicate of, containing the silicic acid radical
das **Kilometer, -** kilometer
kinetisch kinetic
Kirchhoff, Robert (1824–1887), *German physicist, discovered with Bunsen spectral analysis.*
der **Klang,** ⸚**e** sound, tone
die **Klangfarbe** tone color, timbre
die **Klappe** valve
klappenförmig flaplike, valvelike
klar clear
die **Klasse** class
die **Klassifizierung** classifying, classification
das **Klavierspielen** piano playing
klebrig sticky
das **Kleid, -er** clothing, garb
klein small, little; **im —en** on a small scale
kleinblütig small-blossomed
die **Kleinheit** smallness
das **Kleinhirn** cerebellum
die **Kleinigkeit** trifle

die **Klette** burr, burdock
klettern climb
das **Klima, -s** climate
der **Klimawechsel, -** climatic change
die **Kloake** cloaca
das **Kloakentier, -e** monotreme
klotzig coarse, lumpy, earthy
die **Kluft,** ⸚e cleft, gap
klüftig fractured, cleft, split
das **Klümpchen, -** particle
km = das **Kilometer** kilometer
der **Knall** detonation
das **Knallgas** explosive mixture (*hydrogen and oxygen*)
das **Knallgasgemisch** mixture of explosive gas (*hydrogen and oxygen*)
das (*also* der) **Knäuel** ball, knob, gnarl
das **Kniegelenk, -e** knee joint
die **Kniescheibe** patella, knee cap
der **Knoblauch** garlic
das **Knöchelchen, -** ossicle
der **Knochen, -** bone
knochenähnlich osseous, bonelike
die **Knochenleiste** osseous ridge, ridge of bone
die **Knochenmasse** bony mass
das **Knochenstück, -e** bone fragment
die **Knochensubstanz, -en** bone matter, bone substance
knöchern osseous, bony
die **Knolle** tubercle
der **Knorpel, -** cartilage
knorpelig cartilaginous
die **Knorpelplatte** cartilaginous plate
die **Knospe** bud
der **Knotenpunkt, -e** point of junction
das **Kochsalz** common salt
die **Kohäsionskraft,** ⸚e cohesive force
die **Kohle** coal; carbon
das **Kohlehydrat, -e** carbohydrate
das **Kohlendioxyd** carbon dioxide
das **Kohlenflöz, -e** coal seam
das **Kohlenlager, -** coal bed *or* mine
das **Kohlenoxyd** carbon monoxide
die **Kohlensäure** carbonic acid (gas)
die **Kohlenschicht, -en** coal stratum
der **Kohlenstoff, -e** carbon

kohlenstoffhaltig containing carbon
die **Kohlenstoffverbindung** carbon compound
das **Kohlenvorkommen** occurrence of coal
der **Kohlenwasserstoff, -e** hydrocarbon
kohlenwasserstoffreich rich in hydrocarbons
kohlig coaly, coal-bearing
das **Kokain** cocaine
der **Kolben, -** piston
das **Kolloid, -e** colloid
die **Kolonie** colony
kommen, kam, gekommen come; — **zu** result in
kommunizierend communicating
der **Kompaß, (Kompasses), Kompasse** compass
der **Komplex, -e** complex
die **Komplikation** complication
kompliziert intricate, complex, complicated
die **Komponente** component
komprimiert compressed
das **Kondensat** condensation, condensed material
kondensieren condense
die **Konfiguration** configuration
können, (kann), konnte, gekonnt can, be able
konstant constant
die **Konstruktion** construction
die **Kontaktmetamorphose** contact metamorphosis
der **Kontinent, -e** continent, mainland
kontinental continental
die **Kontinentalfläche** continental surface
die **Kontinentalscholle** continental clod *or* soil
kontinuierlich continual
die **Kontraktion** contraction, shrinking
der **Kontrast, -e** contrast
die **Kontrastwirkung** contrasting effect

der **Kopf,** ⸗e head; mind
das **Köpfchen,** - bulb (*of garlic*)
der **Kopfknochen,** - bone of the head
der **Korallenbau, -ten** coral structure
die **Korbblütler** (*pl.*) Compositae, composite flowers
der **Kork** cork
der **Körper,** - body; substance
die **Körperarterie** body aorta
der (*also* das) **Körperbereich, -e** region of the body
die **Körperbewegung** bodily movement, motion of the body
das **Körpergleichgewicht** equilibrium of the body
die **Körperhälfte** half of the body
die **Körperlage** position of the body
die **Körperleitung** body circuit
körperlich bodily, physical, corporeal
die **Körpermitte** center of the body
die **Körperseite** side of the body
die **Körperstelle** part of the body
der **Körperteil, -e** part of the body
die **Körpertemperatur** body temperature
die **Körperwärme** body heat, body temperature
der **Kosmos, (-)** cosmos, universe
die **Kostbarkeit** costliness
die **Kosten** (*pl.*) expense
die **Kraft,** ⸗e force, power, energy
der **Kraftarm, -e** force arm
die **Kraftentfaltung** exercise
das **Kräfte-Parallelogramm, -e** parallelogram of forces
die **Kraftersparnis** saving of force
das **Kraftgefühl** feeling of strength *or* energy
das **Kraftgewicht, -e** weight of the force
kräftig powerful, strong
die **Kraftmenge** amount of energy
die **Kraftrichtung** direction of the force
kraftvoll energetic, vigorous

der **Kraftweg, -e** path of the force
die **Kraftwirkung** (action of the) force
die **Kralle** claw
krank ill, sick, diseased
kraus irregular, crinkled
die **Kreide** chalk; Cretaceous Period
der **Kreis, -e** circle
die **Kreisbahn, -en** circular path
kreisförmig circular
der **Kreislauf,** ⸗e circulation
das **Kreuzbein** os sacrum
der **Kreuzbeinabschnitt** sacral section
die **Kreuzbeingegend** sacral region
die **Kreuzblütler** (*pl.*) cruciferous plants
die **Kreuzschichtung** cross bedding, crosswise stratification
kriechen, o, o crawl
die **Kriegsgeologie** war geology
die **Krista** crest (of the sternum)
der **Kristall, -e** crystal
das **Kriställchen,** - small crystal
das **Kristallgitter,** - lattice of the crystal
kristallin crystalline
das **Kristallin** crystalline formation
das **Kristallingestein, -e** crystalline rock
kristallinisch crystalline
die **Kristallisation** crystallization
kristallisieren crystallize
das **Kristalloid, -e** crystalloid
kritisch critical
die **Krone** crown
krummlinig curved, curving, crooked
die **Krümmung** curvature, bend
die **Kruste** crust
das **Krustenmaterial, -ien** crust material
die **Kryptogame** cryptogam, spore plant, flowerless plant
das **Krypton** crypton
das **Kubikdezimeter,** - cubic decimeter
das **Kubikmeter,** - cubic meter

das **Kubikzentimeter,** - cubic centimeter

die **Kugel, -n** ball, sphere; bullet

kugelig spherical

kühlen cool

die **Kukurbitaceen** (*pl.*) Cucurbitaceae, *i.e.*, *plants with fleshy fruit, e.g., cucumbers, melons, etc.*

die **Kultur, -en** culture

die **Kulturpflanze** cultivated plant

künftig future, in the future

künstlich artificial

kunstvoll ingenious, artful

das **Kupfer** copper

das **Kupferoxyd** copper oxide

die **Kuppe** peak, summit, head

kuppenförmig vaulted, dome-shaped

die **Kurve** curve

kurz short, brief; in short; **vor —em** recently

kürzlich recently

die **Küste** coast, shore

L

l = das **Liter** liter

labil unstable

das **Laboratorium, Laboratorien** laboratory

das **Labyrinth, -e** labyrinth

das **Labyrinthwasser** labyrinth fluid, endolymph

das **Lackmus** litmus

die **Lackmuslösung** litmus solution

laden, (ä), u, a (*also weak*) charge

die **Ladung** charge

die **Lage** situation, location, position; layer, stratum; state, condition

das **Lager, -** bed, stratum; mine

lagerförmig in layers, in strata

lagern be deposited, rest; place, situate

die **Lagerstätte** resting place

die **Lagerung** position, situation; deposit(ion)

die **Lagerungsart, -en** type of deposition *or* bedding

das **Lagerungsverhältnis, (-ses), -se** state of stratification *or* deposition

der **Lagesinn** sense of position, static sense

die **Lagune** lagoon

lähmen paralyse

die **Lähmung** paralysis

der **Laienkreis, -e** circle of laymen

der **Lakkolith, (-s** *or* **-en), -e** *or* **-en** laccolith

die **Lamelle** lamella, leaflet

das **Land, ‟er** land, country

landbewohnend terrestrial, living on the land

die **Landoberfläche** surface of the land

die **Landpflanze** land *or* terrestrial plant

die **Landschaft** landscape

der **Landsmann, ‟er** countryman

das **Landtier, -e** terrestrial animal

lang long

lange (for) a long time; **so — bis** until, as long as

die **Länge** length; **der — nach** lengthwise

die **Längeneinheit** unit of length

das **Längenmaß, -e** linear standard *or* measurement

der **Längenmaßstab, ‟e** linear standard

langgestreckt extensive, elongated

längs along

langsam slow

die **Längsfaser, -n** longitudinal fiber

die **Längsfurche** longitudinal *or* central fissure

die **Längsmuskelfaser, -n** longitudinal muscle fiber

der **Längsschnitt, -e** longitudinal section

die **Längsspalte** longitudinal fissure

das **Lanthannitrat** lanthanum nitrate

die **Lapilli** (*pl.*) lapilli

der **Lappen, -** lobe, flap

lassen, (ä), ie, a let, leave, allow, cause, permit; *rfl.* may be

die **Last, -en** load
der **Lastarm, -e** load arm
das **Lastgewicht, -e** weight of the load
lästig annoying, burdensome
der **Lastweg, -e** path of the load
das **Laubgehölz, -e** folicious woods
Laue, Max von (1879–), *German physicist, in 1912 discovered the diffraction of X-rays on crystals. Received the Nobel Prize in 1914.*
der **Lauf, ⸗e** course
laufen, (äu), ie, au run, go
das **Lauftier, -e** quadruped, runner
die **Lauge** lye
laut loud
die **Lava, Laven** lava
der **Lavastrom, ⸗e** stream of lava
Lavoisier, Antoine L. (1743–1794), *French chemist, explained combustion phenomena and rejected the phlogiston theory, thus founding modern chemistry.*
leben live
das **Leben, -** life, existence
lebendig living
der **Lebensbaum, ⸗e** arbor vitae, tree of life
die **Lebensbedingung** condition necessary for life
die **Lebenserscheinung** phenomenon of life
die **Lebenstätigkeit** vital activity, life function
die **Lebensweise** mode of life
lebenswichtig vital
die **Leber, -n** liver
das **Lebewesen, -** living being, organism
lebhaft lively, vivid, active
die **Lederhaut** corium
lediglich merely, only
legen lay, place, put; **sich — an** become attached to, join
die **Legierung** alloy
der **Lehm** loam
die **Lehre** theory, doctrine, study
lehren teach

die **Leibeshöhle** body cavity
leicht light, easy, slight; ready
die **Leichtigkeit** lightness
der **Leim, -e** glue, gelatine
die **Leiste** ridge
leisten perform; offer
die **Leistung** performance (of work), work
die **Leistungsfähigkeit** efficiency
leiten lead, conduct, carry
die **Leitfähigkeit** conductivity
die **Leitfossilienkunde** study of index *or* principal fossils
der **Leitsatz, ⸗e** proposition
die **Leitung** conduction, circuit
der **Leitungsapparat, -e** conduction apparatus, transmission apparatus
die **Leitungsbahn, -en** path of transmission
das **Leitungswasser** tap water
die **Lendengegend, -en** lumbar region
die **Lendenwirbelsäule** lumbar portion of the spine
lernen learn
letzt last
letztgenannt last-named
letzter latter
leuchten shine, illuminate
leuchtend bright, luminous
das **Leuchtgas, -e** illuminating gas
die **Leuchtröhre** illuminated tube
leugnen deny
Li = das Lithium lithium
licht light; open, clear, inside
das **Licht, -er** light
der **Lichteindruck, ⸗e** impression of light, sensation of light
die **Lichtempfindung** sensation of light
lichten *rfl.* clear, raise
die **Lichtwelle** light wave
die **Lichtwellenlänge** length of light waves
liefern deliver, furnish, supply (with), yield, produce
liegen, a, e lie, be situated

Linde, Karl, Ritter von (1842–1934), *discovered in 1895 a method for producing liquefied air in quantity.*

linealförmig linear

die **Linie** line; **in erster —** primarily, above all, in the first place

link left; **—s** to the left; **nach —s** to the left

linsenförmig lens-shaped, lentiform, lenticular

die **Lippe** lip

der **Lippenrand, ⁼er** edge of the lip

das (*also* der) **Liter, -** liter

die **Literatur, -en** literature

das **Lithium** lithium

lithographisch lithographic

das **Loch, ⁼er** hole, opening, aperture

logisch logical

lokal local, in places

lockern loosen

los(e) loose, free; porous

lösen dissolve

löslich soluble

die **Löslichkeit** solubility

los-lösen loosen, separate

die **Loslösung** separation

die **Lösung** solution

das **Lösungsmittel, -** solvent

das **Lot, -e** plumb line, perpendicular

die **Lotrichtung** perpendicular direction

der **Löwenzahn** dandelion

der **Lückenzahn, ⁼e** premolar tooth, bicuspid

die **Luft, ⁼e** air, atmosphere

der **Luftdruck** air pressure

die **Luftfeuchtigkeit** humidity

luftförmig gaseous

das **Luftleben** living in the air

luftleer vacuous

die **Luftröhre** trachea, windpipe

die **Luftsäule** air column

das **Luftschiff, -e** airship

der **Luftweg, -e** air passage

die **Luftwelle** air wave

der **Luftwiderstand** air resistance

die **Lunge** lung(s)

die **Lungenarterie** pulmonary artery

das **Lungenbläschen** alveolus, pulmonary vesicle

der **Lungenflügel, -** lung, lobe of the lung

der **Lungenkreislauf** pulmonary circulation

die **Lungenvene** pulmonary vein

die **Lupe** magnifying glass

das **Lustgefühl, -e** feeling of pleasure

Lyell, Sir Charles (1797–1875), *English geologist, explained the changes in the earth's surface by causes that are still active.*

die **Lymphe** lymph

das **Lymphgefäß, -e** lymph(atic) vessel

M

m = das **Meter** meter

machen make, do

mächtig powerful, vast, huge

die **Mächtigkeit** thickness, depth; extent

der **Magen, -** stomach

die **Magendrüse** gastric gland

der **Magenraum** gastric cavity, capacity of the stomach

der **Magensaft, ⁼e** gastric juice

die **Magenverdauung** gastric digestion

die **Magenwand, ⁼e** stomach wall

das **Magma, -ta** magma

die **Magmamasse** mass of magma, *i.e., molten material*

die **Magmazone** zone of magma

das **Magnesium** magnesium

das **Magnesiumpulver** magnesium powder

der **Magnet, (-s** *or* **-en), -e** *or* **-en** magnet

-mal times

das **Mal, -e** time; **zum ersten —** for the first time

man one, we, they, people, you

manch(er) many (a), some

mancherlei various, different, many sorts of

die **Mandeln** (*pl.*) tonsils
mangelhaft deficient, incomplete, defective
mangeln be lacking, be wanting
mangels because of the lack of
der **Mann,** ⸚**er** man
Mannheimer (of) Mannheim
mannigfaltig various, manifold
die **Mannigfaltigkeit** variety, multiplicity
männlich masculine, male
marin marine
Mariotte, Edmé (about 1620–1684), *French physicist, discovered the effect of pressure on the volume of gases.*
die **Mark, -en** mark, limit
das **Mark** marrow; das **verlängerte —** medulla oblongata
markieren mark
die **Marksubstanz** marrow, marrow-like substance
der **Marmor, -e** marble
die **Maschine** machine, engine
die **Maschinenlehre** theory of machines
das **Maschinenprinzip** principle of the machine
das **Maß,** -e measure, ratio, extent, degree, amount, rate; standard, gauge, criterion
die **Masse** mass, bulk, quantity
das **Massendreieck, -e** triangle (of mass)
das **Massengestein, -e** massive rock, solid rock
massenhaft numerous, abundant
die **Massenkraft,** ⸚**e** force of mass
massenlos without mass, imaginary
der **Massenmittelpunkt, -e** center of mass
der **Massenpunkt, -e** concentration *or* point of mass
das **Massenteilchen, -** particle of mass
massig bulky, large, massive, solid; massy
mäßig moderate

der **Maßstab,** ⸚**e** measure, standard, scale; **in großem —e** on a large scale
die **Maßzahl, -en** unit (of measurement), measurement
der **Mastdarm,** ⸚**e** rectum
das **Material, -ien** material
der **Materialbegriff, -e** material concept, concept of material
die **Materialbenennung** material nomenclature
der **Materialfehler, -** defect (in the material)
die **Materialförderung** expulsion of material
die **Materialgewinnung** getting *or* extraction of material
die **Materialschichtung** stratum *or* stratification of material
die **Materialverdichtung** material condensation, condensation of material
die **Materialzufuhr** addition of material
die **Materie** matter
die **Materieverdichtung** material condensation, condensation of matter
mathematisch mathematical
der **Maulwurf,** ⸚**e** mole
die **Maximalwertigkeit** maximum valence
das **Maximum, Maxima** maximum
die **Mechanik** mechanics
mechanisch mechanical
der **Mechanismus, (-), Mechanismen** mechanism
die **Medianebene** median plane
das **Meer, -e** sea, ocean
der **Meeresboden** sea floor
der **Meereseinbruch,** ⸚**e** oceanic inroad
die **Meeresküste** seacoast
der **Meeresspiegel** surface of the ocean
das **Meerestier, -e** marine animal
die **Meermuschel, -n** marine mussel
das **Meerwasser** sea water

das **Meerwassertier, -e** salt-water animal
mehr more; **nicht —** no longer
die **Mehrbelastung** overloading
mehrere several
mehrerlei several (sorts of)
die **Mehrzahl** plural, majority
die **Meile** mile
meinen believe, mean
die **Meinung** opinion
meißelförmig chisel-shaped
meist most, for the most part, generally
meistens mostly, for the most part
Melde, *investigator of capillary phenomena*
melden advise, inform, announce
Meldesch of Melde
Mendelejeff, Dmitrij (1834–1907), *Russian founder of the periodic system*
die **Menge** quantity, amount; mass
mengenmäßig in respect to quantity
das **Mengenverhältnis, (-ses), -se** quantitative proportion
der **Mensch, (-en), -en** man(kind), human (being)
das **Menschheitsjahrtausend, -e** thousand years of human life
menschlich human
der **Mergel** marl
merkenswert noteworthy
merklich noticeable
das **Merkmal, -e** characteristic, feature
merkwürdig remarkable, noteworthy, unusual
merkwürdigerweise curiously
meßbar measurable
messen (i), a, e measure
das **Messing** brass
die **Messung** measurement
das **Messungsergebnis, (-ses), -se** result of measurement
der **Metakarpalknochen, -** metacarpal (bone)
das **Metall, -e** metal
metallisch metallic

das **Metallkarbid, -e** metallic carbide
die **Metallkugel, -n** metal sphere
das **Metalloxyd, -e** metallic oxide
metamorphosiert metamorphosed, transformed
der **Meteoritenfund, -e** find of (a) meteorite
das (*also* der) **Meter, -** meter
das **Meterkilogramm, -e** kilogram-meter
das **Methan** methane
die **Methode** method
Meyer, Lothar (1830–1895), *German chemist, in 1869 established a periodic system. Also discovered changes in the haemoglobin of the blood as produced by oxygen and carbon monoxide.*
mg = das **Milligramm** milligram
das **Mikroskop, -e** microscope
mikroskopisch microscopic
der **Milchbrustgang, ⁼e** thoracic duct
die **Milchdrüse** mammary gland, milk gland
das **Milchgebiß** first teeth, milk teeth
milchweiß milk-white
das **Milligramm, -e** milligram
das **Millimeter, -** millimeter
die **Million, -en** million
millionenfach millionfold
milliont- millionth
das **Milliontel** millionth
die **Milz** spleen
minder less
mindest least; **zum —en** at least
die **Mindestkraft** minimum force
das **Mineral, -ien** *or* -e mineral
die **Mineralogie** mineralogy
das **Mineralreich** mineral kingdom
der **Mineralstoff, -e** mineral material
minimal slight, minimal
das **Minimum, Minima** minimum
mischen mix
die **Mischung** mixture; mixing
der **Mississippi** Mississippi

mißlingen, a, u fail
die Mistel, -n mistletoe
die Misteldrossel, -n mistletoe thrush
mit with, along, by, accompanied by; too, also
miteinander with one another
mitgerissen swept along
mit-helfen assist
mit-schwingen vibrate also, vibrate sympathetically, vibrate (along with something else)
die Mitte middle, center, midst
mit-teilen give, impart, communicate
das Mittel, - mean(s)
mittel central, middle
mittelbar indirect
mitteldeutsch middle German
das Mittelding intermediate stage
der Mittelfinger, - middle finger
der Mittelfuß, metatarsus
die Mittelhand metacarpus
das Mittelhirn, -e mesocephalon, midbrain
die Mittellinie middle line, center line
das Mittelmeergebiet Mediterranean region
der Mittelpunkt, -e middle point, center
mittels by means of
mittelschlächtig middle shot (of water toward a mill wheel)
das Mittelsäulchen, - small middle column
das Mittelstück, -e central portion
mitten in within, in the midst of
mittler- middle, central, mean
mitunter occasionally, now and then
mit-wirken co-operate, assist, contribute
die Mitwirkung co-operation
mkg = das Meterkilogramm, kilogram-meter
mm = das Millimeter millimeter

mögen, (mag), mochte, gemocht may, like to; möchte might, should like to
möglich possible, potential
die Möglichkeit possibility
möglichst as much as possible
Moissan, Henri (1852–1907), French chemist, isolated and liquefied fluorine, and produced artificial diamonds in the electric oven. Received the Nobel Prize in 1906.
das Molekel, -n molecule
das Molekül, -e molecule
das Molekülgitter, - lattice of molecules
die Molekülargröße molecular magnitude, size of the molecule
der Molekülbegriff, -e molecular theory or concept
die Molekülbewegung molecular motion
der Moment, -e moment
das Moment, -e feature, instance; force, impetus
der Mond moon
die Mongolei Mongolia
die Monotremen (pl.) monotremes, i.e., the lowest order of mammals
das Moos, -e moss
das Morphium morphine
der Moschus, (-), -se musk
motorisch motor
mühsam laborious, with difficulty
multip(e)l multiple
multiplizieren multiply
der Mund, -e mouth
münden empty (into), open (into), discharge
die Mundflüssigkeit oral fluid
die Mundhöhle oral cavity
die Mundschleimhaut oral mucous membrane
der Mundteil, -e part of the mouth, oral part
die Mündung mouth, open end
die Muschel, -n mussel; turbinated process, pinna (of the ear)

das **Muschelbein, -e** turbinated bone

der **Muschelkalk** shell limestone

die **Muschelschale** mussel shell

der **Muskel, -n** muscle

das **Muskelbündel, -** fascicle of muscles

die **Muskelfaser, -n** muscular fiber

die **Muskelgruppe** group of muscles

der **Muskelnerv, -en** muscle nerve

die **Muskelschicht, -en** layer of muscle

der **Muskelschmerz, -en** muscular pain

der **Muskelsinn, -e** muscular sense, kinaesthetic sense

die **Muskelzuckung** muscle movement

müssen, (muß), mußte, gemußt must, have to; cannot help

der **Mutterkuchen** placenta

die **Mutterlauge** mother liquor

die **Mutterpflanze** mother plant

die **Myxomyceten** (*pl.*) Myxomycetes, Myxophyta, *i.e., the slime molds*

N

N. = Nervus = der **Nerv** nerve

nach after, past; to, toward; along; according to, as to; — **hin** toward; — **und** — gradually, progressively

das **Nachbarelement, -e** neighboring element

die **Nachbarschaft** vicinity, neighborhood

nachdem after

das **Nachdenken** reflection

nacheinander toward each other; after each other; one after another

der **Nachen, -** skiff

nach-geben yield, give in, give way

nach-lassen diminish

nach-schieben, o, o push out

nächst following

nachstehend following

der **Nachteil, -e** disadvantage

die **Nachtkerze** evening primrose, Oenothera biennis

nachträglich later, subsequent

nachweisbar traceable, manifest

nach-weisen, ie, ie point out, demonstrate, show, prove; detect

nach-wirken take effect afterward, produce an after effect; persist

der **Nagel, ⸚** nail

der **Nager, -** rodent

das **Nagetier, -e** rodent

nah(e) near, close, near by, direct

die **Nähe** vicinity, neighborhood, proximity, region; nearness, close range; **in der —** close by, not far (from)

nahe-legen suggest, make natural

nahestehend related

nahezu nearly, almost

das **Nährsalz, -e** nutrient salt

der **Nährstoff, -e** nutrient (substance)

die **Nahrung** food, nutrition

die **Nahrungsaufnahme** assimilation *or* absorption of nutrition

das **Nahrungsmittel** food, means of nutrition

der **Name, (-ns), -n** name

namentlich especially

nämlich namely, of course, as is well known, (as) you know

die **Naht, ⸚e** suture

die **Nase** nose

das **Nasenbein, -e** nasal bone

die **Nasenhöhle** nasal cavity

die **Nasenlänge** length of the nose

der **Nasenluftweg, -e** nasal passage

der **Nasenraum, ⸚e** nasal space *or* cavity

die **Nasenscheidewand** nasal septum

die **Nasenschleimhaut** nasal mucous membrane

die **Nasenspitze** tip of the nose

das **Natrium** sodium

das **Natrium-Atom, -e** sodium atom

das **Natriumbisulfat** sodium bisulphate

das **Natriumchlorid** sodium chloride
das **Natriumhydrosulfat** sodium hydrogen sulphate
das **Natriumhydroxyd** sodium hydroxide
das **Natriumkarbonat** sodium carbonate
der **Natrium-Kern, -e** sodium nucleus
das **Natriumsulfat** sodium sulphate
die **Natriumverbindung** sodium compound
die **Natronlauge** sodium hydrate, soda lye
die **Natur, -en** nature; **von — aus** by its very nature
das **Naturgesetz, -e** natural law
die **Naturkraft, ⸗e** force of nature, natural force
die **Naturlehre** natural science
natürlich natural; of course
der **Nebel, -** mist
neben next to, beside, near, in addition to
der **Nebenbehälter, -** subsidiary container
die **Nebenhöhle** subsidiary cavity
das **Nebenprodukt, -e** by-product
negativ negative
nehmen, (nimmt), a, genommen take
neigen incline, tend
die **Neigung** tendency, inclination
der **Neigungswinkel, -** angle of inclination
nennen, nannte, genannt name, call, mention
nennenswert worthy of mention
der **Nenner** denominator
das **Neon** neon
das **Neon-Atom, -e** neon atom
der **Nerv, (-s** or **-en), -en** nerve
die **Nervenbahn, -en** nerve track
die **Nervendigung** nerve end(ing)
der **Nervenfaden, ⸗** nerve filament
die **Nervenfaser, -n** nerve fiber
das **Nervengeflecht, -e** network of nerves; nerve tissue

die **Nervenkraft, ⸗e** nerve force
die **Nervenmasse** nerve mass, nerve tissue
das **Nervenpaar, -e** pair of nerves
nervenreich replete with nerves
der **Nervenreichtum** (large) amount of nerves
die **Nervenscheide** nerve sheath
der **Nervenstrang, ⸗e** fasciculus of nerves, nerve cord
die **Nervensubstanz, -en** nerve substance
das **Nervensystem, -e** nervous system, nerve system
die **Nerventätigkeit** nerve function, nerve activity
die **Nervenzelle** nerve cell, cell body
das **Netz, -e** net(work); **das (große) — omentum**
neu new, later, recent
die **Neuansiedelung** new colonization
die **Neuausscheidung** reprecipitation
neuer modern
neuerdings recently
neutral neutral
die **Neutralization** neutralization
das **Neutron** neutron
das **Neutrum** neuter
die **Neuzeit, -en** modern times
n-fach nth, n-fold
nicht not; **— mehr** no longer; **noch —** not yet; **— nur . . . sondern auch** not only . . . but also
die **Nichtfachleute** (*pl.*) laymen
nichtgehemmt not retarded, not checked
nichtlebend nonliving, inanimate
der **Nichtleiter, -** nonconductor
das **Nichtmetall, -e** nonmetal
nichts nothing
nichtstofflich nonmaterial
nichtvulkanisch nonvolcanic
der **Nickeleisenkern** nickel-iron core
die **Nickhaut, ⸗e** nictitating membrane, third eyelid

nie never

nieder low, lower

das Niederdrücken pressing down

nieder-fallen fall down

die Niederlausitz Lower Lusatia

der Niederschlag, ⸗e precipitate

niedrig low

niemals never

die Niere kidney

n-mal n-times

noch still, yet, even; — ein another; — einmal again, once more; — nicht not yet

Nordamerika North America

der Norden north

nördlich northern

die Nordsüdlinie north-south line

normal normal

der Normalmaßstab standard measuring stick, normal standard

das Normalmeter standard meter

nötig necessary

die Notiz, -en note, notice

notwendig necessary

die Notwendigkeit necessity

der Nullpunkt zero (point)

die Nummer, -n number

nun now

nunmehr now, by this time, henceforth

nur only, merely, just

die Nuß, Nüsse nut

der Nußknacker, - nutcracker

die Nutzbarmachung utilization

der Nutzen, - use, utility

nützlich useful

O

ob whether, if

oben above; nach — upward

obengenannt above-mentioned

ober upper, higher, superior

der Oberarm, -e upper arm

der Oberarmknochen humerus

das Oberende upper end

die Oberfläche surface, outside

die Oberflächenform surface form

die Oberflächenspannung surface tension

oberflächlich superficial

oberhalb above

die Oberhaut epidermis

oberirdisch above the ground

der Oberkiefer, - superior maxilla, upper jaw

die Oberkieferhälfte half of the superior maxilla

der Oberschenkel upper leg, femur

oberschlächtig overshot (of water falling on a mill wheel)

Oberschlesien Upper Silesia

die Oberseite upper side

oberst highest, uppermost

ob-liegen devolve upon, be incumbent upon

obwohl although

öde waste

oder or

offen open

offenbar evident, obvious

öffnen (rfl.) open

die Öffnung opening, aperture, orifice

die Öffnungsstelle place of opening

oft often, frequently

oftmals frequently, oftentimes

ohne without; — weiteres without further ado, at once

das Ohr, -en ear

die Ohrmuschel, -n external ear, pinna

die Ohrtrompete Eustachian tube

das Öl, -e oil

die Ölfarbe oil paint

ölhaltig oil-containing

der Omnivore, (-n), -n omnivore, omnivorous animal

die Operation operation

die Optik optics

optisch optical

die Orchidee orchid

ordnen arrange, classify

die Ordnung class, order, species

die Ordnungszahl, -en atomic number

das **Organ, -e** organ
organisch organic
der **Organismenrest, -e** residue of
organisms
der **Organismus, (-), -men** organism
organogen organic, of organic origin
der **Ort, -e** or **-er** place, spot, locality
die **Ortsveränderung** change of place
die **Osmose** osmosis
osmotisch osmotic
das **Ostseegebiet** Baltic region
Ostsibirien eastern Siberia
oval oval
das **Oxyd, -e** oxide
die **Oxydation** oxidation
das **Oxydationsprodukt, -e** product
of oxidation
die **Oxydationserscheinung** phenomenon of oxidation
oxydieren oxidize
der **Ozean, -e** ocean
ozeanisch oceanic
das **Ozeanwasser** ocean water
ozonhaltig containing ozone

P

das **Paar, -e** pair, couple; **ein paar**
a few
paarig paired, by pairs
die **Paläogeographie** paleogeography
die **Paläontologie** paleontology
das **Paläozoikum** Paleozoic Period
paläozoisch paleozoic
die **Papierfabrik, -en** paper factory
die **Papille** papilla
die **Pappel, -n** poplar (tree)
paradox paradoxical
das **Paradoxon, Paradoxa** paradox
parallel parallel
die **Parallele** parallel
das **Parallelogramm, -e** parallelogram
Pariser Parisian, of Paris
die **Parkanlage** (grounds of a) park
die **Partie** part, section
die **Partikel, -n** particle
die **Paukenhöhle** tympanic cavity
der **Pelz, -e** fur, pelt; skin, hide

das **Pelztier, -e** fur-bearing animal
das (also der) **Pendel, -** pendulum
das **Pendelgesetz, -e** law of the pendulum
der **Pendelkörper** mass of the pendulum, body of the pendulum
die **Pendellänge** length of the pendulum
die **Pendelstange** shaft of the pendulum
die **Perideneen** (pl.) peridinicae, a
species of plant-animal
die **Periode** period
periodisch periodic
perpetuum mobile = perpetual motion
die **Petrographie** petrography
das **Petroleum** petroleum
die **Pfanne** pan, socket
die **Pferdestärke** horse power
das **Pflänzchen** small plant
die **Pflanze** plant
die **Pflanzenart, -en** species of plant
die **Pflanzenbiologie** botany, plant
biology
die **Pflanzendecke** covering of vegetation
der **Pflanzenfarbstoff, -e** vegetable
dye
der **Pflanzenfresser** herbivorous animal
die **Pflanzenkost** vegetable diet
das **Pflanzenleben** plant life
das **Pflanzenreich** vegetable kingdom
der **Pflanzenrest, -e** plant remain(s)
der **Pflanzensame, (-ns), -n** seed (of
a plant)
die **Pflanzenwelt** plant world, vegetable kingdom
pflanzlich plant, vegetable
pflaumengroß plum-size, large as a
plum
pflegen be accustomed to
das **Pflugscharbein, -e** vomer
die **Pfortader, -n** portal vein
der **Pförtner, -** pyloris

die **Pförtnerklappe** pyloric valve
das **Pfund-Stück, -e** pound piece
die **Phalange** (*also* **Phalanx**), **Phalangen** digit, phalanx
die **Phase** phase
der **Philosoph, (-en), -en** philosopher
das **Phlogiston** phlogiston
die **Phlogistontheorie** phlogiston theory
der **Phosphor** phosphorus
das **Phosphoroxyd** phosphorous oxide
das **Phosphorpentoxyd** phosphorous pentoxyd
die **Phosphorsäure** phosphoric acid
photographisch photographic
die **Physik** physics
physikalisch physical
der **Physiker, -** physicist
physisch physical
die **Physiologie** physiology
physiologisch physiological
der **Pilz, -e** fungus
der **Plan, -e** plan
der **Planet, (-en), -en** planet
das **Planetenindividuum, -individuen** individual among the planets
die **Planetesimaltheorie** planetesimal theory
das **Planetsystem, -e** planetary system
planmäßig systematic
die **Plasmodien** (*pl.*) plasmodia, *i.e.*, *the vegetative body of the Myxomycetes, or slime-molds*
plastisch plastic
das **Platin** platinum
der **Platinmaßstab** platinum measuring stick
platt flat
die **Platte** plate, slab
der **Plattenkalk** slab limestone
der **Plattnagel, -** (flat) nail
der **Platz, -e** space, room; square
die **Plazenta, -s** placenta
plötzlich sudden

die **Polverlagerung** polar displacement, shifting of the poles
populär popular; **— gehalten** popularly treated
porös porous
der **Porphyr, -e** porphyry
die **Porzellanerde** kaolin (*a type of clay*)
positiv positive
die **Potenz, -en** power
praktisch practical, in practice
prall tight, tightly stretched
das **Präparat, -e** preparation
präsentieren present
die **Präzision** precision
die **Presse** press
pressen press
die **Pressungsschale** pressure shell
Priestley, Joseph (1733–1804), *English theologian, philosopher, chemist, and physicist, migrated to America in 1791. Discoverer of oxygen and carbon monoxide.*
primär primary
das **Prinzip, -e** *or* **-ien** principle
die **Probe** sample
das **Problem, -e** problem
das **Produkt, -e** product
produzieren produce
die **Proportion** proportion, ratio
proportional proportional
das **Proton, -en** proton
der **Prozentgehalt** percentage content
prozentisch according to percentage, percentage
prüfen test
die **Prüfung** test(ing)
die **Pulpe** pulp
das **Pulver, -** powder
pulverisiert powdered
die **Pulverladung** charge of powder
der **Punkt, -e** point
das **Pünktchen, -** little point, dot
punktiert dotted
die **Pupille** pupil
purpurn purple

Q

q = das **Quadrat** square
qcm = das **Quadratzentimeter** square centimeter
qdm = das **Quadratdezimeter** square decimeter
qkm = das **Quadratkilometer** square kilometer
qm = das **Quadratmeter** square meter
qmm = das **Quadratmillimeter** square millimeter
das **Quadrat**, -e square
das **Quadratmeter**, - square meter
das **Quadratzentimeter**, - square centimeter
qualitativ qualitative
quantitativ quantitative
der **Quartz**, -e quartz
die **Quecke** couch grass
das **Quecksilber** mercury, quicksilver
das **Quecksilberbarometer**, - mercury barometer
der **Quecksilberdruck** mercuric pressure
das **Quecksilberoxyd** mercuric oxide
die **Quecksilbersäule** column of mercury
der **Quecksilberspiegel** surface of (the) mercury
die **Quelle** source
die **Quellkuppe** conical orifice
quer transverse, oblique, crosswise
das **Querband**, ⁼er transverse ligament
der **Querfortsatz**, ⁼e transverse process
quergelegt transversely situated, laid crosswise
quergestellt placed transversely
die **Querreihe** transverse row
die **Querrolle** trochlea, lower end of the humerus
der **Querschnitt**, -e cross section
quetschen pinch, bruise; crush
der **Quirl**, -e circle, whorl; drill

R

das **Rabenschnabelbein** os coracoideum, coracoid (bone)
der **Rabenschnabelfortsatz** coracoid process
der **Rachen** pharynx
die **Rachenblüte** ringent corolla, gaping flower
die **Rachenhöhle** pharyngeal cavity
das **Rad**, ⁼er wheel
das **Radfahren** bicycling
der **Radfahrer**, - bicyclist
radförmig wheel-shaped
radioaktiv radioactive
der **Radius**, (-), **Radien** radius
das **Radium-Atom**, -e radium atom
das **Radon-Atom**, -e radon atom
Ramsay, Sir Wm. (1852–1916), *British discoverer with Rayleigh in 1894 of argon in the air. Received the Nobel Prize in 1904.*
der **Rand**, ⁼er edge, rim, border
die **Ranke** creeper, climber, shoot
rasch rapid, fast, swift, quick
die **Rasseangehörigkeit** race, racial membership
das **Raubtier**, -e beast of prey, carnivore
rauh raw, coarse, rough
der **Raum**, ⁼e space, room, place; volume
räumen evacuate, make room for
die **Raumerfüllung** volume, filling (up of) space, extension
das **Raummaß** measurement of space *or* volume
die **Raummenge** size, quantity of space
der **Raumteil** (part of) space
Rayleigh, Lord (John Wm. Strutt, 1842–1919), *English discoverer with Ramsay in 1894 of argon in the air.*
reagieren react
die **Reaktion** reaction
reaktionsfähig reactive
die **Reaktionsgeschwindigkeit** velocity of reaction

die **Reaktionskraft,** ⸗e force of reaction

das **Reaktionsprodukt, -e** product of (the) reaction

die **Reaktionsträgheit** inertness

das **Reaktionsvermögen** power of reaction, ability to react

rechnen reckon, count, consider, class; — **zu** classify with, group among

recht right, correct; quite, very; —**s** to the right

rechtwinklig at right angles

die **Rede** speech, talk

reden speak, talk

die **Reduktion** reduction, atrophy

die **Reduktionserscheinung** reduction phenomenon

das **Reduktionsmittel,** - reducing agent

reduzieren reduce, atrophy

der **Reflex, -e** reflex

die **Reflexbewegung** reflex (motion)

die **Regel, -n** rule; in der — as a rule

regellos irregular

regelmäßig regular

die **Regelmäßigkeit** regularity

regelrecht regular, normal

der **Regen** rain

die **Regenbogenhaut,** ⸗e iris

der **Regenguß, (-gusses), -güsse** violent rainfall

das **Regenwasser** rain water

regulieren regulate, govern

das **Reh, -e** deer

die **Reibung** friction

der **Reibungswiderstand** resistance to friction

reich rich

reichlich rich, abundant, profuse

die **Reihe** row, series, succession, number; **der — nach** in order, in sequence

reihenförmig in a series

das **Reiherschnabelgewächs, -e** common stork's-bill

reifen ripen

rein pure, clean; mere

die **Reindarstellung** pure preparation

die **Reinheit** purity

reinigen purify

die **Reinigung** cleansing, purification

die **Reinigungsmethode** method of purification

der **Reinigungsprozeß, (-prozesses), -prozesse** purifying process

die **Reise** trip, journey

reißen, ĭ, ĭ tear

das **Reiten** riding horseback

der **Reiz, -e** stimulus; irritation

die **Reizart, -en** kind of stimulus, type of stimulus

die **Reizstärke** intensity of stimulus

die **Reizung** irritation, stimulus

der **Reklamezweck, -e** advertising purpose

die **Rekonstruktion** reconstruction

relativ relative

repräsentieren represent

resp. = respektive = beziehungsweise respectively, or as the case may be

der **Rest, -e** rest, remainder, residue, remnant

restlos entire, final

die **Resultante** resultant

das **Resultat, -e** result

resultierend resulting

reziprok reciprocal

der **Rheinhafen,** ⸗ harbor on the Rhine

richten direct, turn

richtig correct

die **Richtung** direction, course

die **Richtungsänderung** change of direction

riechen, o, o smell

riechend odorous

der **Riechnerv, -en** olfactory nerve

die **Riechzelle** olfactory cell

das **Riesengebirge** Riesengebirge, Giant Mts.

riesenhaft gigantic, colossal

riesig gigantic

die **Rinde** rind, crust; cortex

die **Ringfaser, -n** ring fiber, annular fiber

ringförmig annular, ring-shaped

der **Ringmuskel, -n** annular muscle

ringsherum on all sides

ringsum around, round about, near by

die **Rinne** groove

die **Rippe** rib

die **Robbe** seal

roh crude

das **Rohr, -e** tube

das **Röhrchen, -** tubule, small tube

die **Röhre** tube

röhrenförmig tubular

das **Röhrensystem, -e** system of tubes, tubular system

die **Rohrpflanze** tubular plant

die **Rolle** part, role; pulley

rollen roll

der **Röntgenstrahl, -en** Roentgen ray, X-ray

die **Rose** rose

das **Rosten** rusting

die **Röstungserscheinung** smelting phenomenon

rot red

rotblühend red-blooming

rotbraun reddish brown

rötlichgrau reddish gray

das **Rübenfeld, -er** field of turnips

der **Ruck, -e** jerk, jolt

rücken move, proceed

der **Rücken, -** back

das **Rückenmark** spinal cord

das **Rückenmarksganglion, -ganglien** ganglion of the spinal cord

der **Rückenmarkskanal, ⸗e** spinal canal

der **Rückenmarksnerv, -en** spinal nerve

die **Rückenseite** dorsal side, back side

rückgebildet degenerated

der **Rückschluß, (-schlusses), -schlüsse** inference

die **Rücksicht** consideration, regard

der **Rückstand** product of distillation, distillate

das **Rückströmen** flowing back, regurgitating, regurgitation

rückwärts backward

die **Rückwärtsbewegung** backward motion

das **Ruder** rudder; webbed feet (*of water fowl*)

das **Rudern** rowing

rudimentär rudimentary

rufen, ie, u call

die **Ruhe** quiet, rest, repose

die **Ruhelage** position of rest

ruhen rest

ruhend at rest, resting

der **Ruhepunkt, -e** resting point, stationary point

ruhig quiet, calm

das **Rührmichnichtan** noli me tangere, nolitangere, balsam

der **Rumpf, ⸗e** trunk

das **Rumpfgebirge, -** peneplain, *i.e., a mountain, formed originally by folding, which has been worn away by the action of water and the atmosphere*

rund round; approximately

rundlich spherical, roundish

der **Russe, (-n), -n** Russian

der **Rüssel, -** snout, proboscis

rüsselförmig proboscidiform, proboscislike

Rutherford, Sir Ernest (1871–1937), *showed the possibility of splitting the atom with alpha rays. Received the Nobel Prize in 1908.*

S

s. = siehe vide, see

die **Sache** thing, matter, affair; business

der **Sack, ⸗e** sack, pocket, bag

sackförmig pouchlike

der **Saft, ⸗e** sap, juice

das **Saftsteigen** rising of the sap

sagen say

die **Saite** string

die **Salbeiart, -en**   type of sage
das **Salpeterlager, -**   nitrate deposit
die **Salpetersäure**   nitric acid
das **Salz, -e**   salt
der **Salzbildner, -**   salt-maker
das **Salzlager, -**   salt deposit
die **Salzlagerstätte**   salt bed, salt
   deposit
die **Salzsäure**   hydrochloric acid
der **Same, (-ns), -n**   seed
das **Samenkorn, ⸚er**   (grain of) seed
die **Samenreife**   maturity *or* ripening
   of the seed
die **Samenschale**   pod
samländisch   of Samland (*in East
   Prussia*)
der **Sammelbegriff, -e**   collective
   concept
sammeln (*rfl.*)   collect, accumulate
der **Sammelname, (-ns), -n**   collective name
Samoa   Samoa
samt   together with
sämtlich   all (the)
der **Sand**   sand
die **Sandbank, ⸚e**   sand bed, sand
   bank
sandig   sandy
der **Sandstein, -e**   sandstone
der **Sattel, ⸚**   saddle, dome; anticline
sättigen   saturate
der **Satz, ⸚e**   sentence; theory, principle, law
sauer   sour, acid(ic)
der **Sauerklee**   wood-sorrel
der **Sauerstoff**   oxygen
die **Sauerstoffatmosphäre**   atmosphere of oxygen
die **Sauerstoffaufnahme**   absorption
   of oxygen
der **Sauerstoffgehalt**   content of oxygen
sauerstoffreich   rich in oxygen
die **Sauerstoffsäure**   oxacid, oxygen
   acid
die **Sauerstoffverbindung**   oxygen
   compound
saugen, o, o   suck

säugen   suckle
das **Säugetier, -e**   mammal
die **Säugetierordnung**   order of mammals
die **Säule**   column
säulenförmig   columnar
die **Säure**   acid
der **Säurecharakter**   acid(ic) character
der **Säurerest, -e**   acid radical
säurig   acid(ic)
der **Schachtelhalm, -e**   shave grass,
   Equisetum
die **Schachtung**   shaft(ing), excava-
   tion
der **Schädel, -**   skull
die **Schädelhöhle**   cranial cavity
die **Schädelkapsel, -n**   skull (cap),
   cranium
der **Schädelknochen, -**   skull bone
die **Schädelnaht, ⸚e**   cranial suture
der **Schädelraum, ⸚e**   skull cavity
schädlich   noxious, harmful
die **Schädlichkeit**   injuriousness, nox-
   iousness
schaffen, schuf, a   create
das **Schälchen, -**   little shell
die **Schale**   shell, skin; pan (*of a
   scales*)
das **Schalengewicht**   weight of the
   pan
der **Schall, -e**   sound
die **Schallwelle**   sound wave
das **Schambein**   os pubis
scharf,   sharp, keen, distinct; clear;
   accurate
der **Schatz, ⸚e**   resource
das **Schätzen**   evaluation, estimating
der **Schaum, ⸚e**   foam
das **Schaumschwimm-Verfahren**   oil-
   flotation process
Scheele, Karl Wilhelm (1742–1786),
   *German chemist, discoverer of several
   elements, most notably oxygen*
die **Scheibe**   disk
scheibenförmig   disk-shaped
die **Scheidewand, ⸚e**   separating wall,
   partition, septum

scheinbar apparently

scheinen, ie, ie seem, appear

das Scheitelbein, -e parietal (bone)

das Schema, Schemen scheme, sketch, plan

schematisch schematic

der Schenkel, - shank

die Schere scissors

die Schicht, -en layer, stratum; bed

die Schichtbildung strata formation

schichten stratify, pile up

die Schichtenfolge sequence of strata, sequence of stratification

die Schichtenlehre stratigraphy

der Schichtenwechsel, - strata alteration, change in stratification

die Schichtenfläche surface of the strata

die Schichtfuge grain (of rocks), joint of the strata

das Schichtgestein, -e stratified rock

das Schichtglied, -er member of the strata

die Schichtlinie line of stratification

die Schichtung stratification

die Schichtungsrichtung direction of stratification

schief oblique, sloping, angular, inclined

der Schiefer slate

die Schieferung stratification, exfoliation

das Schienbein tibia

die Schiene rail

das Schiff, -e ship

die Schiffahrt navigation

das Schilf, -e reed

das Schilfrohr, -e reed, phragmites communis

der Schilfstengel stalk of a reed

das Schirmchen small umbrella, small screen; pappus (of the dandelion)

der Schlaf sleep

das Schläfenbein, -e temporal bone

die Schläfengrube temporal fossa

das Schlafmittel, - sedative

die Schlaftiefe soundness of sleep

der Schlamm mud, slime

das Schlämmen washing

schlecht poor, bad, difficult

schlechthin merely, simply

der Schleim, -e mucus; slime

die Schleimhaut, ⸗e mucous membrane

die Schleimhautfalte fold of mucous membrane

die Schleimhautschicht, -en layer of mucous membrane

schleimig slimy, mucous, viscous

die Schleudereinrichtung hurling or scattering device

die Schleuderfrucht, ⸗e scattering fruit

schleuderfrüchtig fruit-scattering

die Schleudervorrichtung hurling device or apparatus

schließen, ö, ö close, shut, lock, conclude; rfl. attach, fit

schließlich finally

das Schlucken swallowing

die Schlundhöhle pharyngeal cavity

schlüpfrig slippery

der Schluß, (Schlusses), Schlüsse close, end, conclusion

das Schlüsselbein, -e clavicle

die Schlußfolgerung inference, conclusion

schmal narrow

schmalnasig narrow-nosed

schmarotzend spongy, parasitic

schmecken taste

der Schmelz enamel

die Schmelze liquid, fusion

das Schmelzen melting

schmelzfaltig laminated

der Schmelzfluß, (-flusses), -flüsse fused mass

schmelzflüssig molten

die Schmelzkurve melting curve

das Schmelzmaterial, -ien fused material

der Schmelzpunkt, -e melting point, fusion point

schmelzüberzogen enamel-covered

die **Schmelzungserscheinung** fusing phenomenon
der **Schmerz, -en** pain
schmerzempfindlich susceptible to pain
schmerzen pain, ache
das **Schmerzgefühl, -e** sensation of pain
schmerzlos painless
der **Schmerznerv, -en** pain nerve
der **Schmerzsinn** sense of pain
der **Schmetterling, -e** butterfly
die **Schnecke** cochlea, snail
schneckenförmig snail-shaped
der **Schneckenraum, ⸗e** cochlear space
die **Schneide** cutting edge; pivot
schneiden, schnitt, geschnitten cut
der **Schneidezahn, ⸗e** incisor, cutting tooth
schnell quick, rapid
der **Schnitt, -e** cut, section
der **Schnittpunkt, -e** point of intersection
das **Schnüffeln** sniffing, snuffing
der **Schnupfen, -** head cold
die **Schnur** cord
das **Schnurende, -n** end of the cord
schon already; even
schön beautiful, nice, fine
schonen take care of, treat with consideration, spare, indulge
schotenförmig pod-shaped
schräg oblique, slanting
die **Schrägbeziehung** diagonal *or* oblique relation
die **Schraube** screw
schreiben, ie, ie write
die **Schreibweise** way of writing
der **Schritt, -e** step
schrumpfen shrink
der **Schuh, -e** shoe
das **Schulterblatt, ⸗er** scapula
der **Schultergürtel** shoulder girdle
die **Schuppe** scale
das **Schuppentier, -e** scaly animal, *e.g. the pangolin or scaly anteater*
die **Schürze** apron

der **Schutt** debris
der **Schutz** protection
schwäbisch Swabian; **—er Jura** Swabian Jura, Swabian Alps
schwach weak
schwanken waver, fluctuate, vary; totter
die **Schwankung** variation, fluctuation
der **Schwanzwirbel, -** caudal vertebra
die **Schwanzwirbelsäule** caudal vertebral column, spine of the tail
die **Schwärmspore** swarm spore, zoospore
schwarz black
schwärzen blacken
schwarzgrün dark green
der **Schwarzwald** Black Forest
schweben float, be suspended
schwedisch Swedish
der **Schwefel** sulphur
das **Schwefeldioxyd** sulphur dioxide
das **Schwefeleisen** iron sulphide
der **Schwefelkohlenstoff** carbon disulphide
die **Schwefelsäure** sulphuric acid
das **Schwein, -e** hog, pig
der **Schweiß** perspiration
die **Schweißdrüse** sweat gland
schwer difficult, hard; heavy
die **Schwere** weight, gravity
die **Schweremessung** weight *or* gravitational measurement
die **Schwerkraft** force of gravitation
die **Schwerlinie** line of gravity
der **Schwerpunkt, -e** center of gravity
die **Schwerpunktsbestimmung** determination for the center of gravity
die **Schwester, -n** sister
die **Schwiele** callus, horny skin
schwierig difficult
die **Schwierigkeit** difficulty
schwimmen, a, o swim, float
schwingen, a, u swing, oscillate, vibrate

die **Schwingung** vibration, oscillation, swinging

die **Schwingungsdauer** period of vibration *or* oscillation

schwingungsfähig capable of vibration

die **Schwingungsweite** amplitude, extent of the swinging *or* oscillation

die **Schwingungszeit** period of oscillation *or* vibration

die **Schwungkraft** centrifugal force

sechskantig six-edged, hexagonal

sechst- sixth

das **Sediment, -e** sediment, deposit

sedimentär sedimentary

das **Sedimentärgestein, -e** sedimentary rock

das **Sedimentgestein, -e** sedimentary rock

sedimentiert deposited

der **See, -n** lake

die **See** sea

das **Seelenleben** inner life, mental life, spiritual life

die **Seelentätigkeit** mental activity

seelisch mental, psychic(al)

der **Seetang** seaweed, sea tang

das **Seewasser** sea water

Segner, Joh. (1704–1777), *German physicist, discovered the principle of the turbine.*

Segnersch Segner's

sehen, (ie), a, e see

das **Sehen** seeing, looking; vision, sight

der **Sehnerv, -en** optic nerve

das **Sehorgan, -e** organ of sight

sehr very

das **Sehzentrum, -zentren** center of sight

seicht weak, slight, shallow

die **Seife** soap

seiger perpendicular

das **Seil, -e** cord, rope

das **Seilstück, -e** piece of the cord

sein his, its

sein, (ist), war, gewesen be; exist

seinerseits for its part

die **Seismologie** seismology

seit since, from; **— alters her** for ages

die **Seite** side

der **Seitendruck** pressure on the side(s), lateral pressure

die **Seitenlänge** length on the edge(s)

seitlich lateral

seitwärts laterally, sidewise

das **Sekret, -e** secretion

sekundär secondary

die **Sekundärbahn, -en** side track

die **Sekunde** second

die **Sekundengeschwindigkeit** velocity per second

das **Sekundenpendel** second pendulum

die **Sekundenwegstrecke** distance per second

selbst him-, her-, itself, themselves; even

selbständig independent

selbsttätig spontaneous

selbstverständlich obvious

selten rare, infrequent, seldom

senden, sandte, gesandt send

die **Senke** depression, low ground

der **Senkel, -** plummet, clinometer

senken sink; *rfl.* sink, descend, subside

senkrecht vertical, perpendicular

die **Senkung** sinking

sensibel sensitive, sensory

sensitiv sensory; sensitive

setzen put, place, set, arrange; **sich — an** join

Sibirien Siberia

sich = *3d person refl. pronoun;* **an** (*or* **für**) **—** by itself, per se

sicher sure, certain

sichergestellt securely established

die **Sicherheit** certainty, security

das **Sicherinnern** memory, remembering

sichtbar visible, evident

die **Sichtung** survey

sie she, they, it

das **Siebbein, -e** ethmoid (bone)

die **Siebbeinplatte** ethmoid plate

das **Siebengebirge** Siebengebirge (Seven Mts.)

das **Siedelungsgebiet** sphere of colonization

sieden boil

der **Siedepunkt, -e** boiling point

die **Siedetemperatur, -en** boiling temperature

das **Silber** silver

das **Silbernitrat** silver nitrate

das **Siliciumdioxyd** silicon dioxide

das **Siliciumtetrafluorid** silicon tetrafluoride

das **Singen** singing

der **Singvogel, ∸** songbird

sinken, a, u sink

der **Sinn, -e** sense, perception; meaning; direction; **im weitesten —e** in the broadest sense

die **Sinnesempfindung** sensory sensation

das **Sinnesorgan, -e** sense organ

das **Sinneswerkzeug, -e** sense organ

sinnvoll sensible

der **Sitz, -e** seat, location, place

das **Sitzbein, -e** ischium

sitzen, saß, gesessen sit, be

die **Skala, -s** or **Skalen** scale

die **Skalenangabe** scale indication

Skandinavien Scandinavia

das **Skelett, -e** skeleton

der **Skeletteil, -e** part of the skeleton

so so, therefore, thus, then; in this way; **— ein** such a

sobald as soon as

sodann then, afterward

sofort at once, immediately

sog. = sogenannt so-called, pseudo

sogar even

sogenannt so-called, pseudo

sogleich immediately

die **Sohle** sole

söhlig horizontal, level

solange as long as; **— ... bis** until

solch(er) such (a); that

sollen, (soll), sollte, gesollt ought to, should, be said to, be to

sonderbar peculiar

der **Sonderfall, ∸e** special case

sondern but (*on the contrary*)

sondern secrete; separate, divide

die **Sondertätigkeit** separate activity, special activity

das **Sonnensystem** solar system

sonst otherwise, formerly, else

sonstwie otherwise, in some other way

sorgen provide, care; **— für** take care of, provide for, attend to

sorgfältig careful

die **Sorte** sort, kind

soviel as much (as), as far (as)

sovielt equivalent, "so-many-eth"

soweit as far as

sowie as well as

sowohl as well; **— ... als** both ... and, not only ... but also; **— wie** as well as; **— ... wie (auch)** not only ... but also

sozusagen so to speak

der **Spalt, -e** fissure, crevice

die **Spalte** split, fissure

das **Spaltennetz, -e** network of fissures

der **Span, ∸e** splinter, chip

spangenförmig clasplike, bucklelike

spannen stretch, tense, extend, tighten

die **Spannung** tension; voltage

der **Spannungszustand, ∸e** state of tension

spät late

späterhin later on

spatium = space

der **Spätsommer** late summer

der **Spaziergang, ∸e** walk

die **Speiche** radius

der **Speichel** saliva

die **Speichelabsonderung** salivary secretion

die **Speicheldrüse** salivary gland

die **Speise** food

die **Speisemasse** mass of food

speisen feed, supply

die **Speiseröhre** esophagus

der **Speisesaft,** ⸗e chyle

die **Spektralanalyse** spectral analysis

der **Spektralapparat, -e** spectral apparatus

die **Spektraluntersuchung** spectral investigation

das **Spektrum, Spektren** spectrum

die **Spermatozoiden** (*pl.*) spermatozoids, spermatozoa

spez. = **spezifisch** specific

speziell special, particular, specific

spezifisch specific

spiegelbildlich identical, homologous, to one another as image and object

das **Spiel, -e** game; **mit im —e sein** be also involved, be also instrumental

spielen play

die **Spinnwebhaut,** ⸗e arachnoid

das **Spiralblatt,** ⸗er spiral lamina

spiralig spiral

der **Spiritus** spirits, alcohol

spitz pointed, sharp, acute

die **Spitze** point, tip, apex, peak, end

die **Spore** spore

die **Sportart, -en** kind of sport

die **Sprache** speech, language

der **Sprachgebrauch** (linguistic) usage

das **Sprachzentrum, -zentren** center of speech

sprechen, (i), a, o speak

das **Sprechen** speaking, talking; speech

die **Spreu** chaff

springen, a, u spring, jump

die **Spritzgurke** squirting cucumber, Ecballium elaterium

das **Spritzloch,** ⸗er spiracle, spouthole

das **Sprungbein, -e** astragalus

sprunghaft abrupt

die **Spur, -en** trace

das **Spürhaar, -e** tactile hair, "feeler"

der **Stab,** ⸗e rod, bar

stabförmig staff-shaped

stabil stable

der **Stachel, -n** spine, quill; thorn, prong, beard

das **Stadium, Stadien** stage, phase

Stahl, Georg Ernst (1660–1734), *German physicist and chemist, founder of the phlogiston theory*

die **Stahlbombe** steel tank

die **Stahlflasche** steel cylinder, steel container

der **Stamm,** ⸗e trunk; branch

das **Stämmchen, -** small trunk; branchlet

stammen originate, spring, derive; descend, come (from)

der **Stand,** ⸗e position; condition, state; **einen in (den) — setzen** enable one

die **Standhaftigkeit** firmness, rigidity, stability

der **Standpunkt, -e** standpoint

die **Stange** pole

stark strong, large; severe; heavy; violent, intense

die **Stärke** strength, intensity; starch

starr rigid

statisch static

statt instead of

statt-finden take place, occur

stattlich stately, splendid

staubförmig powdered, pulverized, finely dispersed

das **Staubkörperchen, -** dust particle

stecken stick, remain, be, be embedded, be encased

stehen, stand, gestanden stand, be; stop

stehen-bleiben stop

steif stiff, rigid

die **Steifheit** rigidity

der **Steigbügel, -** stirrup, stapes

steigen, ie, ie rise, climb, ascend, mount; increase; **nach unten —** descend

steigern raise, increase

die **Steiggeschwindigkeit** velocity of the ascent
der **Stein**, -e stone
die **Steinbruchindustrie** quarrying industry
die **Steinkohle** pit coal
das **Steinkohlenlager**, - pit-coal bed
die **Steinkohlenmasse** pit-coal mass
die **Steinkohlenpflanze** coal plant
der **Steinträger**, - hod carrier
das **Steißbein** coccyx
die **Stelle** place, position, point, spot
stellen place, put; set, make; focus
stellenweise in places, here and there, partly
die **Stellung** location, position
der **Stempel**, - stamp, plunger
der **Stengel**, - stem
die **Steppe** steppe
die **Steppenhexe** "steppe-witch", tumbleweed
die **Steppenpflanze** prairie plant *or* flower, plant *or* flower of the steppes
der **Sternhimmel** sky, firmament, universe
stet continual, continuous
stets always, constantly
stichhaltig sound, valid
der **Stickstoff** nitrogen
die **Stickstoffverbindung** nitrogen compound
der **Stiel**, -e stalk, stem, peduncle; handle
das **Stielloch**, ⸗er eye
still-legen rest, keep quiet
die **Stimmbildung** voice production
die **Stimme** voice
die **Stimmgabel**, -n tuning fork
stinken, a, u stink
das **Stirnbein**, -e frontal bone
die **Stirnhöhle** frontal sinus
der **Stock**, ⸗e stalk, stem, plant; stick; trunk; (central) mass (*of rock*)
stockförmig block-shaped, in masses
der **Stoff**, -e substance, material, matter
die **Stoffballung** condensation *or* conglomeration of matter

der **Stoffbegriff**, -e concept regarding matter *or* material
die **Stoffklasse** class of matter
stofflich material
die **Stoffmenge** quantity of material
der **Stoffwechsel** metabolism
die **Stolone** stolon, runner
stoppen stop
das **Storchschnabelgewächs**, ⸗e (growth of) stork's-bill, crane's-bill
stören disturb, derange, shift
die **Störung** disturbance, interruption; derangement; displacement, shifting
der **Stoß**, ⸗e impact, blow, impulse
stoßen, (ö), ie, o push, thrust, knock; hit
der **Stoßzahn**, ⸗e tusk
straff taut, tight, tense
der **Strahl**, -en ray
die **Strahlung** radiation
die **Strahlungsart**, -en kind of radiation
der **Strand**, -e shore, beach
der **Strang**, ⸗e band, cord, chord
die **Straße** street
die **Stratigraphie** stratigraphy
sträuben ruffle up
streben strive
die **Strecke** stretch, distance
das **Streichen** strike
das **Streichholz**, ⸗er match
die **Streichrichtung** direction of strike
der **Streifen**, - strip, stripe
der **Streit**, -e strife, dispute; debate
streng strict
strenggenommen strictly considered
stricknadeldick thick as a knitting needle
der **Strom**, ⸗e stream, current
stromab downstream
stromaufwärts upstream
strömen flow, stream, run
stromförmig-flüssig streaming fluid
der **Strömungsdruck** pressure of the current, osmotic pressure
die **Struktur**, -en structure

das **Stück**, -e piece, bit, fragment
stumpf obtuse, blunt
die **Stunde** hour
die **Stundengeschwindigkeit** velocity per hour
die **Sturmflut**, -en storm flood, tidal flood
der **Sturz**, ⸗e collapse
der **Stützapparat**, -e contrivance for support
die **Stütze** support
die **Substanz**, -en substance, matter
das **Substrat**, -e substratum, supporting foundation, nutrient base
suchen seek, look for
Südamerika South America
südlich southern
die **Summe** sum, total
die **Summierung** summation, addition, totaling
der **Sumpf**, ⸗e swamp
der **Sumpfstorchschnabel** Geranium palustre, *type of stork's-bill or crane's-bill*
der **Sumpfwald**, ⸗er swampy *or* marshy forest
die **Sumpfzypresse** swamp cypress
süß sweet
das **Süßwassertier**, -e fresh-water animal
das **Symbol**, -e symbol
die **Symmetrie** symmetry
die **Symmetrieebene** symmetrical plane
der **Symmetriegrund**, ⸗e symmetrical reason, reason of symmetry
symmetrisch symmetrical
die **Synthese** synthesis
Syrien Syria
das **System**, -e system
die **Systematik** systematics, systematizing, classification
systematisch systematic

T

t = die **Tonne** ton
die **Tabelle** table
die **Tafel**, -n slab

der **Tag**, -e day
der **Tagebau** open working(s), surface mining
täglich daily
das **Tal**, ⸗er valley
die **Talgdrüse** sebaceous gland
die **Tangente** tangent
das **Tanzen** dancing
die **Tastempfindung** sense of touch
das **Tasten** touching, feeling
tastend touching, tactile
die **Tastfähigkeit** tactile ability, capacity for touch sensation
das **Tasthaar**, -e tactile hair, "feeler"
das **Tastkörperchen**, - tactile corpuscle
der **Tastnerv**, -en tactile nerve
das **Tastorgan**, -e tactile organ
der **Tastsinn**, -e sense of touch, feeling
das **Tastwerkzeug**, -e tactile organ
die **Tat**, -en act; in der — indeed
die **Tätigkeit** activity, function; in — treten function, become active
das **Tatsachenmaterial**, -ien factual material
tatsächlich actual, real
die **Täuschung** illusion; deception
tausendfach thousandfold
die **Technik** technic(s), commerce
technisch technical, commercial
der **Teich**, -e pond
der **Teig** dough
der **Teil**, -e part, portion, section; share, division; zum — partly; zum (aller)größten — for the most part
teilbar divisible
die **Teilbarkeit** divisibility
das **Teilchen**, - particle
das **Teildreieck**, -e triangle (*which is a part of the larger figure*)
teilen divide, share, separate
die **Teilfunktion** separate function
das **Teilorgan**, -e separate organ
teils partly, in part

teilweise part(ly), in part, partial, fractional

tektonisch tectonic, structural

die Temperatur, -en temperature

die Temperaturänderung change in temperature

der Temperatursinn sense of temperature

der Temperaturunterschied, -e difference in temperature

tempus = time

die Tendenz, -en tendency

der Teppich, -e cover, carpet

das Terrain, -s ground, country, terrain

tertiär tertiary, of the Tertiary Period

das Tertiär Tertiary Period

die Tertiärbraunkohle tertiary lignite

die Tertiärzeit Tertiary Period

der Tetrachlorkohlenstoff carbon tetrachloride, pyrene

die Theorie theory

das (also der) Thermometer, - thermometer

Thomson, Sir Wm., coworker with Joule on the porous-plug experiment, which showed the thermal changes that gases undergo when forced under pressure through small apertures.

Ti = das Titan titanium

tief deep, low

das Tief, -e low (air-pressure region)

die Tiefe depth(s); in die — below, downward

die Tieferverlagerung deeper shifting

tiefgreifend far-reaching

die Tiefsee deep sea

das Tier, -e animal

tierisch animal; -organogen of organic animal origin

das Tierreich animal kindgom

der Tierrest, -e animal remain(s)

tödlich fatal

der Ton, ⸗e tone, note

der Ton, -e clay

die Tonempfindung sensation of tone

tönen sound

die Tonhöhe pitch

tonig earthen, (made) of clay

die Tonne ton

der Tonschiefer clay slate, argillite

der Tonschiefer-Phyllit clay-slate phyllite

die Tonstärke intensity of tone

der Torf, -e or ⸗e peat

das Torfmoor, -e peat bog

Torricelli (1608–1647), Italian philosopher and mathematician

träge lazy, inert

der Tragebalken, - beam

tragen (ä), u, a carry, bear

der Träger, - carrier, bearer, possessor

die Trägerin, -nen carrier, bearer, possessor

die Trägheit inertia

der Trägheitssatz law of inertia

der Trägheitswiderstand resistance to inertia

die Tragschale pan

das Tränenbein, -e lachrymal bone

die Tränendrüse lachrymal gland

der Transport, -e transport, transportation

transportabel transportable

der Traum, ⸗e dream

träumen dream

traumlos dreamless

treffen, (i), traf, getroffen meet, touch

treiben, ie, ie drive

das Treibholz driftwood

die Treibholzansammlung accumulation of driftwood

trennen separate

die Trennung separation, division

treten, (tritt), a, e step, tread; advance, go, come, enter (upon)

trichterförmig funnel-shaped

trocken dry

trocknen dry, dessicate

das Trommelfell, -e eardrum, tympanum

die **Tropfenbildung** formation of drops

trotz in spite of

trotzdem in spite of that, nevertheless; although

die **Tube** tube

die **Tuchfabrik, -en** cloth factory

der **Tuff, -e** tuff, tufa

tun, tat, getan do, make

tunlichst as far as practicable, as far as possible

die **Turbine** turbine

turgeszent turgescent, swelling, becoming distended

das **Turnen** gymnastics

typisch typical

U

u.a. = 1) **unter anderem, unter anderen** among other things; 2) **und andere** and others

üben exert, exercise, practice

über over, above, beyond; concerning, about

überall everywhere

überaus exceptionally, exceedingly

überdecken cover over

übereinander over one another

übereinandergelagert laid *or* deposited on top of one another

die **Übereinanderschichtung** overdeposition, stratification on top of one another

die **Übereinstimmung** harmony, conformity, agreement

überfaltet folded over one another

die **Überflutung** flooding, submergence

überführen transfer

der **Übergang, ⸗e** transition

das **Übergangsgestein, -e** transition rock

die **Übergangszahl, -en** transition number

übergehen (*also separable*) go over, pass over; change

das **Übergewicht** excess (of) weight

das **Übergreifen** spreading

überhaupt generally, mainly, in general, on the whole, chiefly; at all

überkleiden cover over, coat

überknorpelt cartilaginous, covered with cartilage

überlagern overlay, cover

die **Überlagerung** overdeposition, superimposition

überlassen leave

die **Überlegenheit** superiority

überliefern transmit

übermitteln convey, forward, transmit

übernehmen take over, assume

überraschend surprising

überreich extremely rich

übersäen strew, dot, suffuse

überschoben pushed over one another

überschreiten, -schritt, -schritten exceed

überschütten cover (over)

überschwemmen flood, inundate

überseeisch transoceanic, transmarine

übersehen view, survey; perceive

die **Übersicht** survey

über-springen spring over, jump across; short-circuit

übertragen transfer, transmit, give over, carry over

die **Übertragung** transmission, transference

überwachen watch over, guard, supervise

überwiegen predominate

überwinden, a, u overcome

die **Überwindung** overcoming

überzeugen convince

überziehen cover, coat, overlay

üblich usual, customary

übrig remaining, other, rest of the; —**bleiben** be left over, remain; **im —en** moreover, besides

übrigens moreover

die **Übung** practice, exercise

u. dgl. = **und dergleichen** and the like

das **Ufer**, - shore
die **Ulme** elm
die **Ulna** ulna (*bone of the forearm*)
ultraplastisch ultraplastic
um around, about; by; — **so** so much (the); — **so** . . . **je** so much the (more) . . . the; **um** . . . **zu** *with infinitive* (in order) to; um . . . **herum** round about, around
die **Umänderung** change, transformation
um-biegen bend (around)
um-bilden transform
die **Umbildung** transformation
um-drehen invert
die **Umdrehungsgeschwindigkeit** velocity of rotation
der **Umdrehungspunkt** point of rotation
der **Umdrehungsradius**, (-), **-radien** radius of the rotation
der **Umfang**, ⸗e extent, range, size; shape; circumference, rim
umfassen include, embrace
umfassend extensive, comprehensive
umgeben surround
die **Umgebung** surroundings, vicinity, neighborhood
die **Umgegend** neighborhood
umgekehrt vice versa, opposite; on the other hand, contrariwise; reverse, inverse, inverted
umgesetzt transformed
die **Umgestaltung** transformation, transmutation
umher-kriechen crawl around
umher-rollen roll about, roll around
umhüllt covered, enveloped
die **Umhüllung** covering, casing
umkehrbar reversible, transmutable
der **Umkreis** circle, circumference, extent
umkreisen encircle, encompass
umkristallisiert recrystallized
der **Umlauf**, ⸗e revolution
um-leiten send forward, transmit, conduct
umliegend surrounding

der **Umsatz** conversion
um-schalten connect up, connect with one another (*as in a circuit*)
um-schlagen, (ä), u, a invert, turn over; change
umschließen enclose, surround, encompass, encase
die **Umsetzung** transformation, change
umspannen surround, encase
umspinnen, **a, o** envelop, cover, surround
der **Umstand**, ⸗e condition, circumstance; unter **Umständen** under certain conditions
umständlich minute, detailed
umtobt (von) enmeshed (in), caught up in the storm (of)
um-wandeln transform, change
die **Umwandlung** transformation
der **Umwandlungsprozeß**, (-prozesses), **-prozesse** transformation process
die **Umwelt** surrounding world, environment
unabhängig independent
unauffällig unnoticeable
unaufhörlich continual, incessant
unausgesetzt continual, constant
unbeeinflußt uninfluenced
unbegrenzt unlimited, infinite
unbehaart hairless
unbekannt unknown
unbelebt inanimate
unbeständig unstable
unbestimmt indefinite, uncertain, undetermined
unbeträchtlich inconsiderable
unbetretbar impassable, impenetrable
unbeweglich immovable, immobile
unbiegsam inflexible
unbrauchbar useless, unserviceable
und and
undurchdringlich impenetrable
die **Undurchdringlichkeit** impenetrability

die **Undurchsichtigkeit** intransparency, opaqueness
unedel active, common, base
unempfindlich unreceptive
unendlich infinite
unentbehrlich indispensable
die **Unfähigkeit** inability
unfreiwilligerweise involuntarily
ungeeignet unsuitable, unfavorable
ungefähr approximately, about, nearly
ungeheu(e)r tremendous, enormous, colossal, terrific
ungeladen uncharged
ungenau inexact
ungeschlechtlich asexual
ungewöhnlich unusual
ungewohnt unaccustomed
unglaublich incredible
ungleich unlike, dissimilar
ungleichartig dissimilar
ungleichmäßig irregular, nonuniform
ungünstig unfavorable
unheimlich uncanny
die **Unkonformität** unconformity
die **Unkonformitätsfläche** unconformable surface
das **Unkraut**, ̈er weed(s)
unlösbar insoluble
unlöslich insoluble
die **Unmenge** immense number *or* quantity
unmerklich unnoticeable
unmeßbar immeasurable
unmittelbar direct, immediate
unmöglich impossible
die **Unmöglichkeit** impossibility
unnütz useless
unpaar not paired, azygous
unregelmäßig irregular
unreif unripe, immature
unschädlich harmless, innocuous
die **Unschädlichkeit** harmlessness, innocuousness
unscharf indefinite
unscheinbar unlikely
unser our(s)
unsicher uncertain, unsure, unstable

unstatthaft inadmissible, invalid
die **Unstetigkeitsfläche** irregular surface, unsettled condition of the surface
die **Unsymmetrie** asymmetry
unten below; **nach —** downward
unter lower, inferior
unter under, below; among, by, with, at; *cf.* u.a.
der **Unterarm**, -e forearm
die **Unterbindung** ligature, tying off; separation
unterbrechen interrupt
die **Unterbrechung** interruption, disconnecting, break
unterdessen meanwhile
unterdrücken suppress
untereinander among one another, with one another, mutually
die **Unterfläche** lower surface
untergegangen submerged, decayed
die **Untergruppe** subsidiary group
unterhalb beneath, below
unterhalten support
unterirdisch underground
der **Unterkiefer**, - lower jaw, inferior maxilla
die **Unterkieferhälfte** half of the inferior maxilla
die **Unterlage** support, base, foundation; substratum
unterlagern underlay; be situated beneath
unterliegen succumb to, be subject to
unterrichten inform, instruct
unterscheiden, ie, ie distinguish, differentiate
der **Unterschenkel**, - lower leg
der **Unterschied**, -e difference, distinction
unterschlächtig undershot (*of water under a mill wheel*)
die **Unterseite** under side, lower side
unterstützen aid, support
die **Unterstützungsfläche** supporting surface

der **Unterstützungspunkt, -e** point of support
untersuchen examine, investigate
die **Untersuchung** investigation, research
die **Untersuchungsmethode** method of research
die **Unterteilung** division
unterwerfen subject
die **Unterwolle** soft coat, under coat (*of fur*)
ununterbrochen uninterrupted, continual
unveränderlich constant, unchangeable
unverändert unchanged, unaltered, constant
unverbunden ununited
unverdaulich indigestible
unverdaut undigested, crude
unvermeidlich inevitable
unverständlich incomprehensible
unvollkommen imperfect
unvulkanisch nonvolcanic
unwesentlich nonessential, slight
unwillkürlich involuntary
unzugänglich inaccessible
unzuverlässig unreliable
unzweckmäßig impracticable, inappropriate, inexpedient, unsuitable
das **Uran** uranium
der **Urenkel** great grandchild, 3d generation
das **Urgestein, -e** primitive rock, original rock
der **Urnebel, -** primitive mist, primitive nebulosity
die **Ursache** cause, reason
der **Ursachenkomplex, -e** complex-(ity) of reasons
der **Ursonnenkörper** original sun
der **Ursprung, ⁼e** source, origin
ursprünglich original
die **Ursprungsstelle** place of origin
das **Urteil, -e** judgment, opinion, verdict
urzeitlich primeval
der **Urzustand, ⁼e** primitive state

usw. = **und so weiter** etc., and so forth
der **Uterus, Uteri** uterus

V

der **Vagus** the vagus (nerve)
die **Varietät** variety
variieren vary
die **Vegetation** vegetation
vegetationslos destitute of vegetation
vegetativ vegetative
die **Veilchenfarbe** violet color
die **Vene** vein
venös venous
das **Ventil, -e** valve
der **Ventilator, -en** ventilator
veränderlich variable
verändern change, alter
die **Veränderung** change, variation, modification
veranlassen cause
veranschaulichen illustrate, make visual, visualize
verarbeiten assimilate
die **Verarbeitung** working over, assimilation
verbacken converted, fused, transformed, metamorphosed
der **Verband, ⁼e** union; bandage
das **Verbandmaterial, -ien** bandage material
verbinden unite, combine, connect
die **Verbindung** connection, union, combination, compound; **in —** **treten** *or* **stehen** be connected
die **Verbindungslinie** line of connection
das **Verbindungsrohr, -e** connecting tube
die **Verbindungsstelle** place of connection
verbrauchen use up, consume
verbraucht used up, consumed; waste
verbreiten (*rfl.*) scatter, spread (out), diffuse, disseminate, circulate; ramify, extend

verbreitet widespread, common

die Verbreitung dispersion; sprouting

die Verbreitungsart, -en way or method of dispersion

das Verbreitungsmittel means of dispersion

der Verbreitungsmodus, (-), -modi manner of spread(ing), manner of diffusion

verbrennbar combustible

verbrennen, -brannte, -brannt burn

die Verbrennung burning; combustion

die Verbrennungserscheinung phenomenon of combustion

das Verbrennungsgas, -e combustible gas

das Verbrennungsprodukt, -e product of combustion

verdampfen vaporize

verdanken owe

verdauen digest

die Verdauung digestion

die Verdauungsflüssigkeit digestive fluid

der Verdauungskanal, ⸗e digestive tract, digestive canal

das Verdauungsorgan, -e digestive organ

der Verdauungsprozeß, (-prozesses), -prozesse digestive process

verdichten condense, compress

die Verdickung thickening, prominence, callosity

verdoppeln double

die Verdoppelung doubling

verdrängen displace

die Verdünnung dilution

die Verdunstung evaporation

vereinigen unite, combine; concentrate; rfl. join

die Vereinigung union

die Vereinigungsstelle place of union

vereinzelt isolated, single

verengen (rfl.) narrow, contract

die Verengung narrowing, contraction

vererben transmit (by inheritance)

das Verfahren procedure, method, process

verfallen fall, lapse

verfaltet folded (in)

die Verfaltung folding

verfault decayed, decomposed

verfeinern refine

die Verflüssigung liquefaction

die Verformbarkeit deformability

verfrachtet transported

die Verfügung disposal

der Vergleich, -e comparison

vergleichen, i, i compare

das Vergleichen comparing, comparison

das Vergleichsvolumen, -volumina volume for comparison

die Vergleichung comparison

vergrößern increase, enlarge

die Vergrößerung enlargement

verhalten rfl. behave, act; be in proportion

das Verhalten behavior

das Verhältnis, (-ses), -se proportion, relation, ratio; condition, behavior

verhältnismäßig comparative, relative

verharren remain

verhärtet hardened

verhindern hinder, prevent

die Verhornung cornification

verhüten prevent, avert

verjüngen reduce, narrow

verkeilt wedged in

verkitten cement

verkleinern diminish, decrease

die Verknüpfung connection

verkohlen carbonize

verkohlend in a carbonizing manner

der Verkohlungsprozeß, (-prozesses), -prozesse process of carbonization

verkümmern atrophy, degenerate

die **Verkümmerung** atrophy, degeneration

verkürzen shorten, retract

die **Verkürzung** shortening

verlagert shifted

verlangen demand, require

verlängern lengthen, extend, prolong

verlängert elongated, extended, lengthened; das —e **Mark** medulla oblongata

die **Verlängerung** elongation, lengthening

verlassen leave, abandon, give up

der **Verlauf, ⸗e** course, progress; lapse

verlaufen run, proceed, occur, course

verlegen transfer, place

verleiten mislead, lead astray

verletzen injure

die **Verletzung** injury

verlieren, o, o lose

verloren-gehen be lost, become lost

der **Verlust, -e** loss

vermehren increase, multiply

die **Vermehrung** increase, multiplication

vermeiden, ie, ie avoid

vermeinen suppose, believe

vermeintlich supposed, presumed

vermindern decrease

vermischen confuse, mix (up); unite

vermitteln arrange, provide, bring about, mediate, transmit

vermittels by means of

die **Vermitt(e)lung** help, mediation, agency

vermöge by virtue of

vermögen be able, can

das **Vermögen** ability, power

vermuten suppose, suspect

vernachlässigen neglect, disregard

verneinen negate, answer in the negative

vernichten destroy

verpflanzen transplant

verraten, (verrät), ie, a betray, reveal, disclose

verrichten perform

verringern diminish

versagen fail, give out

verschaffen procure, give

verschiebbar displaceable, movable

verschieben, o, o displace

die **Verschiebung** shifting, displacement; adjustment

verschieden different, various, diverse, separate

verschiedenartig heterogeneous, different, varied

die **Verschiedenheit** difference, variation

verschleppen misplace, (re)move

verschließbar able to be closed

verschließen, close, seal, lock

verschlingen, a, u devour, consume

die **Verschlußhaut, ⸗e** closing membrane

die **Verschlußplatte** closing plate

verschmälern (zu) narrow (to)

verschmelzen, (i), o, o fuse

die **Verschmelzung** fusion

die **Verschwendung** waste, dissipation

verschwinden, a, u vanish, disappear

versehen provide

versetzen transfer, move; displace; mix

verseuchen infect, disease, infest

versorgen provide (for), care (for)

der **Verstand** mind, intellect, reason

verständlich understandable

das **Verständnis, (-ses), -se** understanding

verstärken strengthen, intensify, increase

verstehen (unter) understand (by); *rfl.* be evident

versteinert petrified, fossilized

die **Versteinerung** petrifaction

die **Verstopfung** obstruction, stoppage

verstreichen, i, i elapse

verstreuen strew, scatter
der Versuch, -e experiment
versuchen attempt, try
die Versuchsbedingung experimental condition
vertauschen exchange
verteilen (auf) distribute (to), divide (among), diffuse
die Verteilung distribution, division, dispersion
vertiefen (*rfl.*) deepen
die Vertiefung depression
vertikal vertically
die Vertikalreihe vertical row
die Vertikalstreckung vertical extension
vertreiben expel, dislodge, displace, dispose of
vertreten represent, replace
der Vertreter representative
die Vertretung representation
vertrocknen dry up, wither
verunreinigt impure
die Verunreinigung impurity
verwachsen grow, grow together, grow over, interlace; — fest mit grow firmly to, fuse with
die Verwachsung interlacing
verwandeln transform, convert
verwandt related, allied
verwechseln confuse
die Verwechs(e)lung interchange, exchange, confusion, mistake
verwenden apply, employ, use, utilize
die Verwendung use, application
die Verwerfung fault, shift
verwickelt complicated, involved
verwildert savage, wild
die Verwirrung disorder, confusion
die Verwitterung weathering, erosion; decomposition, disintegration
das Verwitterungsprodukt, -e product *or* result of weathering
verworren entangled, confused
verzehren consume, eat up
verzichten renounce
verzweigen (*rfl.*) branch out, ramify
die Verzweigung ramification

vgl. = vergleiche cf., compare
viel much; viele many
vielerlei many (sorts of)
vielfach various, frequent, manifold, repeated, extensive; often, many times
das Vielfach, -e multiple
die Vielheit multitude, multiplicity
vielleicht perhaps, probably
vielmehr (far) rather, on the contrary
vier four
das Viereck, -e quadrangle, quadrilateral
der Vierfüßer, - quadruped
der Vierhänder, - quadrumane
violett violet
der Vogel, ⁓ bird
die Vogesen Vosges (Mountains)
volkswirtschaftlich economic
voll full, complete
vollenden perfect, complete
völlig complete, entire, full
vollkommen complete, perfect
das Vollsaugen saturation; — mit Wasser waterlogging
vollständig complete
vollziehen accomplish, complete; *rfl.* take place
die Volumbeziehung relation by volume
das Volumen, Volumina volume
die Volumeneinheit unit (of) volume
das Volumgesetz, -e law of volume
das Volumprozent, -e percentage by volume
der Volumteil, -e part by volume
das Volumverhältnis, (-ses), -se relation by volume
die Volvacaceen (*pl.*) Volvocidae, *a family of flagellate infusorians, by some regarded as algae and called Volvacacae*
von from, of, by; about, concerning
voneinander from one another
vonstatten gehen progress, take place
vor before, in front of; from; ago

vor-arbeiten pioneer, take the first steps

vorausgeschickt listed first of all, mentioned beforehand, prefaced

voraus-setzen assume, presuppose

die **Voraussetzung** supposition, hypothesis, postulate; **zur — haben** have as a prerequisite

vorbeistreifend passing by, brushing along

die **Vorbemerkung** introductory note

vorder forward, anterior, front

der **Vorderarm, -e** forearm

das **Vorderende, -n** anterior end

die **Vorderextremität** anterior extremity

die **Vordergliedmaße** anterior limb

die **Vorderseite** front side, anterior side

vor-finden (*rfl.*) find present, be present

der **Vorgang, ⁼e** process, procedure; event, occurrence

vorgegeben accessible

vor-gehen proceed

vorgeschritten advanced

vorhanden at hand, present

das **Vorhandensein** presence

vorher previously, before

vorhergehend preceding

das **Vorhergehende** (*adj. decl.*) the above, the preceding

vorherig previous

vor-herrschen predominate, prevail

vorherrschend prevalent, predominant, prevailing

vorhin before, previously

der **Vorhof, ⁼e** auricle, vestibule

vorig past, preceding

die **Vorkammer, -n** auricle

vor-kommen appear; be found; occur, happen

das **Vorkommen** appearance, occurrence, phenomenon

vor-kühlen precool

vor-lagern situate in front of

vorläufig for the present

die **Vorliebe** preference

vor-liegen be at hand, be present

das **Vorliegen** presence

vorn forward, in front, anteriorly

vornehmlich chiefly, especially

vornherein, von — from the first, as a matter of course

die **Vorperiode** preliminary period

die **Vorrichtung** arrangement, mechanism, device

der **Vorschein** appearance; **zum — kommen** appear

das **Vorsetzen** prefixing

die **Vorsetzung** prefixing

vorsichtig careful

die **Vorsichtsmaßregel, -n** precaution, preventive measure

vor-springen project

der **Vorsprung, ⁼e** prominence

vor-stellen present, represent; *rfl.* conceive, imagine

die **Vorstellung** notion, idea, conception

vor-stoßen push (up)

der **Vorteil, -e** advantage

das **Vorübergehen** passing

vorübergehend passing, transitory, temporary

vorüberstreifend passing by, brushing along

vorweltlich primeval

vor-wölben arch out

die **Vorzeit, -en** past age, early era

vorzüglich preferably, excellently

vorzugsweise preferably

der **Vulkan, -e** volcano

das **Vulkangestein, -e** volcanic rock

vulkanisch volcanic

der **Vulkanismus, (—)** volcanism

W

die **Waage** scale(s), balance

der **Waagebalken, -** beam (of a scale)

waagerecht horizontal

die **Waag(e)schale** pan (of a scale)

wach waking, awake

wachen watch, guard; be awake

wachsen, (ä), u, a grow, mature, increase; (etwas) gewachsen sein be equal to (something)

das Wachstum growth

die Wachstumsenergie energy for growth

der Wachstumsort, ̈er or -e place of growth

der Wächter, - guard

das Wade(n)bein, -e fibula

der Wagen, - wagon

wägen weigh

wählen choose

während during; while

währenddessen meanwhile

wahr-nehmen perceive, observe

die Wahrnehmung observation, perception

wahrscheinlich probably, likely

der Wal, -e whale

der Wald, ̈er forest, woods

der Waldbestand, ̈e stand or growth of forest

der Waldboden forest soil

der Waldstrauch, ̈er forest shrub or bush

das Walten dominance, functioning

das Waltier, -e whale

walzenförmig cylindrical

die Wand, ̈e wall

wandeln change

wandern migrate, roam

die Wanderung migration, trip

das Wanderungsvermögen migration ability

die Wandschicht, -en peel

die Wange cheek

wann when

die Ware goods, wares

warm warm

der Warmblüter, - warm-blooded animal

warmblütig warm-blooded, haematothermal

die Wärme heat; warmth

die Wärmeausdehnung heat expansion

die Wärmeenergie heat energy

das Wärmegefühl feeling of warmth, feeling of heat

die Wärmeleitung conduction

der Wärmenerv, -en heat nerve

der Wärmepunkt, -e warm point, heat point

die Wärmeregulierung heat regulation

der Wärmesinn, -e sense of warmth, sense of heat

warum why

warzenförmig papillary, wartlike

was what? what, which, that, that which

das Wasser, - or ̈ water

die Wasserabsonderung secretion of water

die Wasserart, -en kind of water

wasserbewohnend aquatic, water-inhabiting

der Wasserdampf steam, water vapor

der Wasserdruck water pressure

die Wasserelektrolyse electrolysis of water

die Wassererschließung obtaining of water (supply)

der Wasserfarn, -e water fern, Salvinia natans

wasserfrei anhydrous, free of water

das Wassergeflügel water fowl

der Wassergehalt water content

der Wassergraben pool, moat

wasserhaltig hydrous, containing water

wässerig watery, aqueous

der Wasserkreislauf water circulation

der Wasserlauf, ̈e water course

das Wasserleben aquatic life or existence

die Wasserlinse duckweed

das Wasserloch, ̈er water hole

die Wassermasse mass of (the) water

die Wassermenge amount of (the) water

die **Wasseroberfläche** surface (of the water)

die **Wasserpest** (Canadian) water-weed

die **Wasserpflanze** water plant

das **Wasserrad**, ⁻er water wheel

die **Wassersäule** column of water

der **Wasserspiegel**, - surface (of the water)

der **Wasserstoff** hydrogen

die **Wasserstoffatmosphäre** atmosphere of hydrogen

das **Wasserstoffatom**, -e hydrogen atom

wasserstoffhaltig containing hydrogen

der **Wasserstoffkern**, -e hydrogen nucleus

das **Wasserstoffmolekül**, -e hydrogen molecule

das **Wasserstoffsuperoxyd** hydrogen peroxide

die **Wasserströmung** (water) current

das **Wassertier**, -e aquatic animal

das **Wasserunkraut** water weeds

der **Wasservogel**, ⁻ aquatic fowl

wasserzersetzt decomposed by water

der **Wechsel**, - change, alteration

wechseln change, vary

weder . . . noch neither . . . nor

der **Weg**, -e way, path, road; distance; manner, method

die **Wegeinheit** unit of distance

wegen on account of

der **Wegerich**, -e plantain

weg-rollen roll away

weg-sieden boil off

die **Wegstrecke** distance

das **Weibchen**, - female

weiblich feminine, female

weich soft, yielding, delicate, weak

weichen, i, i yield, recede, withdraw

die **Weichheit** softness, tenderness

die **Weide** willow (tree)

weil because

die **Weise** way, manner; **auf diese** (*or* **solche**) — in the (*or* such a) way

weiß white

weißgefärbt white (colored)

weit far, wide, broad; **bei —em** by far

weitaus by far

die **Weite** width

weiter farther, further; **ohne —es** without further ado, at once

die **Weiterbewegung** further movement

weiter-geben transmit

weiterhin farther (on), further

weiter-schieben, o, o push onward

d i e **Weiterverbreitung** f u r t h e r spreading

weitgehend extensive, to a considerable degree

weitverbreitet far spread, widely spread, widespread, widely scattered, prevalent

der **Weizen** wheat

welch(er) what (a); which, who

die **Welle** wave

die **Wellenart**, -en type of wave

die **Wellenbewegung** wave movement, undulatory motion

das **Wellrad**, ⁻er axle

die **Welt**, -en world

die **Welteislehre** world *or* cosmic ice theory

der **Weltkörper**, - celestial body, planet; planetesimal

die **Weltkörpermasse** mass of heavenly bodies, planetary mass

der **Weltkrieg** World War

der **Weltteil** part of the world

wenden, wandte, gewandt (*rfl.*) turn; **sich — an** apply to

wenig slight, little; few; **—er** less; **am —sten** least of all

wenigstens at least

wenn if, when(ever); **wenn auch** *or* **wenn . . . auch** even if

wer who(ever), he who

der **Werdegang**, ⸚e growth, development, process of formation
werden, (wird), **wurde**, **geworden**
become, evolve, get; — **zu** turn
into; — *with past participle* be;
— *with infinitive* shall, will
das **Werden** development, begin-
nings
werfen (i), a, o throw
der **Wert**, -e value
die **Wertigkeit** valence
wertmäßig in point of value
das **Wesen** being, essence, nature
wesentlich essential, chief
weshalb for which reason
Westaustralien western Australia
westlich western
das **Wetter** weather
die **Wetterkarte** meteorological
chart
wichtig important, weighty
die **Wichtigkeit** importance, weight
der **Widerhaken** barb
der **Widerstand** resistance
widerstandsfähig capable of resistance
wie how, as, like; such as
wieder again
der **Wiederaufbau** rebuilding
die **Wiedergabe** reproduction
wieder-geben reproduce
wiederholen repeat
die **Wiederholung** repetition
der **Wiederkäuer**, - ruminant
wieder-kehren return, recur
wiederum again, anew
das **Wiederverdampfen** revaporiza-
tion
wiegen, o, o weigh
die **Wiese** meadow
die **Wiesenfläche** meadow
wieviel how much, how many
wild wild
wildwachsend uncultivated, grow-
ing wild
der **Wille**, (-ns), -n will (power)
der **Willensakt**, -e act of the will,
act of volition

willkürlich voluntary; arbitrary
der **Wind**, -e wind
die **Windhexe** wind-witch (*a steppe
plant*)
die **Windrichtung** direction of the
wind
die **Windung** coil, fold, winding,
convolution
der **Winkel**, - angle, corner
die **Winkelgeschwindigkeit** circular
velocity, angular velocity
der **Winkelgrad**, -e degree of the
angle
der **Wintergast**, ⸚e winter guest
der **Winterschlaf** winter sleep
winzig minute, tiny, infinitessimal
wir we
der **Wirbel**, - vertebra; whirl
der **Wirbelbogen**, ⸚ vertebral arch
der **Wirbelkanal**, ⸚e vertebral canal
der **Wirbelkörper**, - vertebral body
die **Wirbelsäule** vertebral column
das **Wirbeltier**, -e vertebrate
wirken act, work, operate; effect;
— **mit** co-operate
wirklich real, actual
die **Wirklichkeit** reality
wirksam effective, efficient, active,
working, operative
die **Wirksamkeit** action, effect(ive-
ness), play
die **Wirkung** action, effect; **zur** —
kommen be active
der **Wirkungsbereich**, -e sphere of
operation
wirr confused, chaotic
wissen, (weiß), **wußte**, **gewußt** know
das **Wissen** knowledge
die **Wissenschaft** science
wissenschaftlich scientific
wissenschaftlich-ideell scientific-
ideal, abstract-scientific
das **Wissensstadium**, -**stadien** phase
of knowledge
die **Witterung** weather
wo where; when
wobei whereby; in which case

wodurch whereby; by means of which; through which

wogen wave

woher for which reason

wohl well, good; perhaps, probably; surely, to be sure

das Wohlbehagen feeling of comfort, feeling of well-being

wölben (*rfl.*) arch, curve

der Wolf, ⸗e wolf

der Wollballen, - bale of wool

die Wolle wool

wollen, (will), wollte, gewollt will, want to, wish to

das Wollen will

das Wollhaar, -e wool (hair)

womöglich wherever possible

wonach according to which; after which

worden = *past participle of* werden; *used in place of* geworden *when itself preceded by a past participle*

das Wort, ⸗er *or* -e word

die Wortgleichung (word) equation

wühlen root, dig, burrow

der (*also* die) Wulst, ⸗e pad, roll, bunch, tuft

wulstig puffed up, padded; pad-shaped, roll-shaped

die Wunde wound

wundervoll wonderful

die Wundpflege wound treatment

der Wurf, ⸗e throw

die Wurfbewegung motion of throwing

der Würfel, - cube

die Würfelfläche surface of the cube

die Wurfkraft, ⸗e projective force

der Wurmfortsatz, ⸗e vermiform appendix

die Wurzel, -n root, radix; square root

wurzellos rootless

der Wurzelteil, -e root part

X

Xenon xenon

Z

zackig jagged, indented

zäh tough, tenacious; viscous

zähflüssig viscous

die Zahl, -en number, figure

zählen count, number, reckon; — zu belong to, to be reckoned among

zahlenmäßig numerically

das Zahlenverhältnis, (-ses), -se numerical ratio

der Zähler numerator

zahllos numerous

zahlreich numerous

zähmen tame

der Zahn, ⸗e tooth

zahnarm edentate

das Zahnbein dentine

das Zähnchen little bulb; clove (*cf* garlic)

das Zahnfleisch gum

die Zahnformel, -n tooth formula

zahnförmig tooth-shaped

die Zahngrube alveola

die Zahngruppe tooth-group

der Zahnkitt dental cement

die Zahnkrone crown (of the teeth)

der Zahnschmelz, -e (tooth) enamel

der Zahnwal, -e denticite whale

der Zahnwechsel changing of teeth

die Zahnwurzart, -en coralwort, toothwort, Dentaria bulbifera (*a species of herb of the mustard family*)

die Zahnwurzel, -n (tooth) root

die Zange tongs

das Zäpfchen, - uvula

der Zapfen head, peg, plug, cone

zart tender, delicate

die Zaunrübe white bryony

z.B. = zum Beispiel e.g., for example

die Zehe toe

die Zehenspitze tip of the toe(s)

zehnmilliont- ten millionth

zehnt- tenth

das Zeichen, - symbol

zeichnen draw, design, delineate

die Zeichnung sketch, drawing, design, representation

zeigen show, point; *rfl.* appear

der Zeiger, - indicator

die Zeit, -en time; period, interval; age, era

das Zeitalter, - age ,era

das Zeitäquivalent, -e time equivalent

der Zeitbegriff, -e time concept

die Zeitbenennung time nomenclature

die Zeitdauer period of time, duration of time

die Zeiteinheit unit of time

das Zeitglied, -er chronological member

zeitlich temporal, in point of time

das Zeitmittel (time) average

der Zeitpunkt, -e point (of time), interval

der Zeitraum, ⁼e interval of time, period

die Zeitstufe chronological gradation

das Zeitverhältnis, (-ses), -se time relation

zeitweise occasionally, from time to time

die Zelle cell, cell body

die Zellengruppe group of cells

die Zellschicht, -en cell layer

der Zellstoff cellulose

das Zement cement

das Zentimeter, - centimeter

der Zentner, - hundred weight

zentral central

die Zentralachse central axis

der Zentralkörper, - central body

das Zentralorgan, -e central organ

zentrifugal centrifugal

die Zentrifugalkraft centrifugal force

das Zentrifugalpendel, - centrifugal pendulum, conical pendulum

die Zentrifuge centrifuge, centrifugal separator

zentripetal centripetal

die Zentripetalkraft centripetal force

das Zentrum, Zentren center

der Zerfall decomposition

zerfallen be divided, decompose; fall to pieces, break down, disintegrate

der Zerfallsprozeß, (-prozesses), -prozesse process of decomposition

zerkleinern break up, make smaller, diminish the size of

zerklüftet cleft, fissured

zerlegbar divisible

zerlegen divide, disintegrate, decompose; analyze

die Zerlegung decomposition

zerschneiden cut (apart)

zersetzen (*rfl.*) decompose

die Zersetzung decomposition

zerspritzt dispersed

zerstäubt pulverized

die Zerstörung destruction

ziehen, zog, gezogen draw, pull; move, go, proceed, travel; cultivate

das Ziel, -e goal, aim

ziemlich rather, fairly

die Zierde ornament

zierlich dainty

die Zimmertemperatur, -en room temperature

das Zink zinc

die Zirkelspitze compass point, point of a divider

die Zirkelstellung position of the compass, placing of the divider

die Zoologie zoology

z.T. = zum Teil in part, partly

zu to, at, in, for; too; *with infinitive:* (in order) to; — gleicher Zeit at the same time

der Zucker, - sugar

das Zuckerwasser sugar water

die Zuckung motion, movement; jerk

zudem moreover, in addition

zueinander to one another

zuerst at first

zufällig fortuitous, by chance

die Zufälligkeit accident

die Zufuhr introduction

zu-führen lead to, bring to, supply, add

der Zug, ⸗e pull; train
zugänglich accessible
zugerundet tapering, rounded off
zugespitzt pointed
zugleich at the same time, simultaneously
zugrunde-legen take as a basis
zu-kommen come to, belong to, be to the credit of, be due to, be characteristic of, be common to
zuletzt finally, at last
zumal especially (since)
zumeist usually, for the most part
zunächst first (of all), next
zu-nehmen increase, advance
die Zunge tongue
das Zungenbändchen, - ligament of the tongue, frenulum
das Zungenbein, -e hyoid bone
die Zungenhaut, ⸗e epidermis of the tongue
die Zungenoberfläche surface of the tongue
die Zungenspitze tip of the tongue
zurück back, backward, behind
zurück-bleiben remain behind
zurück-blicken look back
zurück-drängen repel, push back, overrun
zurück-führen trace back, lead back; reduce
zurück-gehen go back, return; deteriorate
zurück-kehren return
zurück-kommen return
zurück-lassen leave behind
zurück-legen pass over, cover, traverse
zurück-rufen call back, recall
zurück-strömen flow back
zurück-treten recede, lose significance
zurück-weichen recede
zurück-weisen, ie, ie reject
zurück-werfen, (i), a, o throw back
zusammen together, jointly
das Zusammenarbeiten co-operation, working together

zusammen-biegen bend together
zusammendrückbar compressible
die Zusammendrückbarkeit compressibility
zusammen-drücken compress
zusammen-falten fold (together)
zusammen-fassen group together, include; sum up, conclude
die Zusammenfügung articulation
zusammengedrückt composite, composed; pressed together
zusammengesetzt composed; composite, co-ordinated
zusammengewürfelt mixed up
der Zusammenhang, ⸗e connection, relation; cohesion, coherence
zusammen-hängen be connected; cohere, be associated
zusammenhängend continuous
der Zusammenhangszustand, ⸗e state of cohesion
zusammen-mischen mix together
zusammen-neigen incline toward one another
zusammen-pressen squeeze together, compress
die Zusammenpressung compression
zusammen-rollen roll up, curl
das Zusammenschießen collision, coalescence
zusammen-schließen unite, join (together)
zusammen-schmelzen, (i), o, o dissolve, melt
zusammen-schwemmen drift together
die Zusammenschwemmung piling up, washing together
zusammen-setzen (rfl.) compose, combine
die Zusammensetzung composition, structure
zusammen-sickern seep together
das Zusammenstellen assembling, preparation, blending
die Zusammenstellung compilation, list(ing), assembling

der Zusammenstoß, ⸗e collision
zusammen-treten unite, combine
zusammen-wirken co-operate
zusammen-ziehen contract, draw together
zu-schreiben ascribe, attribute
zu-sehen observe
der Zustand, ⸗e condition, state; position
zustande kommen result, occur, come about, be brought about
das Zustandekommen arising, arousal, formation, origin
das Zustandsdiagramm, -e diagram of the phases
zu-strömen flow to, flow in
das Zuströmen influx
zutage fördern bring to the surface
zutage treten crop out
zu-treffen prove true
zuvor formerly, previously
der Zuwachs increase
zuweilen at times
zu-wenden (rfl.) turn toward, turn to
zwar indeed, to be sure
der Zweck, -e purpose, object
zweckmäßig suitable, appropriate, purposeful
zwei two

zweiarmig two-armed
zweierlei two sorts or kinds of
zweifellos doubtless, undoubtedly
der Zweig, -e branch
das Zweigende, -n end of a branch
das Zweigstückchen, - little twig
zweiseitig bilateral
zweit- second
zweitens secondly
zweiundeinhalbmal two and a half times
der Zweizahn bidens
zweizähnig double-toothed
das Zwerchfell, -e diaphragm
die Zwiebel, -n bulb, onion
zwiebelartig bulbous, bulblike
zwingen, a, u force, compel
zwischen between, among
das Zwischenkieferbein, -e intermaxillary bone
die Zwischenlagerung interdeposition
der Zwischenraum, ⸗e interval, intervening space
zwölf twelve
der Zwölffingerdarm, ⸗e duodenum
der Zylinder, - cylinder
der Zylinderraum chamber of the cylinder
z. Zt. = zur Zeit at the present

(7)